Micheline Duff

Au bout de l'exil

Tome 2 – Les Méandres du destin

ROMAN

QUÉBEC AMÉRIQUE

« *Confondant dans un même sentiment de loyauté sincère notre amour pour la patrie de Washington et pour celle de Champlain, nous sommes ici pour rendre hommage à l'une des grandes figures du Nouveau Monde, Samuel de Champlain…* »

Discours prononcé par Hugo Adélard Dubuque lors de l'inauguration de la statue de Champlain, à Champlain, dans l'État de New York, lors des fêtes du 300e anniversaire de la fondation de Québec.

Tous Continents

Collection dirigée par
Anne-Marie Villeneuve

De la même auteure

Romans

Au bout de l'exil, Tome 1 – La Grande Illusion, Montréal, Éditions Québec Amérique, 2009.

Mon cri pour toi, Montréal, Éditions Québec Amérique, 2008.

D'un silence à l'autre, Tome III – Les promesses de l'aube, Chicoutimi, Éditions JCL, 2007.

D'un silence à l'autre, Tome II – La lumière des mots, Chicoutimi, Éditions JCL, 2007.

D'un silence à l'autre, Tome I – Le temps des orages, Chicoutimi, Éditions JCL, 2006.

Jardins interdits, Chicoutimi, Éditions JCL, 2005.

Les lendemains de novembre, Chicoutimi, Éditions JCL, 2004.

Plume et pinceaux, Chicoutimi, Éditions JCL, 2002.

Clé de cœur, Chicoutimi, Éditions JCL, 2000.

Récit

Mon grand, Chicoutimi, Éditions JCL, 2003.

Au bout de l'exil

Tome 2 – Les Méandres du destin

**Catalogage avant publication de Bibliothèque et Archives
nationales du Québec et Bibliothèque et Archives Canada**

Duff, Micheline

Au bout de l'exil : roman

(Tous continents)

Sommaire: t. 1. La grande illusion -- t. 2. Les méandres du destin.

ISBN 978-2-7644-0689-2 (v. 1)

ISBN 978-2-7644-0732-5 (v. 2)

I. Titre. II. Titre: La grande illusion. III. Titre: Les méandres du
destin. IV. Collection: Tous continents.

PS8557.U283A9 2009   C843'.6   C2009-940625-X
PS9557.U283A9 2009

Conseil des Arts   **Canada Council**
du Canada   **for the Arts**

Nous reconnaissons l'aide financière du gouvernement du Canada par
l'entremise du Programme d'aide au développement de l'industrie de
l'édition (PADIÉ) pour nos activités d'édition.

Gouvernement du Québec – Programme de crédit d'impôt pour
l'édition de livres – Gestion SODEC.

Les Éditions Québec Amérique bénéficient du programme de subvention
globale du Conseil des Arts du Canada. Elles tiennent également à
remercier la SODEC pour son appui financier.

Québec Amérique

329, rue de la Commune Ouest, 3ᵉ étage

Montréal (Québec) Canada H2Y 2E1

Téléphone : 514-499-3000, télécopieur : 514-499-3010

Dépôt légal : 1ᵉʳ trimestre 2010

Bibliothèque nationale du Québec

Bibliothèque nationale du Canada

Projet dirigé par Anne-Marie Villeneuve

Révision linguistique : Diane-Monique Daviau et Luc Baranger

Conception graphique : Nathalie Caron

Montage : Andréa Joseph [pagexpress@videotron.ca]

©2010 Éditions Québec Amérique inc.

www.quebec-amerique.com

Imprimé au Canada

À Nicole et à Michèle,
pour leur amitié et leur aide précieuse
et à nos grands-mères, arrière-grands-mères et
aïeules qui, par leur dévouement, ont façonné
dans le confinement de leur foyer la race belle
et fière que nous sommes devenus.

Résumé du Tome 1 – *La Grande Illusion*

En septembre 1880, après avoir quitté le Saguenay avec ses trois filles, Marguerite, 13 ans, Anne, 11 ans et Camille, 6 ans, et mis le feu à sa maison où gisait la dépouille de sa femme, Joseph Laurin atteint enfin la frontière américaine au bout d'un voyage aux nombreuses péripéties.

Un accident l'arrête à Colebrook, au New Hampshire, où Camille, gravement blessée, sera prise en charge par le docteur Lewis et sa femme Angelina. Le reste de la famille séjournera plusieurs mois à la ferme de la belle veuve Jesse Peel. À la suite d'une grave altercation avec le fils, John Peel, et un avortement provoqué par l'Américaine enceinte de Joseph, ce dernier décidera de se rendre avec ses deux aînées à son but ultime, Lowell, au nord de Boston.

Chez la tante Léontine, Anne subira les assauts sexúels de son cousin Armand. Finalement abandonnées par leur étrange père retourné à Colebrook pour s'acheter un terrain, les deux sœurs connaîtront la dureté du travail dans les usines de textile de Lowell. Elles réussiront tout de même à se tailler une place au soleil avec l'aide des prêtres de la paroisse et de leurs amis Rose-Marie et

Paul Boismenu. Anne deviendra vendeuse de souliers, Marguerite, institutrice, pendant que leur jeune sœur restera à Colebrook
sous la tutelle du couple Lewis.

Le roman se termine sur une lueur d'espoir, Marguerite recon-
duisant son amoureux Simon en partance pour le Canada avec une
promesse de retour et de mariage dans les plus brefs délais.

1

Lowell, 18 décembre 1883

Ma chère Camille,

Voilà un an, déjà, qu'on ne s'est pas vues… Je peux facilement imaginer la frénésie qui règne dans la maison des Lewis à ce temps-ci de l'année : arbre de Noël, feuilles de gui et plum-pudding, babioles, invitations à un festin. Je suppose que papa fait partie de la liste de vos invités. Transmets-lui mes salutations accompagnées d'un gros baiser sur la joue.

Noël est aussi dans l'air à Lowell. Anne est en train de décorer la vitrine de La Par-botte avec de jolies guirlandes. Elle adore toujours son travail, et comme le commerce prend de l'ampleur, Paul lui donne de plus en plus de responsabilités pour la gestion.

Pour ma part, imagine-toi que je vais faire partie du personnel enseignant de la nouvelle école paroissiale Saint-Joseph ouverte officiellement ce mois-ci. On a organisé une cérémonie grandiose pour l'inauguration. Le croirais-tu ? Quatre cents garçons et trois cent quatre-vingt-douze filles se sont inscrits et vont enfin étudier en français ! Qui aurait cru que la « petite école », cet édifice de briques de la rue Moody, déborderait à ce point d'enfants dès le départ ? Je te dis que le père Garin paraissait fier de ce grand succès !

Du côté sentimental, Simon continue toujours de m'envoyer des lettres d'amour même s'il n'est pas encore revenu me chercher tel que promis. Depuis l'arrivée de sa famille à Batiscan, le malheur est entré dans leur maison. Tu savais que son père était tombé gravement malade, eh bien ! il vient de rendre l'âme. Pauvre Simon, toute la responsabilité de la famille retombe sur ses épaules d'aîné. Il aimerait bien que j'aille le rejoindre là-bas, mais j'hésite, pour le moment, à faire le grand saut dans ce qui me semble être une galère, je t'avoue. J'ai beau l'aimer beaucoup...

Mon filleul Patrick va bien et il aura un frère ou une sœur au printemps prochain. Rose-Marie nous a appris la bonne nouvelle récemment. Malheureusement, nos amis se trouvent maintenant à l'étroit dans leur logement situé au-dessus du magasin, et ils ont décidé de déménager dans un endroit plus spacieux. Ils vont nous manquer. Anne et moi pourrons conserver notre petit coin bien à nous, à moins que tu ne décides, ma chère Camille, de venir vivre avec nous, ici, à Lowell. Nous disposons maintenant d'assez d'argent pour nous loger convenablement dans plus grand. Ne crois-tu pas que le temps serait venu de renouer nos liens d'autrefois ? Tu pourrais t'inscrire à l'école paroissiale francophone. Penses-y bien et fais-moi signe.

Comment va papa ? Il ne me donne pas souvent de ses nouvelles. Continue-t-il toujours à vivre dans sa cabane de bois rond tout en poursuivant son travail à l'écurie de l'hôtel ? Je ne m'explique pas pourquoi cette fameuse maison si longtemps promise n'a pas encore remplacé sa minuscule baraque. De voir notre famille ainsi séparée depuis la perte de maman me chagrine beaucoup. Plus j'y pense, plus j'insiste pour que tu viennes t'installer avec Anne et moi. Nous avons tant de temps perdu à rattraper !

Je t'embrasse, ma chère sœur, et te souhaite un joyeux Noël. Salue bien Angelina et le docteur pour moi. Et si tu vois papa, le matin du premier jour de l'An, n'oublie pas, si le cœur t'en dit, de lui demander sa bénédiction. Trois fois plutôt qu'une...

Ta grande sœur qui t'aime,
Marguerite

2

À travers la fumée montant du brasier, Joseph, bonnet de poils sur la tête et bouteille de robine à la main, distinguait à peine sa cabane au milieu de la forêt. Cet abri ne ressemblait guère à la maison de ses rêves mais il l'avait construit en attendant de bâtir l'autre, la belle, la grande demeure, celle où il réunirait enfin sa famille. Dès que les rayons de soleil de ce printemps de 1884 achèveraient de faire fondre les dernières congères, il s'attellerait à la tâche. Tranquillement, l'avenir se dessinait à l'horizon.

Ne lui resterait qu'à convaincre ses deux grandes de déménager à Colebrook. Quand elles verraient l'immense cuisine éclairée par une large baie, le salon joliment meublé, leurs vastes chambres à l'étage et, surtout, la grande galerie où il suspendrait une balançoire, elles ne pourraient résister. Après tout, vivre et travailler à Lowell ou à Colebrook, quelle différence ?

Ce nid concrétiserait enfin sa décision de s'installer définitivement aux États-Unis, maître de son chez-soi et de sa destinée. Loin des souvenirs de sa jeunesse, loin des chantiers du Saguenay, loin des temps durs à gagner sa pitance et celle de sa famille, loin, surtout, du spectre de Rébecca et de la maison paternelle vétuste de Grande-Baie. Ici, au bout de l'exil, il pouvait recommencer sa vie à neuf. À quarante-trois ans, tout était permis. Les lendemains lui appartenaient.

Chaque jour, en fin d'après-midi, il s'acheminait sur l'un des traîneaux de l'hôtel Hinman tiré par Titan jusqu'à son lopin de terre, dans le rang de Dixville. Son oasis. Sa garantie de bonheur. Il retrouvait sa hache et ses cisailles et, sans hésiter, sans se donner le temps de se reposer, il retroussait ses manches.

La brunante le trouvait affamé et en sueur. Il déballait alors les provisions apportées de l'hôtel pour les dévorer comme un fauve en les accompagnant de nombreuses rasades d'alcool. Puis il s'affalait, épuisé, devant le feu de bois qu'il ne manquait pas d'allumer systématiquement un peu plus loin, devant sa cabane. Les yeux rougis et le regard fixe, il finissait par s'endormir, appuyé contre un arbre, en rêvant à sa future vie.

L'homme trimait dur. L'un après l'autre, il se mesurait aux arbres qui déployaient leur ramure au-dessus de cette terre de roche à flanc de colline, située entre la route et un ruisseau dévalant joyeusement la pente. Avec une patience d'ange, il abattait, sciait, équarrissait, sablait puis transformait les cèdres en bardeaux et les grands pins en poutres et en planches. Après avoir déboisé et épierré une partie du terrain, Joseph se rendit compte qu'il ne pourrait installer une demeure sans avoir à pelleter des tonnes de terre afin de niveler le sol. Mais peu importe, il y arriverait. Rien ne pouvait l'arrêter. Ni les protestations de ses filles, ni les moqueries des gens de Colebrook dont certains avaient l'audace de le montrer du doigt et de le traiter d'illuminé. S'imaginer construire sans aide une maison sur un site aussi inapproprié relevait de la pure utopie, tout le monde le savait.

Joseph, lui, s'en fichait. Il accomplissait bien son travail de palefrenier, se mêlait de ses affaires et ne dérangeait personne. Bien sûr, les méchantes langues ne manquaient pas de murmurer derrière les portes. On le blâmait d'abandonner sa benjamine aux soins du docteur Lewis et de sa femme au lieu de s'en occuper lui-même. La fillette paraissait pourtant guérie. Mais l'enfant, élevée dans l'abondance et la stabilité, ne s'en plaignait pas. Ceux qui connaissaient l'existence des deux autres filles laissées seules à Lowell ne se gênaient pas pour jeter la pierre à ce mystérieux immigrant. Quoi ? Ce veuf a d'autres enfants ? Quoi ? Il les a oubliées là-bas depuis des années ? Quel père sans-cœur et irresponsable ! On devrait porter plainte !

Mais Joseph ne bronchait pas et poursuivait ses activités sans faire de bruit. Bien sûr, son patron pouvait lui reprocher d'y aller un peu fort sur l'eau-de-vie, mais, même en titubant, Joseph s'acquittait de sa tâche de valet d'écurie de façon acceptable. À vrai dire, il tenait à ce travail comme à la prunelle de ses yeux. Bien payé, logé dans l'étable quand il ne se rendait pas à sa cabane, et nourri par le cuisinier de l'hôtel, il arrivait à mettre de côté la majeure partie de son salaire dans le but d'acheter les matériaux pour sa maison.

Il n'avait pas encore réussi, cependant, à vendre l'idée à Anne et à Marguerite. Pour l'instant, il se contentait de rares rencontres, soit à Lowell, soit à Colebrook. Rencontres plutôt froides et de plus en plus impersonnelles. De toute évidence, la politesse et les convenances prenaient le pas sur les confidences et les échanges familiaux chaleureux. Les deux grandes semblaient bien se débrouiller à Lowell et cela suffisait au père qui ignorait maintenant les détails de leur vie. L'une enseignait et l'autre vendait des souliers. Elles survivaient, elles possédaient un toit, avaient de quoi manger, que demander d'autre ? Elles avaient l'essentiel. Le reste ne lui importait guère. Après tout, Marguerite allait sur ses dix-huit ans et sa sœur fêterait dans quelques mois ses *sweet sixteen*, comme disaient les Américains.

Quant à Camille, il la rencontrait plus souvent, lorsqu'il était convié de temps à autre pour un repas chez les Lewis. Malgré sa légère claudication, sa princesse devenait une fort jolie fille, mais d'une beauté différente de celle de ses sœurs plutôt blondes. Elle arborait une opulente chevelure brune et un teint assez foncé qui, en été, prenait les chauds reflets de l'ambre. Ses yeux trahissaient cependant une certaine tristesse, comme une nostalgie indéfinissable. « Il manque un brin de folie, une touche d'exubérance à ma princesse. La vie l'aura marquée trop jeune… » se disait le père au retour de ces rencontres, en référence à l'accident qui avait failli lui coûter la vie quelques années auparavant.

En effet, malgré les efforts du docteur et de sa femme pour l'entourer d'affection, Camille restait solitaire et renfermée. Élève modèle, elle faisait la fierté d'Angelina et obtenait facilement les meilleures notes à l'école du village. Mais la passion n'y était pas. Elle achèverait cette année son cours primaire, et la femme du docteur parlait de l'envoyer au couvent, même si l'enfant ne manifestait aucune lueur d'enthousiasme. De ses grandes sœurs, il était rarement question. En général, on s'échangeait des missives plutôt anodines et sans véritable intérêt, sauf aux grandes occasions. Dans sa lettre de Noël, Marguerite lui avait bien offert de venir les rejoindre à Lowell mais la fillette ne se trouvait pas en mesure de prendre une telle décision. C'est tout juste si elle avait osé en parler à son père et à ses parents adoptifs, mais si vaguement, que personne n'avait porté attention à sa timide demande. Petit à petit, les liens s'affaiblissaient chez les Laurin, non seulement entre les filles et leur père, mais également entre les deux aînées et leur cadette. L'espace et le temps accomplissaient leurs ravages.

Les yeux rivés sur le feu de souches, Joseph s'essuya la bouche du revers de la main après avoir avalé goulûment jusqu'aux dernières gouttes de sa bouteille. La nuit était passablement avancée, mieux valait rentrer dormir pour oublier tout ça. Le feu s'éteindrait bien tout seul.

Au moment où il se relevait péniblement pour réintégrer sa cabane, il aperçut une ombre se faufiler derrière les buissons. Une ombre blanche, fluide, transparente. Une ombre inquiétante. Peut-être s'agissait-il d'amas de neige soudainement soufflés par une rafale? Et ces grincements, provenaient-ils du sifflement du vent dans la cime des arbres ou bien d'un mystérieux archet qui s'acharnait sur la même corde d'un violon?

Joseph trébucha et s'aperçut qu'il claquait des dents. Il savait, lui, d'où provenaient cette ombre et ce chant qui le poursuivaient sans cesse. Il le connaissait, ce fantôme sans visage qui le tourmentait à toute heure de la nuit et courait à sa suite sur les grands chemins quand il fouettait son cheval Titan à tour de bras pour se rendre au plus vite chez lui, dans sa cabane. Mais l'ombre blanche le talonnait en hurlant jusqu'à ce qu'il allume un feu. Seul le feu arrivait à dissoudre l'ombre maléfique, à la couler dans les flammes. Le feu, ça réduisait en cendres les âmes des damnés. Ça purifiait, le feu…

Un claquement retentit dans la nuit. Joseph Laurin, le corps recouvert de sueur, venait de refermer d'un coup de pied la porte de sa cabane, l'unique lieu où l'ombre n'arrivait pas à pénétrer. Le seul refuge où, tapi contre le mur, il l'entendait se lamenter et secouer haineusement sa porte, les nuits de bourrasque. Là seulement, dans son cher abri, futur nid de sa famille, il pouvait reprendre son souffle et retrouver ses esprits.

— Va-t'en, Rébecca. J'suis plus capable. J'ai assez payé, maintenant. Va-t'en, maudite folle… Et que le diable t'attache à ses crochets de fer pour l'éternité pour que tu me fiches la paix. La paix, tu m'entends ? LA PAIX !

3

L'après-midi s'achevait, en ce chaud début de mars, quand le père Garin et ses deux acolytes levèrent leur goupillon en cadence et aspergèrent d'eau bénite la récente construction d'un dénommé Félix Albert dans le nouveau quadrilatère du Petit Canada, entre les rues Ward et Perkins.

— *In nomine Patris, et Felii, et Spiritus. Sancti.*

Le curé n'attendit pas que cessent les applaudissements de la foule pour imposer le silence en levant les bras d'un geste autoritaire.

— Mes bien chers frères, en ce jour où le Canada fait un autre pas vers l'avenir, unissons-nous afin de défendre nos valeurs fondamentales, notre langue qui est la plus belle du monde, nos chères traditions et notre religion détentrice de la vérité. Accueillons à cœur ouvert les nombreuses familles qui ne manqueront pas de venir du Québec pour habiter ces logements et agrandir notre beau pays jusqu'ici, dans l'est des États-Unis. Soyons forts, montrons-nous généreux et accueillants afin de demeurer le peuple béni de Dieu que nous sommes déjà. C'est la grâce que je nous souhaite à tous. Amen.

Les trois oblats, vêtus de leur surplis de dentelle et la poitrine recouverte d'un étole de soie brodée, descendirent de l'estrade et tentèrent de se frayer un chemin à travers la foule. Du coin de la rue Perkins où elle se trouvait, Marguerite, accompagnée de sa sœur Anne, de Rose-Marie et de son époux Paul Boismenu poussant leur petit Patrick endormi dans son landau, ne put apercevoir que de loin la silhouette élancée d'Antoine Lacroix, le deuxième vicaire de la paroisse. Elle soupira.

Depuis qu'elle connaissait ce prêtre, elle préférait garder ses distances, même pour l'administration des sacrements. Jamais elle n'aurait osé se confesser à lui. Quand, au cours de la messe du dimanche, deux officiants se partageaient la sainte table pour distribuer la communion aux fidèles, elle évitait de s'agenouiller devant le père Lacroix, dût-elle traverser la nef au complet. Elle ne pouvait s'expliquer pourquoi son regard bleu la chavirait tant. Elle aimait toujours Simon Lacasse, pourtant, et elle attendait son retour avec impatience. Hélas, les courtes semaines d'attente promises s'étaient étirées en mois. Plus d'un an et demi, maintenant. Et elle ne voyait pas le jour où, devenu soutien de famille malgré lui, il trouverait le moyen de lui offrir un véritable foyer bien à eux, ici ou là-bas.

Parfois, il lui prenait des envies de s'enfuir au Canada avec ses sœurs, chez lui, dans sa ferme, à l'insu de Joseph. Avec Anne à tout le moins. Mais cela n'aurait fait qu'augmenter la charge déjà trop lourde sur les épaules du pauvre Simon. Et Anne, enfin en train de s'adapter à sa nouvelle patrie, aurait sans doute refusé un autre changement.

Alors, en bonne optimiste, Marguerite se disait que le temps finirait par arranger les choses. Déjà, depuis leur arrivée aux États-Unis, leurs conditions de vie s'étaient passablement améliorées. Pour le moment, elle se sentait bien à Lowell, heureuse de concrétiser enfin son rêve d'enseigner aux enfants dans la nouvelle école administrée par les sœurs Grises de la Croix. Et cela lui suffisait.

— Tiens! Si c'est pas l'ancienne secrétaire de la paroisse! Comment allez-vous, ma chère Marguerite?

La jeune fille sursauta. Perdue dans ses pensées, elle n'avait pas vu les prêtres se diriger dans leur direction. Antoine Lacroix s'était arrêté pile devant elle. Encore une fois, elle se sentit intimidée par l'intensité du regard éclairé par un sourire cordial.

— Je… je vais bien, merci !

— Et votre père ? Comment se porte-t-il ? Toujours à Colebrook ?

— Tout semble bien aller pour lui. Du moins, je le suppose. J'en sais peu de chose, à vrai dire.

Anne s'approcha et salua le prêtre d'un signe de tête poli.

— Bonjour, Anne. Comme tu as changé ! Je vois que tu es en train de devenir aussi charmante que ta sœur. Ça va faire des ravages dans les cœurs avant longtemps, des belles filles comme vous ! Je vais sûrement avoir des mariages à célébrer bientôt, moi ! Et votre fiancé, Marguerite, va-t-il se pointer enfin ? Comment ça se passe à Batiscan ? Si j'étais à sa place, j'aurais peur de me faire voler ma blonde…

— Ah ! Simon va revenir un de ces jours, je ne m'inquiète pas trop pour ça. Pour l'instant, il doit s'occuper de ses frères et sœurs orphelins de père.

Marguerite se sentit rougir jusqu'à la racine des cheveux. De quoi se mêlait-il, celui-là ? Du coin de l'œil, elle appela secrètement Rose-Marie à la rescousse. L'amie saisit-elle le message ? Elle intervint aussitôt dans la conversation.

— Bonjour, père Lacroix. Quelle bonne mine vous affichez ! Je me réjouis de constater que votre santé se porte bien.

— Oui, oui, la tuberculose reste et restera une histoire du passé pour moi. Et tout va sur des roulettes à part ça. La nouvelle école Saint-Joseph fonctionne à merveille et nous, les prêtres du patelin, allons bientôt déménager plus près de nos paroissiens. Un projet de construction d'une église est même dans l'air. Avec le père Garin, vous savez, le progrès ne s'arrêtera jamais. Quant aux nouveaux arrivants, ils traversent la frontière à pleins wagons. Comment ne pas s'en réjouir ? Le travail ne manque pas et Dieu est avec nous. Dites donc, mesdames, faute de célébrer le mariage de notre Margot, je vois qu'une cérémonie de baptême se profile à l'horizon ?

Rose-Marie porta fièrement les mains à son ventre.

— Eh oui, mon père! Notre petite famille s'agrandira bientôt, et nous en sommes très contents.

Paul Boismenu, témoin de la conversation, se mêla au groupe, heureux d'afficher le résultat de ses performances d'époux. Le prêtre lui serra aimablement la main et, juste au moment de partir, il se tourna vers Marguerite et lança à brûle-pourpoint:

— Je vous reverrai sûrement à l'école, chère demoiselle. À partir de lundi prochain, je m'occuperai de l'enseignement du catéchisme aux enfants à la place du père Lagier fatigué et débordé par sa tâche. Le cher homme avance en âge et je dois prendre la relève. On aura sûrement l'occasion de se croiser dans les corridors. À bientôt, donc!

Marguerite resta bouche bée. Le père Lacroix à son école! Elle fut reconnaissante à Paul de lui changer les idées en menant le petit groupe dans Market Street. Il voulait leur montrer un établissement commercial à louer. Ses affaires avaient largement prospéré grâce à son magasin de chaussures La Par-botte, et il avait l'intention d'investir ses profits dans un nouveau commerce.

— Je pourrais ouvrir un saloon à cet endroit. Les hommes du Petit Canada pourraient venir y jaser le soir après le travail ou pendant que leurs femmes font des emplettes dans les boutiques des alentours.

Rose-Marie n'hésita pas à intervenir.

— Ne crois-tu pas, Paul, que cela encouragerait l'alcoolisme? Des mouvements de tempérance émergent un peu partout, paraît-il. On parle même de prohibition.

Anne osa venir à la rescousse de son amie.

— Ouvrir un saloon s'avère une aventure risquée, il me semble. Et ne faut-il pas obtenir une licence chaque année?

Marguerite tiqua en entendant cette réplique. À son âge, que connaissait sa sœur en affaires? Et de quel droit se permettait-elle de tenter d'influencer son employeur en évoquant des risques? D'un autre côté, chaque soir, elle voyait Anne se plonger dans *L'Abeille* fondé par Henri Guillet, cet avocat qui avait participé à l'établissement de l'école Saint-Joseph. Elle le dévorait le journal d'un bout à l'autre, s'attardant autant à la rubrique des finances qu'à celles des sports, de la politique ou des mondanités. Aux yeux de Marguerite, Anne demeurait encore la petite sœur pleurnicharde réclamant sa mère, et qu'elle avait dû jadis consoler mille fois. Avait-elle donc évolué à ce point sans que son aînée en prenne conscience? L'entendre parler ainsi de commerce en adulte sensée et réfléchie sidérait Marguerite. À force de se concentrer sur sa propre existence et sur son enseignement du français et des mathématiques à l'école paroissiale, aurait-elle négligé de s'ouvrir elle-même au monde qui l'entourait? Elle ne reconnaissait plus sa sœur!

Pourtant, ses succès comme vendeuse de chaussures autant que la confiance de son patron avaient permis à Anne d'acquérir rapidement de la maturité. Elle aimait le public et il le lui rendait bien. On venait à La Par-botte non seulement pour se procurer des souliers, mais aussi pour faire un brin de causette avec la jolie vendeuse. Intelligente, Anne Laurin savait écouter et absorber les idées, se former une opinion sur l'actualité et les faits divers de la communauté francophone. Il arrivait même que certains jeunes hommes, revenus, qui de Québec, qui de Nicolet ou de Saint-Hyacinthe avec un diplôme en poche, et qu'on qualifiait d'élite dans les salons, cherchent prétexte pour s'arrêter quelques minutes en passant devant la boutique.

Paul s'empressa de réfuter avec condescendance les arguments de sa femme et de son employée.

— Mieux vaut, je crois, contrôler et réglementer le commerce de l'alcool que de subir les effets de la vente illégale. Moi, j'ai bien envie de relever le défi. Je vois déjà l'enseigne sur la porte: *Smallwood's Saloon*.

— Smallwood's Saloon? Comment ça, Smallwood?

— Mais « Smallwood », c'est mon nom, voyons! « Boismenu » ne signifie-t-il pas « Petit Bois »? Traduit en anglais, il devient « Smallwood ». Aussi simple que ça! Vous n'aviez pas deviné? Il faut bien s'adapter, non? Après tout, on est aux États-Unis, ici! Un nom dans leur langue attirera davantage les Américains. Je les

entends d'ici prononcer « *Bowaménou* ». Ah ! ah ! Non, franchement, Smallwood fera mieux l'affaire.

— En tout cas, se permit d'ajouter Anne, ne comptez pas sur
moi, cette fois, pour aller servir de l'alcool dans votre saloon, mon
cher Paul. Vendre des souliers et des bottes me suffit amplement.
D'ailleurs, je voulais justement vous en parler : nous devrions lancer
un nouveau genre de chaussures. Un *peddler* est venu me rencontrer, la semaine dernière, et il m'a présenté des escarpins en cuir
archi souple. Ce nouveau type de souliers de toilette *chic and swell*
a de l'avenir. Les nouvelles riches vont se les arracher, j'en suis
convaincue. Ça vaudrait la peine d'essayer.

Marguerite se tourna vers Anne. Décidément, sa sœur lui semblait tout à coup méconnaissable. Plus grande que son aînée, des
reflets roux dans la chevelure et le visage légèrement tavelé de
taches de son, elle faisait tourner les têtes sur son passage sans
même s'en rendre compte. Les garçons ne semblaient pas l'intéresser
outre mesure, et elle repoussait systématiquement les soupirants
qui osaient tenter leur chance auprès d'elle. Son travail au magasin
semblait lui suffire et elle préférait rester indépendante et solitaire.
Durant ses heures libres, elle se réfugiait dans l'appartement qu'elle
occupait toujours avec sa sœur à l'étage au-dessus de la boutique.
Plutôt renfermée, voire silencieuse en présence de Marguerite, elle
écoulait ses soirées et ses dimanches à lire et même à dessiner,
repliée sur elle-même, refusant toute invitation à sortir en compagnie d'amis. Aucun garçon n'avait encore réussi à l'extirper de
ce cocon douillet. Assister à un concert ou à un spectacle de cirque,
ou jouer au whist à la salle communautaire ne l'intéressait pas
davantage.

Cette attitude intriguait Marguerite. Non seulement elle sentait
une barrière s'ériger entre elles, mais elle n'aimait pas voir sa sœur
se priver des distractions et des petits plaisirs légitimes propres à
sa jeunesse. La semaine précédente, n'y tenant plus, elle lui avait
posé carrément la question :

— Pourquoi, Anne, refuses-tu toujours de sortir ? On dirait que
tu n'es pas la même personne au magasin que dans la vraie vie.

Anne avait bondi sur ses pieds et s'était approchée de la fenêtre sans répondre. Mais l'aînée avait insisté.

— Il existe bien autre chose, pourtant, que les chaussures et les journaux. Tu ne penses pas, sœurette ?

— Ça ne te regarde pas.

— Tu n'as pas envie de voir du monde et de rencontrer de nouveaux amis ?

— Je n'ai pas besoin de sortir. Du monde, j'en vois toute la journée.

— Et le beau Jean qui te tourne autour ? Quel parti intéressant ! Célibataire, libre, profession libérale et… aimable en plus !

— Fiche-moi la paix ! C'est pas de tes affaires !

Marguerite n'avait pas oublié les agressions sexuelles répétées de leur cousin sur sa sœur au moment où ils habitaient chez leur tante Léontine.

— On dirait que tu crains les hommes, Anne. Est-ce que je me trompe ?

À ces paroles, Anne s'était effondrée sur le canapé en se tordant les mains. Sa sœur avait visé juste.

— Oui, j'ai peur des hommes. De tous les hommes ! Chaque fois que l'un d'eux s'approche de moi, j'ai envie de me sauver en courant. Je ne suis pas capable, je ne suis pas capable… Je songe toujours à Armand qui… qui me…

— Ma pauvre, pauvre toi ! Tous les hommes ne sont pas comme notre cousin, voyons ! Il existe des Simon, des Paul, des… Antoine Lacroix !

Marguerite s'était mordu les lèvres. Pourquoi avoir prononcé ce dernier nom ? Quel rapport existait-il entre les cavaliers potentiels de sa sœur et un prêtre consacré exclusivement à Dieu ? Sans doute qu'à ses yeux, le prêtre représentait le symbole parfait de l'intégrité, de la pureté absolue.

— Justement, Paul…

— Paul ? Ne me dis pas que Paul Boismenu…

— Non, non, ne va rien t'imaginer. C'est juste qu'il a essayé de m'embrasser sur la bouche l'autre jour, derrière le comptoir du magasin. Il y a de ça quelques semaines. C'était en fin d'après-midi et il avait bu. Je l'ai repoussé, tu penses bien ! Il n'a plus recommencé. Il s'est même excusé en pleurant d'avoir momentanément perdu la tête.

Paul Boismenu ! Marguerite avait serré les poings. Ah ! l'écœurant, le courailleux, le débauché ! Un père de famille… Et l'époux de Rose-Marie, leur meilleure amie, par dessus le marché ! La pauvre, si elle savait ça… Maudits hommes ! Elle-même, Marguerite, faisait peu confiance à la gent masculine. Si elle n'avait pas su se défendre autrefois, elle aussi aurait subi les assauts dégueulasses du cousin Armand. Ainsi, Paul… Elle s'était sentie prête à retirer sa sœur du magasin et à déménager ailleurs avec elle. À Colebrook, tiens !

Mais, une fois calmée, elle avait pris le parti de se taire. Après tout, cela s'était produit une seule fois et sous l'effet de la boisson, mieux valait laisser tomber.

Le jour de la bénédiction des nouveaux logements du Petit Canada, Marguerite avait insisté pour qu'Anne sorte de sa tanière et se joigne au groupe. Quand, ce soir-là, Rose-Marie invita gentiment les deux sœurs à souper dans leur nouveau logement, elles refusèrent poliment. L'une souffrait supposément d'un mal de tête carabiné, l'autre avait des cours à préparer pour le lendemain. Paul ne vit pas le regard méprisant que Marguerite lui jeta sous cape. Ce soir-là, elles s'acheminèrent lentement vers leur logement, bras dessus bras dessous, sans prononcer une parole, comme deux étrangères cherchant à se rapprocher. Deux jeunes femmes plus mûres et plus matures qu'elles n'auraient dû l'être à leur âge. Et, avec les années, de plus en plus différentes l'une de l'autre.

D'où venait donc ce cafard qui leur étreignait la poitrine et dont ni l'une ni l'autre n'osait parler ?

4

Joseph sortit en trombe de la chambre de Jesse. Dans l'effervescence de leurs ébats amoureux, il avait oublié que John avait promis de rentrer exceptionnellement tôt, ce jour-là. Le fait que le fils aîné de la famille Peel fréquente la fille du voisin l'arrangeait bien. Il savait pertinemment que le garçon s'absentait tous les dimanches après l'office religieux, jusque tard dans la soirée, pour aller conter fleurette à sa *sweet love*. Il n'était pas question pour Joseph de provoquer un face-à-face avec celui qui avait tenté de le tuer à coups de fusil, quelques années auparavant, lors d'une partie de chasse.

Depuis un certain temps, Joseph s'était remis à fréquenter la veuve Peel. Autant que les pratiques charnelles, une présence féminine lui manquait. Il avait bien essayé d'approcher une ou deux clientes de l'hôtel en l'absence de leur mari, mais on l'avait vertement remis à sa place. Il faut dire que sa tenue dépenaillée et l'odeur d'alcool et de tabac qu'il dégageait le rendaient peu attirant. D'ailleurs, le propriétaire, monsieur Hinman, n'aurait certainement pas permis de tels manquements à la morale au sein de son personnel.

Jesse, quant à elle, lui avait gentiment ouvert sa porte et son lit après s'être débarrassée de son dernier amant. Bien sûr, les fantasmes d'autrefois n'existaient plus. Il n'était pas question que Jesse abandonne sa ferme pour suivre Joseph ou, qu'au contraire, Joseph s'y installe en tant que nouvel époux. On avait fait une croix sur ces rêves et on se contentait de quelques heures par semaine passées à la sauvette dans la chambre de Jesse, tout en empêchant « la famille » à l'aide de préservatifs taillés dans des vessies de mouton. Joseph avait retrouvé avec grand plaisir les appâts voluptueux de la belle veuve.

Ce genre de relation avait relâché les tensions et ramené une sorte de sérénité dans l'esprit troublé de l'homme. Une jolie femme le considérait comme un être désirable et acceptait de se donner à lui par simple plaisir. Il suffisait d'attendre le départ de John, d'envoyer le jeune Terry chez un copain pour quelques heures, et le tour était joué. Quant à Betty, elle avait l'habitude de passer ses dimanches après-midi de congé chez une amie.

En réalité, le seul problème provenait de John, maintenant héritier officiel de la ferme de son père et de son grand-père, avec obligation de prendre soin de sa mère jusqu'à sa mort. D'ici peu, si ses amours allaient bon train, il épouserait la jeune voisine de dix-sept ans qui viendrait alors vivre sous le toit de sa belle-mère. De toute évidence, Joseph Laurin n'y serait plus le bienvenu.

Si Marguerite l'avait su, elle aurait sans doute envié la future bru, non pas à cause de John, mais parce qu'elle aimait bien Jesse et se rappelait en soupirant les mois écoulés auprès d'elle dans cette ferme après leur départ de Grande-Baie. Si seulement son père avait pu se décider à la demander en mariage… Marguerite n'était pas au courant de la reprise de la liaison entre les deux amants. À vrai dire, depuis des mois, elle ignorait tout au sujet de Joseph et supposait qu'il était toujours vivant puisque personne ne l'avait avisée du contraire.

Joseph enfila ses bottes en vitesse et attrapa ses mitaines au vol. À peine prit-il le temps de répondre d'un signe de tête aux saluts et aux baisers que lui envoyait Jesse à travers la vitre givrée du salon. Il grimpa sur le traîneau et siffla le coup de départ au magnifique étalon noir emprunté sans permission à l'écurie de l'hôtel. Bah… Le couple propriétaire du cheval et de la carriole de grand luxe n'avait-il pas réservé une chambre et une stalle dans l'écurie pour toute la semaine? Pourquoi ne pas laisser Titan se reposer et utiliser plutôt un équipage bourgeois pour se rendre à la ferme Peel? Pour une fois, une seule petite fois, s'imaginer qu'il était un homme riche, tenu au chaud sous une luxueuse couverture de fourrure dans une voiture de grand prix… Pour une fois, oublier sa condition de miséreux, oublier sa vieille picouille, son traîneau déboîté, son banc de bois râpeux et glacé. Pour une fois, éblouir sa maîtresse et, surtout, s'éblouir lui-même…

La fine neige qui avait commencé à tomber au cours de la matinée virait maintenant à la tempête et faisait disparaître les chemins, le ciel et la terre. En cette fin de mars 1884, les cheminots ne s'attendaient pas à recevoir une telle bordée et avaient déjà commencé à remiser les chasse-neige. À la fin de l'après-midi, entre chien et loup, la route défilant à travers les champs ne se distinguait presque plus à cause de la poudrerie. «Tant pis, pensa Joseph, ce cheval me semble assez fort pour ouvrir le chemin.» Il fit claquer son fouet pour activer la cadence.

— Allez, hue!

Dans sa hâte de quitter la ferme, il avait omis d'allumer les lanternes de la voiture, mais il se rassura en se disant qu'à ce rythme, il réussirait malgré tout à se rendre rapidement à Colebrook puis à North Stratford où se trouvait l'hôtel. Pour ce soir, il dormirait dans l'étable. Debout et bras tendus, il tentait de maintenir l'équilibre de la carriole qui ressemblait à un canot fendant les vagues.

C'est à un tournant de la route, au sommet d'une colline, qu'il crut distinguer une lueur qui venait directement sur lui. À l'approche de l'autre traîneau, il se mit à crier et tira de toutes ses forces sur les guides pour stopper le cheval, bien décidé toutefois à ne pas céder le chemin. La route, hélas, s'avérait trop étroite pour permettre le passage de deux attelages en même temps. Et il n'existait aucun espace balisé où l'un des deux traîneaux aurait pu se ranger pour laisser passer l'autre.

— *God damned! Get off the way, son of a bitch*[1]!

---

1. Maudit! Ôte-toi du chemin, enfant de chienne!

Joseph ne mit pas de temps à identifier la voix, cette voix arrogante et railleuse, reconnaissable entre toutes. Une voix qu'il détestait et souhaitait ne plus jamais entendre. John Peel. Que faisait-il là, sur la route de Colebrook, alors qu'il devait se trouver en visite chez sa blonde à l'autre bout du village ? Les deux hommes descendirent de leur traîneau et se toisèrent avec hostilité.

— *You're back again from my mother, you, big fat pig? This time, you won't pass. Get off the way*[2] !

Le garçon s'empara de la courroie avec laquelle il menait son attelage et força les deux énormes chevaux de trait qui tiraient son berlot à foncer de plein front. L'étalon piaffa de frayeur mais Joseph n'eut pas le temps de réagir. Le jeune cheval affolé se cabra et bifurqua sur le côté pour finalement s'embourber dans le profond fossé, ce qui rompit les sangles et les harnais. Le traîneau ne mit qu'une fraction de seconde à basculer par-dessus le cheval. Joseph, sain et sauf, resta figé et bouche bée devant la catastrophe, n'en croyant pas ses yeux.

Dès que le passage fut libre, John s'empressa de remonter sur sa *sleigh* et de reprendre le contrôle des deux bêtes de somme qui continuèrent lentement leur chemin dans le tracé laissé par la carriole de Joseph.

— *Have a nice trip, my dear*[3] !

Joseph entendit longtemps retentir dans ses oreilles le rire du garçon à travers le son des grelots, même après qu'il eut disparu dans le tournant. Il serra les dents. Un jour, il le tuerait de ses propres mains, celui-là. Ce morveux, ce fumier, ce maudit verrat ! Pour le moment, il avait à se dépêtrer. Il lui fallait absolument tirer d'abord le cheval du fossé. Mais comment soulever seul un traîneau de cinq cents livres ? Il n'en avait évidemment pas la force. Énervée, la bête s'agitait, hennissait, ruait. C'est alors que dans la pénombre, Joseph vit l'angle bizarre que prenaient les deux pattes de devant.

---

2. Tu reviens encore de chez ma mère, gros cochon ! Cette fois, tu ne passeras pas. Ôte-toi du chemin !
3. Bon voyage, mon cher !

De toute évidence, elles étaient brisées, rompues. Inutilisables. Un animal fini.

« Me voilà dans de beaux draps, songea-t-il, désespéré. Dieu du ciel, que vais-je faire ? » Il ne lui restait qu'une solution : se rendre à pied à Colebrook, quelques milles plus loin, pour demander de l'aide. Mais à qui ? Certainement pas au docteur Lewis. Personne ne connaissait sa liaison avec Jesse, et il n'avait surtout pas envie qu'Angelina devine l'objet de sa promenade sur la route de la ferme Peel par un temps pareil. Non, il ferait mieux de frapper à la première maison rencontrée sur son chemin. Il ne pouvait tout de même pas laisser cette bête mourir au fond d'un fossé, les pattes cassées et un traîneau renversé sur le dos. Surtout que ni le traîneau ni le cheval ne lui appartenaient.

Il fonça contre le vent en direction du village. Les flocons lui fouettaient le visage et s'infiltraient partout, dans ses cheveux et sa barbe, à l'intérieur des manches et du col de sa pelisse. Il avait beau essayer de suivre les traces laissées par l'équipage de John, il y voyait à peine. L'obscurité devint totale. Il se sentit perdu et se mit à avancer à tâtons en se traînant les pieds comme un somnambule propulsé contre vents et marées sur un océan de noirceur. Il avança ainsi pendant un long moment, haletant, hébété, l'esprit vide.

Soudain, il se retourna d'un bloc avec la nette impression d'être suivi. En effet, un énorme chien blanc marchait derrière lui, à quelques pieds de distance, avec d'étranges yeux de braise. Des yeux rouges dont s'échappaient des nuées de flammèches qui se jetaient sur lui comme des feux follets. Effrayé, il accéléra le pas.

— Fiche-moi la paix, Rébecca ! Va-t'en !

En pénétrant dans Colebrook, deux heures plus tard, Joseph Laurin n'avait qu'une idée en tête : s'engouffrer dans l'unique saloon du village pour se réchauffer et se réconforter. Trouvant l'établissement fermé, il n'hésita pas une seconde à briser une vitre à l'arrière à grands coups de pierre, puis à s'y introduire furtivement.

On le retrouva ivre-mort, le lendemain matin, sur le plancher du saloon. De nombreuses bouteilles jonchaient le sol autour de lui. On eut beau le questionner, son langage restait incohérent.

Une âme charitable eut pitié de lui et le ramena gentiment chez lui, dans sa cabane de bois rond du rang de Dixville. Il n'en eut même pas conscience.

Pas plus qu'il ne remarqua la luminosité incandescente de l'air propre aux lendemains de tempête.

5

Le fuseau du rouet tirait sur la filasse de lin que Camille retenait avec des doigts malhabiles qu'elle ne cessait de tremper dans un bol d'eau pour favoriser la formation d'une chaîne fine et résistante.

Avec une patience d'ange, la femme du docteur Lewis reprenait chaque jour ses explications, encouragée par la bonne volonté manifeste de la fillette pour apprendre le processus de fabrication de la toile de lin, ce lin qu'elle et son mari cultivaient derrière leur maison dans le but premier d'en récolter les graines pour la fabrication de remèdes fort efficaces.

— Tu mouilles trop tes doigts, ma grande. Regarde un peu comment on fait.

Une fois bien formé, on passait le brin à l'aide d'une navette dans les lames et les ros d'un métier à tisser artisanal afin d'entrelacer la trame de la toile pour fabriquer une pièce de tissu.

— Quelle méthode archaïque ! s'était écriée Marguerite face à ce procédé démodé, lors d'une de ses rares visites à Colebrook. Vous devriez voir de quelle manière fonctionnent les machines de Lowell.

Était-ce dans le but d'imiter ses sœurs que Camille manifestait autant de zèle pour une activité qu'au même âge, quelques années auparavant, elles avaient exercée en usine pendant une longue période de temps pour subvenir à leurs besoins ? Était-ce pour leur démontrer qu'elle aussi pouvait produire de jolis tissus ? Ou était-ce simplement pour réduire la tension créée par Angelina qui ne cessait de la harceler au sujet de ses résultats scolaires dernièrement à la baisse ? Et si le motif en était simplement sa générosité envers les pauvres pour lesquels la femme du docteur s'employait, dans ses temps libres, à confectionner des vêtements à partir de ces tissus ?

Toujours est-il que Camille, en plus de la musique, développait un intérêt marqué pour l'artisanat et la créativité en général. Elle ne se faisait pas prier pour troquer son encrier et ses cahiers contre ses aiguilles à tricoter, un crochet ou le métier à tisser de sa mère adoptive. Elle adorait les couleurs et s'amusait sans cesse à créer des motifs simples mais jolis. Angelina n'en revenait pas de son imagination débordante. Récemment, la jeune fille avait parlé de fabriquer une courtepointe pour chacune de ses sœurs « exilées là-bas, à Lowell ».

— Avec ça, elles vont penser à moi chaque soir en se mettant au lit.

Angelina avait interprété cette idée de couvre-lit comme l'expression d'un regret de se voir éloignée d'Anne et de Marguerite bien plus qu'un pur élan de créativité. Et cela avait chagriné la femme du docteur. D'un chagrin teinté de remords. Souvent, elle se sentait coupable de s'être accaparée de cette adorable enfant. Bien sûr, durant l'année qui avait suivi l'accident, il s'était avéré préférable, voire indispensable, de la confier aux soins vigilants du docteur, mais ensuite ? Ensuite, elle et son mari auraient dû la rendre à son père, aussi inaccessible et bizarre leur paraissait-il. Après tout, il s'agissait de sa fille. Camille avait des sœurs qu'elle perdait peu à peu de vue. Elles représentaient pourtant sa seule famille, sa seule véritable richesse.

Par attachement, mais aussi par égoïsme, et afin de combler l'immense vide causé par le départ de leur fils à l'autre bout du monde, le couple avait réussi à convaincre Joseph de la garder tant et aussi longtemps que la famille Laurin n'aurait pas retrouvé une certaine stabilité, ce qui ne s'était pas encore produit plus de quatre ans plus tard. Et ne se produirait sans doute jamais.

La femme en éprouvait une folle appréhension. Pour l'instant, il n'était pas question de confier Camille à un père qui vivait avec les chevaux dans une écurie ou en solitaire dans son *shack* en pleine forêt, ni à ses sœurs installées au loin et trop jeunes pour en assumer la responsabilité. Après tout, à douze ans, Camille n'avait pas encore atteint l'âge de travailler pour gagner sa vie. Mieux valait tenter de la persuader de poursuivre ses études dans un couvent, dût-elle devenir pensionnaire pour quelques années.

Camille avait pourtant manifesté un certain désir d'aller rejoindre ses sœurs à Lowell, suite à l'offre de Marguerite dans sa lettre de Noël. Mais la fillette n'avait pas insisté et le silence d'Angelina avait achevé d'étouffer le projet dans l'œuf. Cependant, la menace de la perdre demeurait latente et bien réelle pour le couple, et Angelina, pas plus que son mari, ne se sentait prête à y faire face. Camille Laurin faisait leur joie et leur bonheur. Et remplissait leur vie.

Ce jour-là, elle se trouvait seule à la maison. En dépit de ses maladresses, rien ne plaisait davantage à Camille que de passer un dimanche après-midi à filer au rouet devant une belle flambée tout en regardant tomber la neige. Le docteur, maintenant à la retraite, s'était exceptionnellement rendu à un accouchement en compagnie de sa femme. Il lui arrivait, à l'occasion, d'offrir ses services à d'anciens clients ou de dépanner le nouveau médecin du canton, souvent débordé. La tempête qui faisait rage n'inquiétait pas la fillette. Elle savait que ceux qu'elle appelait affectueusement ses parents adoptifs se montraient toujours très prudents sur les routes et qu'une naissance pouvait nécessiter de nombreuses heures d'absence, voire une journée entière. Qu'importe ! Elle avait appris à alimenter le feu de la cheminée et à suspendre au-dessus de la flamme la chaudronnée de *stew* de bœuf et légumes préparé par Angelina « au cas où… » Elle saurait allumer les nombreuses lampes à huile de la maison et se mettre au lit même s'ils n'étaient pas encore rentrés.

Les grands coups de poing sur la porte d'entrée, répétés avec impatience, justement à l'heure où la pénombre envahissait la maison, la plongèrent cependant dans l'angoisse. À travers la vitre, elle ne reconnut pas la silhouette qui trépignait dans l'obscurité. Était-il prudent de répondre à un inconnu ? Elle n'eut pas le temps de se le demander, car l'homme d'un certain âge, engoncé dans une gabardine grise recouverte de neige, réussit à ouvrir la porte avec ses larges épaules.

— Je voudrais parler à monsieur Joseph Laurin, s'il vous plaît.

— Il n'est pas ici. Je ne l'ai pas vu depuis au moins trois semaines. Il est palefrenier à l'hôtel Hinman, sur la route de North Stratford. Vous pourrez le trouver là-bas.

— Je le sais. C'est moi, son patron, David Hinman, propriétaire de l'hôtel. Dans son dossier, l'adresse du docteur Lewis est inscrite comme référence. J'aimerais bien, alors, parler à monsieur ou madame Lewis.

— Ils sont partis pour un accouchement dans un autre village. Je n'ai aucune idée de l'heure à laquelle ils reviendront. Le docteur Lewis est censé être à la retraite mais il lui arrive parfois de...

— Où puis-je les trouver ? Il s'agit d'une affaire urgente, mademoiselle.

— Vous avez eu un accident ?

— Pas moi. Mais monsieur Laurin en a eu tout un !

— Ah ! mon Dieu ! Joseph Laurin est mon père. Que lui est-il arrivé ? Est-il sérieusement blessé ?

— Pas que je sache. Il a simplement disparu depuis plusieurs jours après avoir laissé mourir un cheval volé immobilisé sous un traîneau au fond d'un fossé. Le scélérat...

Camille sembla ne pas avoir entendu le dernier qualificatif attribué à Joseph, et elle lui répondit en toute candeur.

— Papa habite parfois sa cabane, sur son terrain du rang de Dixville. Vous allez sûrement le trouver là-bas.

— Non, mademoiselle. Il ne s'y trouve pas. Les policiers et moi l'avons cherché toute la semaine. À moins qu'il n'ait brûlé avec la cabane, allez donc savoir... Mais nous n'avons décelé aucune trace

de corps calciné dans les décombres fumants. Je les ai bien exami-
nés moi-même. Évidemment, la neige avait effacé toute trace de
pas.

— La cabane a brûlé et mon père a disparu, dites-vous ? Ah !
Seigneur !

— Êtes-vous bien certaine de ne pas savoir où il se trouve ?

— Je n'en ai aucune idée, monsieur.

L'homme pivota et s'en retourna sans remercier ni ajouter de
commentaires.

Une fois la porte refermée, Camille fit un signe de croix avant
de se mettre à hurler.

6

Marguerite n'aimait pas beaucoup les trois religieuses de l'école paroissiale, sœur Saint-Lucien et sœur Sainte-Léontine, dirigées par sœur Plante. Parce qu'elles portaient la cornette des sœurs Grises, membres actives de l'Église, ces femmes se croyaient imbues de tous les pouvoirs, donnant parfois des ordres à gauche et à droite sans véritable logique. L'enseignement était entièrement axé sur la religion catholique et la culture française, mais les autorités américaines, soucieuses de favoriser l'intégration des immigrants, et même leur assimilation, exigeaient formellement que l'anglais et l'histoire américaine soient enseignés dans les écoles francophones de la Nouvelle-Angleterre.

Évidemment, les sœurs s'étaient tournées vers Marguerite, bilingue, pour lui demander de s'occuper des cours d'anglais. La jeune fille voulait bien partager les rudiments de langue parlée qu'elle avait appris chez Jesse d'abord, puis au fil de ses fréquentations, mais pour l'orthographe et la syntaxe, elle n'y connaissait pas grand-chose. Pas plus que l'histoire des États-Unis, d'ailleurs. Pourquoi ne pas engager un professeur spécialisé dûment formé pour l'enseignement de l'anglais comme on le faisait pour le catéchisme et l'histoire? Les religieuses y semblaient réfractaires.

Les petits Canadiens français se devaient de savoir lire et écrire dans leur langue maternelle, certes, mais pourquoi ne pas aussi apprendre la langue du pays où ils grandissaient ? Les prêtres et les sœurs avaient beau considérer le français comme le gardien de la foi, Marguerite restait convaincue que la survivance des Canadiens dépendait de leur intégration à la société américaine. Ne se trouvaient-ils pas de plus en plus nombreux à y rester pour de longues périodes quand ce n'était pas définitivement ? Là seulement, ils pourraient revendiquer leurs droits et jouer un rôle dans l'évolution et la formation du peuple des États-Unis.

À cause de ces idées avant-gardistes et de son refus de prendre elle-même en charge les cours d'anglais par manque de compétence, les religieuses la voyaient d'un mauvais œil et lui menaient la vie dure. Elles surveillaient de près ses allées et venues, vérifiaient à la loupe son enseignement du français, pénétraient à l'improviste dans sa classe pour s'assurer qu'elle n'était pas encore en train de raconter un conte de fée aux enfants comme elle l'avait fait l'autre jour. Ces contes païens de princesses et de princes charmants inspirés par le démon… Marguerite avait haussé les épaules devant ces esprits pudibonds et bornés et ne s'était même pas donné la peine de rétorquer que ses histoires avaient été écrites par Charles Perrault, un écrivain français du dix-septième siècle, fort connu, et dont les écrits valaient bien les sornettes à caractère religieux qu'on racontait ici pour effrayer les enfants et dans lesquelles il n'était question que de sorcières, de démons et de loups-garous. Quand ce n'était pas d'étranges feux follets…

Pendant un moment, elle avait été tentée de chercher le soutien du directeur de l'enseignement religieux de l'école et de lui demander d'appuyer son idée d'embaucher un professeur d'anglais compétent. Mais l'idée d'établir un nouveau rapport personnel avec le père Lacroix ne lui plaisait guère. D'autant plus que le prêtre semblait croire, lui aussi, à l'adage selon lequel la langue est gardienne de la foi, et que la foi prime tout. Ces histoires sur la qualité de l'enseignement d'une langue étrangère ne devaient certainement pas l'intéresser.

Marguerite voulait bien admettre l'importance de la foi, mais la vie lui avait appris que la religion ne réglait pas tout, hélas! Ni la prière. Sinon, pourquoi Dieu aurait-il refusé de répondre à ses appels au secours depuis la mort de sa mère? Après leur avoir enlevé Rébecca, Dieu avait abandonné les sœurs Laurin aux mains d'un père indifférent, il avait permis qu'on les sépare et qu'on les laisse en plan. Anne et elle avaient dû se débrouiller seules. Il lui avait même enlevé Simon. Ah! elle se sentait prête à tout pour défendre sa langue et sa culture, mais la religion? Pas certain… Un doute amer avait commencé à la tourmenter et à hanter sa spiritualité.

Quant au français, il suffisait de l'apprendre dès le berceau, d'en comprendre les règles sur les bancs de l'école et de le parler dans les familles et lors de rencontres sociales pour le garder bien vivant dans ce pays où l'anglais constituait la seule et unique langue officielle. Les Grecs et les Polonais qui arrivaient à pleins navires l'apprenaient bien, eux. Et ils parlaient leur langue maternelle à la maison. Pourquoi les Canadiens français ne les imiteraient-ils pas?

Convaincue d'avoir développé une mentalité de révolution-naire, Marguerite n'osait défendre avec trop d'insistance ses idées auprès des religieuses, encore moins devant le vicaire, représentant officiel de l'Église catholique. Le père Lacroix avait beau se montrer charmant lorsqu'il la croisait dans les corridors de l'école, elle pré-férait s'en tenir à de simples salutations de politesse plutôt qu'à des discussions interminables et stériles.

À bien y penser, l'amitié avec ce prêtre ne lui disait rien qui vaille malgré la reconnaissance et le respect qu'elle éprouvait pour lui. Ne l'avait-il pas tirée de la misère, à son arrivée à Lowell, en lui offrant un poste de secrétaire de la paroisse, puis d'enseignante aux cours du soir d'abord, puis à l'école paroissiale par la suite? Longtemps, elle l'avait considéré comme son sauveur. Mais tout cela appartenait au passé. De lui, il ne restait que le petit ange de porcelaine qu'il lui avait offert, un jour, alors qu'elle se sentait dépassée par sa nouvelle tâche de secrétaire. «Faites-lui confiance, il va vous soutenir dans l'épreuve», lui avait-il recommandé. Elle l'avait gardé précieusement et le glissait souvent au fond de sa poche pour le presser secrètement au creux de sa main dans les moments difficiles.

Toutefois, le prêtre continuait toujours de l'intimider. Ces yeux-là… Et elle n'était pas la seule à tomber sous le charme. Il suffisait que le vicaire mette les pieds dans l'école pour voir les sœurs s'énerver, hausser le ton, donner du « révérend père » par ci, du « cher père Lacroix » par là. Les jours de catéchisme, on préparait des petits fours pour la pause alors que le pauvre Mister Binder était, au contraire, accueilli avec une froideur choquante. Après quelques mois de pourparlers, Marguerite avait finalement remporté la victoire et réussi à faire embaucher le vieil homme pour enseigner l'anglais. Maintenant, quand elle le croisait, elle se sentait obligée de lui faire des amabilités. De son côté, Antoine Lacroix semblait ne s'apercevoir de rien et recevait tous les égards comme si c'était chose due.

Ce matin-là, Marguerite expliquait l'indicatif présent des verbes en « er » et en « ir » à ses élèves quand on frappa à la porte de la classe. Fidèle à ses habitudes, sœur Saint-Lucien n'attendit pas qu'on vienne ouvrir et pénétra à grands pas dans la classe pour sommer l'institutrice de se rendre au parloir.

— Allez vite, vous avez de la visite !

— Mais, voyons ! Je suis en train d'enseigner. La visite peut attendre, non ?

— Allez, je vous dis. Ne vous inquiétez pas, je vais m'occuper de vos élèves. Et… que Dieu vous vienne en aide !

Alarmée, Marguerite se précipita à la réception sans prendre ses effets personnels. Quel visiteur avait assez d'importance pour qu'on l'oblige à interrompre sa leçon ? Même lors d'une de ses rarissimes visites, Joseph n'avait jamais obtenu la permission de lui faire quitter l'école durant les heures de classe.

Quelle ne fut pas sa surprise de trouver, non pas un visiteur, mais trois visiteuses qui l'attendaient, bien droites sur le bout de leur chaise. Elle reconnut Camille et Angelina, accompagnées d'Anne qu'elles étaient allées chercher au magasin. Elle allait sauter au cou de Camille en lançant un cri de joie quand leur mine abattue la freina dans son élan.

— Que se passe-t-il ? Que me vaut cette visite inattendue ? Vite, parlez ! Ne me laissez pas languir comme ça !

— C'est papa qui…

Camille fut incapable de poursuivre sa phrase, étouffée par un sanglot.

— Papa ? Ne me dites pas qu'il est arrivé un malheur à papa ! Non, non ! Papa n'est pas mort, ce n'est pas possible ! Papa n'est pas mort…

Marguerite secouait sa tête comme si son esprit refusait d'admettre une si mauvaise nouvelle. Cette fois, c'est Angelina qui prit la parole.

— Marguerite, ton père n'est pas mort. Du moins pas officiellement. Il a simplement disparu dans des circonstances pour le moins mystérieuses.

Elle raconta tout à la jeune fille, d'une voix monocorde, sans rien omettre. Le vol du cheval et du traîneau, l'accident au retour de chez Jesse, la nuit au saloon, l'incendie de la cabane sur son terrain, puis sa disparition. Sans oublier le mandat d'arrestation brandi par les agents de la paix mis au courant par monsieur Hinman qui avait officiellement porté plainte. Marguerite se sentit quelque peu rassurée. Ouf ! Joseph semblait encore en vie…

— Ah bon. Vous savez, ce n'est la première fois que mon père agit de la sorte. Il va finir par réapparaître, sorti de nulle part, vous allez voir. Je ne sais pas combien de fois ça lui est arrivé.

— Tout de même… Ça me paraît grave, cette fois, ajouta Angelina. Qui nous dit qu'il n'a pas brûlé dans sa cabane ? On a minutieusement fouillé les cendres, sans rien trouver de précis qui prouverait que Joseph… Mais la police a de sérieux doutes, semble-t-il. Dans un sursaut d'espoir, Camille et moi pensions le trouver ici, à Lowell, auprès de vous et de votre sœur.

Marguerite, maintenant convaincue qu'il s'agissait d'une autre fugue, retrouva ses esprits. Allons donc ! Joseph Laurin n'était pas du genre à se laisser brûler dans sa cabane. Quoique, la nuit, après avoir trop bu… Qui sait ? Elle jeta un regard à Anne pour réclamer son approbation mais la jeune fille demeura sans réaction. N'en avait-elle pas assez, elle aussi, des frasques de son père ?

— Dites donc, si on allait à la maison ? Vous n'allez tout de même pas retourner à Colebrook par le train de ce soir ? Nous venons justement d'acheter un nouveau canapé. Vous pourriez y dormir, Angelina. Quant à ma petite Camille, je me ferai un plaisir de lui offrir une place auprès de moi, dans mon lit.

— Merci beaucoup, Marguerite, mais nous avons prévu de rentrer par le train de nuit. Camille a de l'école demain matin et…

— Oh ! Angelina, s'il vous plaît ! J'aimerais tant habiter un soir chez mes grandes sœurs. Ce n'est pas grave si je manque un jour d'école, voyons !

Camille avait lancé sa demande sur un ton tellement suppliant qu'Angelina n'eut pas le choix de se raviser. Marguerite bondit sur ses pieds.

— Attendez-moi, je vais chercher mon manteau et je vous rejoins dans une minute.

C'est en se précipitant dans le vestiaire qu'elle tomba nez à nez avec le père Lacroix. Mis au courant de la situation par la religieuse, il ouvrit grand les bras et pressa spontanément la jeune fille sur son cœur.

— Ma pauvre, pauvre Marguerite. Votre père a encore fait des siennes, n'est-ce pas ? Sœur Saint-Lucien vient de m'informer. Ne t'inquiète pas, ma petite Margot, je serai toujours là pour toi, quoi qu'il arrive.

Voilà que le père Lacroix la tutoyait et l'appelait Margot ! Stupéfaite, elle se laissa choir sans hésitation contre sa poitrine et ferma les yeux. Elle se sentit si bien, là, dans sa chaleur, qu'elle eut l'impression de fondre comme neige au soleil. L'espace d'un moment, le monde entier cessa d'exister. Doucement, il déposa un baiser sur son front et y laissa ses lèvres plus longtemps qu'il n'aurait fallu. Ce geste la chavira. Elle prit soudain conscience de vivre un moment d'une intensité extrême, un moment de grâce. Un moment d'éternité comme elle n'en avait jamais connu. Les lèvres du père Lacroix sur sa peau, son souffle, son odeur tout près… Si près. Trop près ! Et cette ferveur, comme s'il accomplissait un geste pieux… Elle se sentit défaillir.

L'étreinte ne dura pourtant que quelques secondes avant que les deux ne se ressaisissent et se séparent en tremblant, les yeux dans les yeux, stupéfiés par leur audace, là, au beau milieu du vestiaire. Dieu merci, personne ne sembla avoir été témoin de la scène.

Avant de rejoindre les autres, Marguerite eut l'instinct de s'enfuir à l'étage pour calmer ses esprits quelques instants, après avoir balbutié un timide « merci », laissant en plan un Antoine Lacroix muet et tout aussi désarçonné.

7

Personne ne vit Joseph revenir à l'écurie, derrière l'hôtel Hinman, aux petites heures du matin, deux semaines après les incidents, salué par les cris d'une volée d'outardes qui traversaient le ciel à grands coups d'ailes, signe précurseur d'un temps décidément plus doux. Titan, en train de s'ébrouer sur l'herbe naissante de l'enclos, releva bien la tête sur son passage mais ne daigna pas s'approcher de la clôture pour accueillir son maître.

L'homme chancelait, pâle et amaigri, le cheveu hirsute et la barbe broussailleuse. Il s'étendit, complètement épuisé, sur sa couche installée dans un coin obscur du bâtiment. Selon ses habitudes, il avait erré dans les forêts en s'abreuvant aux ruisseaux. Mais, cette fois, il n'avait pas trouvé de jeunes pousses à manger à ce temps précoce de l'année, surtout après les ravages de l'exceptionnelle tempête de neige que le soleil avait mis plusieurs jours à faire disparaître.

Joseph dormit une dizaine d'heures, d'un sommeil de plomb, avant d'être réveillé d'un coup de pied dans les côtes.

— *Hey! you, get out of here! Out! Right now*[4]*!*

_____

4. Hé! toi, sors d'ici! Dehors! Immédiatement!

Abruti, Joseph s'assit sur sa couche et reconnut monsieur Hinman dont le regard mauvais en disait long sur son humeur. À ses côtés, un jeune homme le dévisageait d'un air frondeur, mains sur les hanches. Joseph s'aperçut, à ce moment-là seulement, que ses affaires personnelles ne se trouvaient plus dans son recoin. Le gilet suspendu au crochet n'était pas le sien, pas plus que les bottes qui traînaient par terre. Même la couverture sous laquelle il venait de dormir avait été changée. S'agissait-il d'un remplaçant?

Il ne comprenait pas ce qui se tramait mais réussit à se mettre sur pieds. Monsieur Hinman insista:

— *You're fired[5]!*

L'homme le toisait, les poings serrés et prêts à frapper à la moindre résistance. Joseph comprit qu'on l'avait mis à la porte et que le garçon arrogant était effectivement le nouvel employé.

— *I've been sick. Let me explain to you[6].*

— *Sick in the mind, you mean! I said: get out! And you owe me forty dollars for the horse and the sleigh you stole[7].*

— Quoi? Mais je ne les ai pas volés, je les ai seulement empruntés pour une journée. Malheureusement, j'ai eu un accident et…

Ahuri, Joseph en perdait son anglais. Non, il n'allait pas devoir payer cette somme astronomique. Elle représentait la majeure partie de ses économies. Cet argent devait servir à acheter des matériaux pour construire sa maison. Non! jamais il ne rembourserait l'hôtelier. C'est au fils de Jesse que monsieur Hinman devait réclamer ce montant, pas à lui. Il allait tout expliquer à son patron. Certes, un étalon aux pattes brisées ne valait plus rien mais on pouvait sûrement récupérer le traîneau, simplement renversé sur la bordure de la route. Il allait le réparer lui-même, et gratuitement s'il le fallait. Il s'agissait d'un accident, après tout. Un accident bête et stupide. Tout ça à cause de ce maudit John Peel! C'était lui, le coupable,

---

5.   Tu es renvoyé!
6.   J'ai été malade. Laissez-moi vous expliquer.
7.   Malade dans la tête, tu veux dire! Je t'ai dit: dehors! Et tu me dois quarante dollars pour le cheval et le traîneau que tu m'as volés.

le responsable, c'était à lui de payer les pots cassés. Et il allait le lui faire savoir pas plus tard que maintenant, à ce malotru, ce chien sale, ce rat…

Mais monsieur Hinman revint à la charge sur un ton sans réplique :

— *If you don't pay me before three days, I'll go back to the sheriff*[8]…

Joseph retomba sur sa couche, découragé. Tout l'argent qu'il avait mis de côté, cenne après cenne, semaine après semaine, lentement, patiemment… Voilà que tout à coup, sa raison de vivre allait disparaître comme un ballon crevé. Terminé, le beau rêve de voir sa famille réunie dans une résidence respectable. Et en allant réclamer ce montant à John, il savait bien qu'il n'obtiendrait rien. Les Peel étaient aussi indigents que lui. Non seulement il devrait dire adieu à ses économies, mais il venait de perdre aussi son gagne-pain. Monsieur Hinman ne cessait de lui répéter : *Out !*

Qui voudrait de lui maintenant ? Son patron et sa grande langue n'avait sûrement pas manqué de lui bâtir une réputation de minable, ces derniers jours. Quelle idée, aussi, d'avoir utilisé ce cheval et cette carriole de luxe sans demander la permission. Un caprice qui allait lui coûter cher. Trop cher… C'en était fini de Colebrook, c'en était fini de ses projets, c'en était fini de son avenir sur son lopin de terre dans le rang de Dixville. Partie en fumée, la belle maison avec la grande galerie. Son futur chez-lui… Il y avait pourtant droit, lui, comme tous les hommes de la terre. Il avait travaillé si fort.

Tout ça parti en fumée, hein ? Il allait voir, le cher monsieur Hinman, de quoi avait l'air un beau grand rêve parti en fumée. Dès ce soir, il allait lui montrer de quel bois se chauffait Joseph Laurin. Il quitta l'écurie à toutes jambes, en claquant la porte.

→←

---

8.   Si tu ne me payes pas d'ici trois jours, je vais retourner chez le shérif…

C'est le lendemain matin que le shérif en chef du district, assisté de deux officiers, mit la main au collet de Joseph Laurin, de citoyenneté canadienne, veuf, agé de quarante-trois ans et père de trois enfants, sur la route de Stewart Hollow. L'homme vacillait sur ses jambes et ne semblait pas en possession de tous ses moyens. Il ne cessait de répéter qu'il s'en allait rendre visite à John Peel pour le tuer. Quand on constata qu'il portait en bandoulière un fusil chargé, on s'empressa de lui passer les menottes. L'un des agents lui lut le nouvel acte d'accusation stipulant que des témoins, la veille, l'avaient vu mettre le feu à l'hôtel Hinman, en plus des autres méfaits dont on l'accusait déjà. Joseph offrit peu de résistance mais ne manqua pas d'apporter une certaine précision, sans réaliser que ses paroles venaient de signer un aveu de culpabilité.

— L'hôtel ? Non, non ! Seulement l'écurie.

L'homme lui expliqua que les grands vents avaient transporté les braises sur le toit de l'hôtel et que la bâtisse au complet avait brûlé.

— Ça, mon vieux, c'était pas moi, c'était Rébecca. Tu la connais pas, la vache, avec ses maudits feux follets. La démone a même réussi à mettre le feu à ma cabane ! Maintenant, je ne possède plus rien, plus rien…

L'agent de l'ordre ne comprit pas un mot de cette réplique marmonnée en français. Il ne jugea pas bon de la lui faire répéter.

8

Quand Marguerite apprit, par un court message d'Angelina transmis par un passager au retour du train, que son père allait subir un procès au Palais de Justice de Lancaster, le quatrième mardi de mai 1884, elle n'en crut pas ses yeux. Il ne manquait plus que ça! Mais au moins, on l'avait retrouvé, bien vivant. Quelles bêtises avait-il encore commises? Pour quelles raisons la femme du docteur ne lui donnait-elle pas davantage d'explications? S'agissait-il d'un autre délit grave ou bien des vétilles dont on l'accusait l'autre jour? Une histoire de cheval et de traîneau… Peut-être s'était-il battu avec quelqu'un? Ou encore avait-il mis le feu à des bancs de jardin public comme jadis, à Lowell? Allez donc savoir…

La première réaction de Marguerite fut la colère. Qu'il s'arrange donc avec ses folies, le paternel! Elle avait bien assez de s'occuper d'elle-même et de sa sœur sans prendre sur ses épaules la responsabilité de son idiot de père. Il se foutait bien d'elles, lui! Pourquoi se rendrait-elle avec Anne à Lancaster pour le soutenir? À vrai dire, Joseph ne comptait plus beaucoup pour elle. À peine un mauvais souvenir. Du moins, elle essayait de s'en convaincre.

Anne, de son côté, réagit tout autrement quand elle apprit la nouvelle. Convaincue qu'on accusait Joseph injustement, sans même savoir de quoi il s'agissait, elle se disait prête à accourir en toute hâte au New Hampshire pour le soutenir malgré les protestations justifiées de Marguerite.

— N'oublie pas que le procès aura lieu au milieu de la semaine. Il te faudra fermer la boutique de chaussures pour au moins deux jours. Et moi, je devrai aussi m'absenter de ma classe. La directrice de l'école n'est pas la femme la plus compréhensive d'Amérique, je te jure. Surtout pour ce genre de raisons.

— Papa a besoin de nous. On n'a pas d'autre choix que de lui donner la priorité.

— Besoin de nous, besoin de nous… Était-il là, lui, quand nous…

Marguerite préféra ne pas terminer sa phrase. Pourquoi entretenir la rancune ? Pourquoi réveiller ce qui s'enfouissait tranquillement sous la poussière du temps ? Elle n'avait de cesse de lutter elle-même contre le ressentiment, cette bête sournoise tapie dans un recoin de son cœur et qui insidieusement instillait son venin nommé rancœur dans chacune de ses pensées concernant Joseph Laurin. Elle éprouva soudain un élan de tendresse envers Anne, elle qui semblait entretenir encore des illusions de petite fille et continuait de considérer son père avec une certaine candeur. Marguerite ne doutait pas que la triste réalité de Joseph finirait par la rattraper, elle aussi.

— O.K., tu as gagné. On va y aller. À quelle heure part le premier train ?

En effet, cette triste réalité les rattrapa assez vite quand elles apprirent de la bouche même d'Angelina, dès la descente du train, les nombreux et graves chefs d'accusation dont Joseph Laurin faisait l'objet.

✦

Lorsque l'accusé, accompagné de deux agents de police, pénétra dans la petite salle du Palais de Justice, mains attachées derrière le dos et l'air renfrogné, il jeta à peine un coup d'œil sur l'assemblée clairsemée. S'il reconnut ses trois filles, il ne le montra pas.

Marguerite nota qu'il avait passablement vieilli. Son visage amaigri et fripé, ses cheveux grisonnants et trop longs, son dos voûté et surtout son regard éteint lui donnaient plus que son âge et trahissaient assurément une indicible souffrance intérieure.

Chez Marguerite, la pitié l'emporta soudain sur la rancœur. Pauvre papa… Dans quelles aberrations, vers quels excès l'avaient encore entraîné ses idées farfelues et son imagination maladive ? Sa tante Léontine n'avait-elle pas affirmé, lorsqu'ils habitaient ensemble à Lowell, que Joseph avait toujours adopté un comportement insolite au cours de son enfance et que les années, loin d'améliorer la situation, n'avaient fait que renforcer son caractère étrange ? À l'époque, Marguerite avait mis ces dires sur le compte de l'animosité ressentie par la sœur envers son frère. Maintenant, elle comprenait mieux. Sa tante n'avait sans doute pas tort, sinon, pourquoi toute la famille Laurin se retrouvait-elle, en ce matin gris, devant la Cour de justice de Lancaster, pour accompagner le père accusé d'une série de méfaits inexplicables ?

À l'arrivée du juge, on somma l'assistance de se lever. Un avocat grassouillet et chauve vint présenter la cause en annonçant que l'inculpé avait décidé de se défendre lui-même. On interrogea alors les témoins à charge.

Soutenu dans son témoignage par les deux officiers présents lors de l'arrestation de Joseph, monsieur Hinman relata les faits sur un ton rageur. Manifestement, l'hôtelier en avait gros sur le cœur. Malgré les prétentions de Joseph inscrites au dossier, dont celle d'avoir emprunté de bonne foi et pour quelques heures seulement l'équipage appartenant à des clients de l'hôtel, le propriétaire affirma haut et fort qu'on avait bel et bien volé un étalon pur sang et un traîneau de luxe, dont il avait dû rembourser lui-même le prix aux clients. Et il jura, main sur la bible, avoir entendu Joseph déclarer maintes fois, au moment de son arrestation, deux semaines après le vol, qu'il s'en allait tuer un certain John Peel sur la route de Stewart Hollow.

Au sujet de l'incendie, deux employés de l'hôtel affirmèrent, hors de tout doute, avoir vu Joseph Laurin mettre le feu à l'écurie au cours d'une nuit de pleine lune, confirmant en cela les dires de monsieur Hinman. Joseph avait répandu de l'huile sur les parois du bâtiment et y avait jeté une allumette avant qu'eux-mêmes n'aient eu le temps de réagir. Puis l'incendiaire avait pris la clé des champs sous leurs regards ahuris, disparaissant dans la forêt environnante sans demander son reste.

— Et quel temps faisait-il ce soir là? s'enquit le juge.

— La nuit était claire mais il ventait à écorner les bœufs, monsieur le juge.

— Assez pour transporter les flammes jusqu'à l'hôtel?

— Oui. Voilà exactement ce qui est arrivé. La bourrasque a soufflé des tisons jusque sur le toit de l'hôtel. En quelques minutes seulement, l'édifice de bois rond a brûlé de fond en comble. Dieu merci, nous avons réussi à évacuer les deux seuls clients qui y dormaient cette nuit-là.

Quant vint le tour du remplaçant de Joseph, le nouveau palefrenier affirma avoir entendu l'accusé proférer des menaces et l'avoir vu quitter l'hôtel en colère après avoir été vertement congédié et sommé par monsieur Hinman de rembourser le coût du cheval et du traîneau dans les trois jours suivants.

Le juge lui-même questionna finalement l'accusé, debout devant lui dans une attitude de chien battu. Marguerite remarqua les jointures blanchies de ses mains crispées, maintenues dans son dos par une grosse corde de lin.

— Monsieur Laurin, qu'avez-vous à dire pour votre défense?

— Rien, monsieur le juge.

— Doit-on conclure que tous les témoignages entendus et portés contre vous sont conformes à la vérité?

— Oui.

— Éprouvez-vous des regrets, au moins?

— Un seul, monsieur le juge : je n'ai pas réussi à tuer John Peel.

— Avez-vous autre chose à ajouter?

— Je voudrais dire que je ne suis pas le seul responsable dans cette affaire.

— Insinuez-vous qu'un complice vous aurait assisté dans les actes criminels dont vous êtes accusé ?

— Oui. C'est-à-dire… euh… ma femme…

L'hôtelier Hinman se leva précipitamment et, sans laisser à Joseph le temps de poursuivre sa réponse, il s'écria haut et fort :

— Ne le croyez pas, monsieur le juge ! Cet homme est veuf depuis des années. Il n'a pas de femme et a agi seul, je peux vous le certifier. Je vous avoue qu'il perd parfois la boule et tient des propos incohérents. C'est un alcoolique invétéré et, quand il prend un coup, il devient complètement bizarre. Je l'ai même déjà entendu s'adresser à un fantôme. Cet homme dangereux était juste bon à prendre soin des chevaux, croyez-moi !

— Veuillez vous asseoir, monsieur Hinman. Vous parlerez à votre tour si on vous interroge de nouveau. Quant à vous, monsieur Laurin, qu'avez-vous à répondre à ce que vient de nous dire votre ancien patron ? Et de quel complice voulez-vous parler ? De quelle femme s'agit-il ?

Joseph se contenta de baisser la tête sans répondre. Le juge laissa passer un long moment qui parut une éternité à l'assemblée. Puis, il insista pour connaître l'identité d'une éventuelle complice. Mais Joseph persista dans son mutisme. Prenant alors un ton officiel, le juge s'adressa directement à Joseph.

— Monsieur Laurin, puisque vous refusez de nommer votre complice et de nous donner des détails la concernant, nous serons dans l'obligation de considérer qu'elle n'existe pas. Alors ?

— …

— Dans ce cas, veuillez s'il vous plaît répondre à cette question en votre âme et conscience : plaidez-vous coupable à toutes les accusations dont vous faites aujourd'hui l'objet ?

— Oui, monsieur le juge, je plaide coupable.

Le magistrat leva l'audience et se retira dans le vestibule derrière la salle afin de prendre quelques minutes de réflexion sur le jugement qu'il allait rendre par la suite. De son côté, un agent de la paix somma l'accusé de retourner dans la pièce aménagée sur le côté afin de l'isoler de l'auditoire, le temps de la pause.

C'est alors qu'Anne s'écria d'une voix gémissante qu'on dut entendre à des milles à la ronde :

— Papa !

Joseph se retourna d'un bloc et, là seulement, il aperçut ses trois filles accompagnées d'Angelina. Cette découverte l'ébranla. Jusqu'où avait-il donc poussé la maladresse ou l'inconséquence pour en être arrivé à les réunir toutes ici, en ce jour pluvieux, dans ce tribunal où on allait sans doute le condamner à la prison ? Tel n'avait jamais été son intention, pourtant. Il y avait cru, lui, à ce projet de bâtir un nid pour sa famille. De recommencer sa vie avec elles, loyalement, dans ce grand pays de liberté où toutes les initiatives étaient permises. Rébecca avait tout chamboulé.

Il ne reconnaissait même plus Marguerite. Elle était devenue une femme, maintenant. Une belle femme. Dieu qu'elle ressemblait à sa mère ! Son vrai sosie ! Et Anne, à mi-chemin entre l'adolescence et l'âge adulte. Quel âge avaient-elles donc ? Dix-huit ans ? Seize ans ? Peut-être plus, peut-être moins… Quant à sa princesse, s'il la voyait parfois chez le docteur Lewis quand on l'invitait sans doute par charité, sa relation avec elle restait superficielle et banale. Quel imbécile il faisait ! Le pire de tous les pères de la terre ! Le vieux Hinman avait raison de prétendre qu'il était un idiot. Il ne put réprimer un sanglot en disparaissant, poussé avec insistance par l'agent qui manifestait des signes d'impatience.

Les minutes suivantes s'écoulèrent avec une lenteur insupportable dans le vide de la salle. Seuls les pleurs des trois filles brisaient le silence devenu sinistre. Dans les bras l'une de l'autre, elles formaient, une fois de plus, un bloc homogène qu'Angelina ne fut pas sans remarquer. Une famille. Encore une fois, elle se rendait compte de son erreur impardonnable de garder Camille séparée de ses sœurs. Par amour pour cette enfant autant que pour la paix de sa conscience, elle se devait de favoriser leur réunion de toute urgence. Elle ne savait comment elle y parviendrait mais, en ce moment précis, elle en prit la ferme résolution.

Le juge mit un long quarante minutes avant de réintégrer sa place, le visage impassible. On invita de nouveau Joseph à se tenir devant lui entre deux gardiens, dos à l'assistance. Marguerite eut le temps de remarquer ses yeux bouffis et ses joues sales et barbouillées des larmes qu'il n'avait pas réussi à essuyer à cause de ses mains toujours ligotées. Le cœur lui fit mal. Tout son ressentiment avait fondu. « Papa, je vous aime, malgré tout. Je ne savais pas que je vous aimais encore autant. » Mais comment porter ces mots jusqu'à lui, dans cette salle enfumée où ni les mots d'amour ni les gestes tendres, pas même les sourires n'étaient de mise ?

— Monsieur Laurin, je vous accuse, premièrement, de vol de biens appartenant à des clients de l'hôtel Hinman, deuxièmement, d'inconduite pour avoir obstrué la route et abandonné un cheval blessé sous un traîneau renversé, troisièmement, d'introduction par effraction et de vol d'alcool dans le saloon de Colebrook, quatrièmement, d'avoir sciemment et volontairement mis le feu à l'écurie de l'hôtel Hinman, délit qui a dégénéré en l'incendie majeur du dit hôtel. Quant à votre projet de meurtre, vous seul savez, en votre âme et conscience, quelles étaient vos véritables intentions. Tuer ou seulement intimider… Mais vos affirmations et le fait que vous portiez sur vous une arme chargée ne laissent pas beaucoup de doute quant à votre projet. Cela vaut pour une accusation d'intention de meurtre passionnel. Je vous condamne donc à dix ans de prison ferme sans possibilité d'appel ni de libération conditionnelle. Vous serez conduit, dès aujourd'hui, à la prison d'État de Concord, au New Hampshire. Que Dieu vous vienne en aide.

Joseph, au grand étonnement de tous, se tourna vers l'auditoire et plongea un long et silencieux regard sur ses filles. Puis il murmura d'une voix à peine audible une phrase que jamais Marguerite n'oublierait.

— Et qu'il pardonne à Rébecca.

Le juge, qui allait se lever, se ravisa.

— Quoi ? Que dites-vous, monsieur Laurin ? Pourriez-vous répéter, s'il vous plaît ?

Joseph se contenta de hausser les épaules sans répondre. C'est David Hinman qui rétorqua aussitôt.

— Ne faites pas attention, monsieur le juge. Il s'agit de son épouse morte et enterrée depuis des années. Il passe son temps à parler de cette femme, comme si elle existait encore. Cet homme est un malade mental.

Le juge, outré, se prépara à sortir.

— Mesdames et messieurs, l'audience est levée.

Les trois sœurs eurent à peine le temps de réagir que déjà on poussait Joseph hors de la salle. Marguerite ne put se retenir de lancer spontanément d'une voix désespérée un « Papa, je vous aime » qui lui attira tous les regards. Mais elle douta que Joseph ait pu l'entendre.

9

Les mois s'écoulèrent au fil des saisons sans que rien ne change réellement dans l'existence des trois sœurs. Anne menait toujours une vie sans histoires au magasin La Par-botte, qu'on avait agrandi à deux reprises. Une vie de recluse où les garçons de son âge n'avaient pas de place, comme si les affaires suffisaient à combler tous ses besoins.

De son côté, Camille continuait de faire le bonheur de ses parents adoptifs, aiguilles à broder et broches à tricoter à la main, après avoir obstinément refusé de s'inscrire comme pensionnaire au couvent de Fall River, l'automne suivant. Angelina s'était finalement réjouie de cette décision. Suite à la condamnation de Joseph, la femme du docteur avait quelque peu remis en question la garde de Camille. Mais, devant les hésitations de la fillette à franchir le pas pour aller vivre définitivement chez ses sœurs à Lowell, elle avait une fois de plus fait fi de ses bonnes résolutions et refoulé ses remords sous prétexte d'un besoin d'aide aux tâches ménagères. En effet, un mal de dos insupportable ralentissait sérieusement ses activités depuis un certain temps.

Quant à Marguerite, à l'issue du procès de son père, elle avait eu du mal à reprendre ses fonctions d'enseignante. Sœur Plante n'avait pas manqué de lui rebattre les oreilles, le bec pincé et la paupière frémissante, avec la condamnation de Joseph. Le ton avait monté.

— Vous comprenez, ma chère, la présence de la fille d'un voleur et d'un incendiaire dans notre couvent me fait hésiter à vous garder dans notre personnel. Quel mauvais exemple pour nos petits élèves si innocents !

Folle de rage, Marguerite avait fait volte-face en oubliant de tourner sa langue sept fois.

— Je n'ai rien à voir avec les bêtises de mon père ! Ce n'est pas moi qui... Malgré tout le respect que je vous dois, ma sœur, permettez-moi de vous dire que vous ne semblez même pas connaître la première lettre du mot charité, cette honorable vertu que vous prêchez et oubliez si bien de pratiquer. Plus j'y pense, plus je préfère me retrouver sans travail et crever de faim plutôt que de continuer à fréquenter des sépulcres blanchis de votre acabit. Franchement, vous vous montrez plus catholique que le pape avec vos réticences ridicules !

L'insulte avait porté et on n'avait pas hésité à désigner d'un doigt menaçant le chemin de la porte à Marguerite.

— Sortez d'ici immédiatement, mademoiselle Laurin, et que je ne vous revoie plus dans ces murs !

— Ne craignez rien, ma sœur, vous ne m'y verrez plus. Le voisinage de pharisiennes ne m'intéresse pas.

Le lendemain, il avait fallu, encore une fois, l'intervention du père Lacroix auprès de la directrice pour prêcher les vertus de pardon et de tolérance et faire valoir les qualités d'enseignante, remarquables et durement acquises, de la jeune fille. Le vicaire avait finalement réussi à convaincre sœur Plante de réembaucher Marguerite à la condition d'entendre d'abord les excuses sincères de la part de « cette jeune personne grossière et mal élevée ».

Sous la direction du prêtre, Marguerite avait appris un petit boniment par cœur et l'avait répété une multitude de fois devant un Antoine Lacroix riant sous cape de l'air repentant tout à fait faux de la jeune fille. À la vérité, elle ne regrettait rien mais elle se trouvait dans l'obligation de faire amende honorable si elle voulait retrouver son emploi. Le prix à payer pour sa crise de colère de la veille lui paraissait maintenant trop élevé. Elle ne pouvait pas se permettre de ne plus enseigner. Et la perspective de retourner travailler à l'usine de textile lui donnait tous les courages.

— Allons, Marguerite, montrez que vous regrettez un peu votre effronterie…

— Ah! père Lacroix, voilà que vous me montrez à mentir maintenant? Vous savez bien que je ne regrette rien.

— Allons, allons, ma belle, il s'agit d'un mensonge pieux.

Les deux complices s'étaient remis à rigoler et cette connivence avait fait le plus grand bien à Marguerite. Elle s'était tout de même présentée devant la directrice en se mordant les lèvres. Il y allait de son avenir.

— Je vous demande pardon, ma sœur. Je me suis emportée et mes paroles ont dépassé ma pensée. Permettez-moi de vous assurer de mon respect et de toute la considération que vous méritez. Désormais, je prendrai modèle sur vous pour accéder à un plus haut degré de sainteté. Je vous prie d'accepter mes excuses en espérant retrouver ma place d'enseignante auprès des élèves de cette école que je chéris de tout mon cœur.

Sœur Plante avait répondu sur un ton satisfait en posant sur la jeune fille un regard hautain et condescendant.

— Allez en paix, mon enfant, et qu'on n'en reparle plus. Que Dieu vous pardonne comme je vous pardonne.

Marguerite, amusée, avait vu du coin de l'œil la religieuse baisser la tête comme si elle s'inclinait pour recevoir l'avalanche de grâces tombées du ciel à cause de la magnanimité de son geste. À la fin de la journée d'école, la jeune fille s'était une fois de plus retrouvée seule en compagnie du prêtre, dans le vestiaire, et elle s'était retenue pour ne pas lui sauter au cou en criant « Victoire! ». Le père Lacroix s'était bien gardé de répéter son audacieux geste de tendresse de l'autre jour, et elle s'en était trouvée soulagée. Ils s'étaient contentés de se féliciter simplement pour avoir surmonté un problème de cette envergure, et Marguerite s'en était retournée chez elle d'un pas léger.

En réalité, en dépit de l'effervescence liée à sa jeunesse, Marguerite ne demandait rien d'autre à la vie que la paix, la sainte et douce paix si chèrement payée. Et son rôle d'enseignante lui apportait justement assez de satisfaction et de contentement d'elle-même pour générer cette sérénité apaisante. Elle avait bien assez d'un père en prison, qu'elle se faisait un devoir de visiter au moins tous les deux ou trois mois. Visites pénibles, la plupart du temps, où l'homme, plongé dans un mutisme obstiné, ne cessait de larmoyer. Rien ne semblait intéresser le prisonnier, pas même les conditions de vie de ses filles.

Quant à Simon Lacasse, toujours en charge de sa famille à Batiscan, ses lettres se faisaient de plus en plus rares et de moins en moins enflammées. Pourtant, il prenait encore à Marguerite, de temps à autre, l'envie de tout quitter pour aller le rejoindre au Canada. Mais pourquoi changer le mal de place? Pourquoi quitter sa famille et aller prendre sur ses épaules la responsabilité d'une autre famille? De jeunes belles-sœurs et beaux-frères qu'elle connaissait à peine. Et au nom de quoi? De son affection pour Simon? À vrai dire, plus le temps s'écoulait, moins elle s'ennuyait de lui. Bien sûr, ses mots doux et ses baisers lui manquaient. Mais tout cela devenait de plus en plus lointain et ne lui paraissait pas suffisant pour chambarder son existence et s'expatrier de nouveau.

D'ailleurs, elle ne savait plus maintenant où se trouvait sa véritable patrie, elle qui avait tant rêvé de retourner au Québec, ce «pays de misère», comme disait son père. Ses souvenirs de petite fille restaient pourtant lumineux. Son village sur le bord du Saguenay, ce fjord magnifique, son école au bout du rang, sa maison au pied de la butte et, derrière, le jardin de sa mère… Et ces espaces à l'infini, recouverts de montagnes et de forêts… Les États-Unis étaient-ils en train de remplacer tout cela dans son cœur?

Elle avait récemment lu dans le journal qu'un certain curé, Antoine Labelle, prônait la colonisation de la région des Laurentides, au nord de Montréal. On y donnait même des terres à défricher. Si seulement Simon Lacasse lui avait proposé un tel projet au lieu de l'inviter à régler le sort de huit jeunes enfants vivant dans une vieille demeure sur le bord du Saint-Laurent, entre Québec et Trois-Rivières…

Un soir, n'y tenant plus, elle avait rédigé une lettre à celui qu'elle considérait maintenant comme son ancien fiancé.

> *Lowell, 10 mai 1885*
>
> *Ne m'attends plus, Simon, et pardonne-moi le chagrin que je te cause sûrement. Je ne me sens pas le courage de te suivre là où t'a conduit la fatalité. Traite-moi de lâche ou de poule mouillée, si tu veux, tu en as tous les droits. Mais mes sœurs et, maintenant mon père incarcéré, ont besoin de moi, ici, aux États-Unis. Mon choix est définitif et je ne reviendrai pas là-dessus : je ne peux les abandonner pour aller te retrouver. Je te souhaite de connaître le bonheur, mon tendre ami, entre les bras d'une autre femme à l'âme plus généreuse que la mienne.*
>
> *De mon côté, je garderai un ardent souvenir de toi. Ton rire continuera de résonner à mes oreilles, ce rire qui m'a tant de fois consolée et réconfortée.*
>
> *Sois heureux, Simon. Et merci, malgré tout, de m'avoir attendue aussi patiemment.*
>
> *Marguerite*

Après avoir déposé sa lettre à la poste, elle s'était sentie à la fois soulagée et inquiète. Cette nouvelle liberté lui faisait peur, tout à coup. Où la mènerait le destin ? Allait-elle de nouveau rencontrer l'amour ou bien deviendrait-elle une « vieille fille enragée » comme celle que les sœurs venaient d'engager pour enseigner la deuxième année aux garçons ? Les soupirants ne manquaient pas, pourtant, autant du côté des Américains que des Canadiens qui, comme elle, tentaient de se trouver une place au soleil dans ce pays étranger.

Les prêtres francophones de la Nouvelle-Angleterre favorisaient de plus en plus la naturalisation de leurs ouailles, pour la bonne raison que ce geste leur permettrait de détenir enfin le pouvoir de défendre leurs droits et d'avoir leur mot à dire dans les décisions de l'État. Parfois, à l'heure de fermeture de l'école, le père Garin envoyait des paroissiens analphabètes à Marguerite afin qu'elle les aide à remplir leur formulaire de demande de naturalisation, ce qui n'empêcherait nullement ces gens de conserver leur langue et leurs us et coutumes, ni de retourner au Québec quand bon leur semblerait. Marguerite se demandait pourquoi elle n'arrivait pas à se décider à remplir ces papiers pour elle-même.

L'année précédente, la fameuse affaire des « Chinois de l'Est » avait de nouveau rebondi. Un syndicaliste dénommé Foster avait chanté sur tous les tons que les Canadiens français étaient partiellement responsables de l'aggravation des conditions de vie des ouvriers. La tempête avait fait écho jusqu'au Québec où le député de Bellechasse avait dénoncé avec force ces faussetés ressassées par les Américains. Il avait répété dans tous ses discours que les Canadiens français formaient maintenant une communauté stable, là-bas. Une communauté respectable.

Tout ceci n'avait pas empêché le mouvement de xénophobie de se poursuivre et de prendre de l'ampleur chez les natifs de la Nouvelle-Angleterre. Déjà, on commençait à s'en prendre aux éléments de « survivance » mis en place par les Canadiens dans le but de ne pas se fondre dans la masse : paroisses et écoles françaises, sociétés culturelles et sociales, journaux, conférences, etc.

Un soir pluvieux de septembre 1885, Marguerite se retrouva seule dans sa cuisine avec en main le pamphlet d'un certain Calvin Almaron. Comment était-il parvenu jusqu'à elle, elle ne s'en rappelait guère. Sans doute l'avait-elle trouvé à la porte d'un magasin ou était-il distribué sur le coin d'une rue comme cela se produisait souvent.

Les cheveux lui dressèrent sur la tête quand elle se mit à en parcourir le contenu. L'auteur, un pasteur protestant, en appelait à l'évangélisation des Canadiens français tenus sous la coupe d'un clergé catholique jugé obscurantiste. « *C'est à vous, Américains, qu'il appartient de dire si la population française doit rejoindre vos rangs ou ceux de l'infidélité et du péché*[9] ». L'auteur dénonçait avec vigueur les écoles paroissiales où les enfants apprenaient à se rebeller contre les institutions américaines, là où se mettaient en place les idées qui devaient aboutir à la transformation de la Nouvelle-Angleterre en Nouvelle-France. *« Malheur à vous si vous ne remplacez pas la foi romaine par l'Évangile !»* Selon lui, il devenait essentiel de convertir les Canadiens au protestantisme et de développer l'école publique au détriment des écoles paroissiales pour tenter d'assimiler ces immigrants francophones peu coopératifs qui faisaient peser une menace sur la vie publique des États-Unis.

Scandalisée, Marguerite faillit jeter ce « torchon » au fond du petit poêle de fonte qui ronflait au milieu du logement. Allait-on, un jour, enfin ficher la paix aux catholiques ? Pourtant, même entre eux, ces derniers ne s'entendaient pas. Les Irlandais et les Canadiens français s'affrontaient sans arrêt dans la plupart des villes du diocèse. La rumeur populaire racontait même qu'un prêtre de Fall River, connu pour ses plaisanteries anti-irlandaises, prétendait avoir répondu à un pénitent s'accusant au confessionnal d'avoir tué un Irlandais : « Mon fils, commence par tes péchés mortels. » De tels propos hostiles nourrissaient une multitude de conflits entre les évêques irlandais ou américains et les prêtres francophones.

Marguerite laissa choir le dépliant sur le comptoir. Elle en avait marre de la religion et de la politique. Elle en avait marre de tout. Péniblement, elle s'attela à la tâche de préparer le souper. Anne étant retenue au magasin jusqu'à dix heures ce soir-là, elle mangerait seule. Seule, sans personne, ni dans sa maison ni dans sa tête. Sans ami véritable. Sans sa sœur habituellement assise en face d'elle à la table. Sans la présence de ses anciens voisins de palier, Rose-Marie et Paul. Sans même l'image de Simon autrefois présent dans ses pensées. Triste solitude conjuguée au temps présent et sans doute au futur de l'indicatif... Seule, sans rêve, sans rien. Seule comme elle ne l'avait jamais été. Seule à dessiner les caprices de

---

9.   Cité par François Weil. *Les Franco-Américains, Crises et Croissances*, éd. Belen, 1989, p. 124-125

sa destinée. De son avenir. Mais était-ce bien elle qui les dessinait ? Une vague d'amertume la submergea.

Elle repoussa son assiette sans l'avoir touchée.

10

Le même soir, afin de surmonter son cafard, Marguerite commença à épousseter les rares meubles de l'appartement puis à ranger les affaires, surtout celles, nombreuses, de sa sœur. Le pamphlet de Calvin Almaron laissé sur le comptoir attira à nouveau son attention. Elle le tourna et le retourna longuement entre ses mains et songea qu'il était peut-être de son devoir de chrétienne d'informer les prêtres de sa paroisse de l'existence de ce tract rédigé en français et distribué à la population. Monsieur le curé se devait absolument de mettre ses paroissiens en garde contre ce genre de libelle porteur de venin. Combien de concitoyens l'avaient lu et se sentaient aussi indignés qu'elle ? Mais combien d'autres, aussi, risquaient de se laisser influencer par un tel discours ?

Elle enfila son manteau et se dirigea d'un pas pressé vers la résidence où habitaient les oblats. Légèrement essoufflée, elle sonna à la porte en se demandant lequel des trois prêtres viendrait lui ouvrir. Le soir venait tout juste de tomber et à travers la fenêtre du parloir, on pouvait distinguer le feu qui pétillait dans l'âtre. Mais personne ne vint répondre. Certaine qu'un prêtre se trouvait toujours de garde vingt-quatre heures sur vingt-quatre, elle tira de nouveau sur la clochette et attendit quelques secondes.

Elle allait repartir quand la porte s'ouvrit brusquement. À son grand étonnement, Antoine Lacroix se tenait devant elle. Les cheveux en bataille, vêtu d'un pantalon noir et d'un simple tricot de corps et pieds nus dans des pantoufles, il affichait l'air honteux d'un jeune garçon pris en défaut.

— Marguerite ? C'est vous ? Quelle belle surprise ! Mais entrez donc ! Rien de grave, j'espère ?

— Non, non, je viens seulement vous remettre ça.

— Excusez ma tenue, je suis de garde ici, ce soir. Le père Garin et le père Lagier assistent à un colloque au centre communautaire. Je me suis bêtement endormi, je crois. Je… je suis désolé. Accordez-moi cinq minutes, je vais vous revenir plus présentable.

— Mais non ! Vous me paraissez très bien comme ça.

Marguerite, mal à l'aise, sentit une bouffée de chaleur lui monter au visage. Dieu qu'elle avait chaud ! Elle n'allait tout de même pas lui avouer qu'elle ne l'avait jamais trouvé aussi séduisant, ainsi débarrassé de ses attributs d'ecclésiastique et soudain transformé en homme ordinaire. Au naturel et au vrai.

— Je n'en reviens pas de vous voir ici, Marguerite. Une véritable apparition ! Alors, ce papier ?

— Ce pamphlet m'est tombé sous la main, aujourd'hui, et j'ai pensé que le clergé de la paroisse devrait en prendre connaissance.

Le père Lacroix s'assit sans manières sur le bras d'un fauteuil et lut attentivement sans remarquer que son interlocutrice le dévorait des yeux. Il devint songeur.

— Calvin Almaron… Ce nom-là me dit quelque chose.

Il porta un regard absorbé sur Marguerite, comme si la réponse avait été écrite sur sa figure. Mais il avait l'esprit ailleurs.

— Ah ! j'y suis ! J'ai entendu parler de ce type-là au cours de mes études au séminaire. Si je ne me trompe pas, ses parents sont venus de Suisse comme missionnaires protestants au Canada et il a terminé des études à l'université McGill de Montréal. Ainsi, il est lui-même devenu pasteur comme eux… Hum, il ne se gêne pas, le bonhomme ! Ça prend tout de même du front pour venir nous dire quoi faire ! Et il ne sera pas facile à réfuter, celui-là, car il s'y connaît en théologie. Ouais… il faudra en parler au cours de l'homélie de dimanche prochain et prévenir nos compatriotes de ne pas se laisser influencer par de telles théories. Merci pour le renseignement, ma chère Marguerite.

— Comme ça, je ne suis pas venue pour rien ?

— Et même si vous étiez venue pour rien, c'est toujours un plaisir de vous rencontrer, vous le savez bien. Mais dites donc, venez vous asseoir quelques instants. Un beau feu brûle dans la cheminée, venez vous réchauffer un peu.

— Je n'ai vraiment pas froid.

— Vous prendrez bien une tasse de thé ?

— Je n'ose pas…

— Allons, Margot, venez vous asseoir, on a si peu l'occasion de faire la causette juste comme ça, librement.

Elle se laissa entraîner en serrant le collet de son manteau comme s'il allait la protéger du désir ardent de se retrouver encore une fois, une seule et unique autre petite fois, entre les bras du jeune prêtre. Elle s'installa à l'autre bout du canapé, le dos bien droit et les genoux serrés. Non, cette fois, il ne se passerait rien. Plus jamais il ne se passerait quoi que ce soit. Elle y veillerait. Cela la bouleversait trop. Elle avait mis des semaines à remettre de l'ordre dans son esprit après le geste sans doute paternel de consolation du prêtre dans le vestiaire de l'école, au moment où il avait appris l'arrestation de Joseph. Simple comportement anodin et amical, au fond, mais il l'avait menée pendant des nuits sur des chemins sans issue, confrontée à la barrière infranchissable qui séparait les prêtres des femmes.

L'oblat devinait-il son trouble ? Elle sirotait son thé à petites gorgées, les yeux baissés, ne sachant que dire, regrettant son audacieuse escapade. Elle n'avait pas envisagé une rencontre privée avec Antoine Lacroix, croyant tomber sur le curé lui-même. Jamais elle n'aurait dû venir frapper à la porte du presbytère. Dans quel pétrin venait-elle de se fourrer ?

Le silence devint lourd, insupportable. Quand elle daigna lever les yeux sur le vicaire, elle s'aperçut qu'il la dévisageait sans broncher.

Leurs regards se croisèrent et il lui sourit, de ce sourire qui la rendait folle. Elle y décela une telle tendresse, une telle douceur, qu'elle dut se mordre les lèvres et serrer les poings pour se retenir de se sauver en courant, là, tout de suite, bêtement.

— Margot, ma petite Margot…

Avant même de lui laisser le temps de protester, Antoine s'était approché et, la saisissant par les mains, l'avait obligée à se lever et à venir près de lui.

— Marguerite, dis-moi, est-ce Dieu ou le diable qui t'a fait venir à moi, ce soir ?

— Je ne sais pas, mon père. Le diable sans doute…

Ce « mon père » eut l'effet d'une douche froide.

— Si c'est le diable, Marguerite, je vais lui tenir tête. Il ne va pas gagner la partie contre le père Lacroix. Oh ! que non ! Mais pour une fois, puisque tu es là, je veux que tu saches que je t'aime depuis le premier jour où je t'ai vue, il y a de ça des années. Tu me semblais tellement perdue en compagnie de ta jeune sœur et de ton père. Tant de candeur illuminait tes yeux de petite fille, Marguerite, que je t'ai tout de suite adorée. Et de loin, mine de rien, j'ai veillé sur toi. J'en ai tellement voulu à Joseph de vous négliger à ce point, Anne et toi. Et puis, tranquillement, je t'ai vue devenir une femme. Une belle femme. La plus belle de toutes.

Sidérée, Marguerite porta les mains à son visage. Jamais elle ne se serait attendue à un tel discours.

— Taisez-vous, taisez-vous…

— Je sais que ton cœur a conservé cette simplicité, cette pureté. Cette force aussi. Ah ! avec quelle détermination tu as creusé ta place, ma petite Margot ! Je me rappelle l'autre jour, quand tu as présenté tes excuses à sœur Plante. Avec quelle énergie tu t'es défendue. Si tu savais comme je t'ai trouvée formidable.

La jeune femme secoua la tête en signe de négation. Autant ces aveux auraient pu l'exalter, autant ils la menaient au supplice. Un supplice déroutant.

— Arrêtez, mon père, je vous en supplie ! C'est péché, vous n'avez pas le droit de…

— Non, laisse-moi finir, laisse-moi finir. Je veux que tu saches, pour une fois. Pour une seule fois. Même si je dois y perdre mon âme.

L'homme plongea alors ses yeux bleu de mer dans ceux de la jeune fille prise de tremblements. Des yeux d'une redoutable profondeur dans laquelle elle craignait tant de se noyer. Des yeux qu'elle fuyait depuis des années.

— Marguerite, je veux te dire que mon amour pour toi restera enfermé pour l'éternité dans un écrin, comme une grâce, ou comme un trésor déposé dans le carcan sacré du sacerdoce. Sache que cet amour est pur et restera pur comme l'amour que je porte à mon Créateur. Jamais je ne te toucherai, jamais je ne te posséderai. Et jamais je ne me donnerai à toi parce que j'appartiens à Dieu, tu comprends ?

— Antoine…

Pour la première fois, Marguerite s'adressait au père Lacroix en l'appelant Antoine. Mais sa voix restait faible et hésitante comme si elle avait prononcé un mot défendu. Il ne la laissa pas continuer, emporté par sa pensée.

— Regarde ces mains, Marguerite, elles consacrent l'hostie chaque jour où Dieu leur prête vie, elles portent le Christ aux malades, aux vieillards, aux petits et aux grands, elles donnent l'absolution, elles baptisent les enfants, elles bénissent les hommes et les femmes qui s'unissent pour se bâtir une existence normale dans ce pays étranger. Mais devant toi, ces mains ressentent une telle envie de prendre ton visage et de frôler ta peau doucement, comme on caresse celle d'un enfant, que j'ai peine à les retenir. Ah ! que Dieu me vienne en aide !

— C'est mal, mon père. S'il vous plaît, arrêtez. Vous aviez raison, c'est le diable qui… Excusez-moi, je vais partir.

Marguerite s'apprêta à déguerpir, mais le prêtre la serra tendrement dans ses bras. Elle fut prise d'une telle envie de se laisser fondre dans cette étreinte que même ses principes moraux les plus solides furent ébranlés. Où prendre la force de résister à un tel bonheur ? Et pourquoi y renoncer ? Au nom de la religion ? Le père Lacroix avait raison, le diable se trouvait dans cette pièce.

— Oui, pars vite ! Sauve-toi, mon amour ! Mes mains n'ont pas le droit d'accomplir ces gestes. Parce que ce sont des mains bénies, les mains menottées d'un prêtre.

Antoine relâcha son étreinte et alla s'appuyer contre le manteau de la cheminée pour enfouir son visage au creux de son bras. Priait-il ou pleurait-il silencieusement ? Quand il releva la tête, Marguerite avait disparu. Seul le pamphlet contre la religion catholique traînait sur le plancher du vestibule, comme pour le narguer.

Il le ramassa en se disant que la communauté catholique de la paroisse Saint-Joseph de Lowell subissait, en cet instant précis, une tout autre menace que celle véhiculée par ce pamphlet.

11

Nul ne savait pourquoi Angelina, quand elle sentit venir sa fin inéluctable, réclama de recevoir les derniers sacrements de la part d'un prêtre catholique, plus précisément du père Antoine Lacroix, de Lowell. Ce souhait parut pourtant légitime à son mari puisque autrefois, en France, elle avait grandi dans cette religion et n'y avait jamais officiellement renoncé malgré son adhésion aux règles et au culte de l'Église Épiscopale depuis son arrivée aux États-Unis. Mais pour quelle raison réclamer cet oblat en particulier, officiant à deux cent milles de chez eux, il ne se l'expliquait guère.

Bon prince, le médecin accéda à cette dernière volonté de sa femme et envoya un messager à la paroisse Saint-Joseph pour demander la venue immédiate du père Lacroix. Ce dernier se plia de bonne grâce à cette curieuse démarche sans poser de question. Après avoir enfoui au fond d'un sac une custode contenant quelques hosties consacrées, une ou deux fioles d'eau bénite et de saint chrême ainsi qu'une étole, il monta à bord du premier train pour Colebrook.

C'est en traversant le deuxième wagon qu'il reconnut les deux sœurs Laurin en route vers la même destination. Il ne put retenir un sourire de ravissement.

— Eh bien! Quelle agréable rencontre! Tu parles d'une coïncidence! Je suppose que vous vous rendez chez le docteur Lewis, vous aussi?

— Comment ça? Vous le connaissez?

— Pas lui, mais je connais un peu sa femme. Très peu, en réalité. Je l'avais croisée à l'école, vous vous rappelez, Marguerite, quand elle était venue vous annoncer l'arrestation de votre père? Je pense qu'elle vous estime beaucoup.

Marguerite frissonna. Comment aurait-elle pu oublier ce moment précis où le père Lacroix, dans l'isolement du vestiaire, l'avait prise dans ses bras afin de la consoler? Elle resserra les cordons de sa cape, souhaitant s'y tapir afin de se mettre à l'abri de ce trop doux souvenir. Un souvenir suivi d'un autre encore plus ardent, vécu devant la cheminée du presbytère, et dont l'objet venait tout à coup de se concrétiser, bien vivant et plein d'entrain. Antoine…

— C'est elle qui vous fait venir là-bas, mon père?

— Oui, il n'existe pas de communauté catholique à Colebrook. Elle a donc demandé à voir un prêtre de Lowell.

— Angelina va mourir.

— Ne vous en faites pas, ma petite Anne, on va tâcher de l'envoyer au paradis.

— Ce ne sera pas difficile, elle est la meilleure personne sur terre. Les Lewis ont généreusement pris soin de Camille, vous savez, depuis son accident.

Anne faillit ajouter qu'après le décès d'Angelina, Marguerite et elle espéraient emmener Camille vivre avec elles à Lowell. Mais elle choisit de n'en pas parler. La petite pie qui autrefois racontait tout ce qui lui passait par la tête avait appris, avec l'âge, les règles du silence.

Le père Lacroix s'installa sur la banquette face aux deux sœurs. Marguerite n'avait pas prononcé un mot et se contentait d'écouter la conversation. Anne attribua ce mutisme au chagrin de savoir la femme du docteur parvenue au terme de son existence.

Cependant, l'aînée ne cessait de jeter un œil timide sur l'homme devant elle. À travers la fenêtre, un rayon de soleil le rendait encore plus désirable. On aurait pu croire qu'une lumière intérieure l'habitait. Dire qu'il lui avait avoué l'aimer secrètement, quelques semaines auparavant… Elle sentit son cœur se gonfler au point d'en perdre le souffle. Elle n'arrivait pas à croire que pendant près de dix heures, elle aurait à porter les yeux, de près, oh! de si près! sur ce visage parfait, ce regard d'océan sans fond qui la troublait démesurément. Non, elle ne pourrait le supporter, elle allait demander grâce ou se mettre à hurler. Ou encore sauter du train et prendre la poudre d'escampette comme ce fameux soir au presbytère.

Toute sa vie, elle se souviendrait de cet instant merveilleux où, dans l'intimité périlleuse d'un parloir, Antoine Lacroix lui avait ouvert son cœur et déclaré son amour. Son cœur de prêtre… Son cœur pur mais cadenassé de prêtre. Et offert ses mains aussi, ses mains nues de prêtre, ligotées comme celles de Joseph le jour de son procès. Des mains dont les caresses se métamorphosaient, aux yeux de Dieu, en actes blâmables. Ce soir-là, elle n'avait trouvé rien d'autre que de s'enfuir, à la fois exaltée et désespérée. S'enfuir comme une pécheresse impénitente. S'enfuir sans prendre le temps de lui dire à son tour « Je t'aime ». S'enfuir comme une coupable. Une damnée.

Pourquoi, cette barricade insurmontable, ce mur de préceptes et de défenses entre eux? Pourquoi qualifier de mal un sentiment aussi noble? Aussi pur? Pourquoi menacer de l'enfer éternel un simple amour, normal et naturel? Quel était donc ce Dieu qui jetait de tels interdits à ses pauvres créatures pourtant prêtes à donner leur vie pour le servir? Pourquoi les avait-il dotés d'un cœur pour aimer, Antoine et elle, et tous les autres humains, s'ils n'avaient pas le droit de s'en servir? Était-ce pour le plaisir de les voir souffrir, d'une souffrance inutile, en se soumettant à sa volonté? D'ailleurs, en quoi cet amour pouvait-il offenser l'Être Suprême, si lointain, si silencieux? Si absent même! Qui donc avait prétendu cela? Qui en avait la certitude? Rien de tout ça n'était écrit dans l'Évangile, pourtant.

De songer au moment où elle avait quitté le presbytère, révoltée de vivre une telle injustice, ébranlait encore Marguerite. Ce soir-là, sous la lumière froide de la lune, elle avait erré dans les rues pour s'arrêter finalement devant les écluses de la Merrimack, au nord de la ville. À travers le prisme de ses larmes, les reflets de Lowell se multipliaient en des milliers de petits éclats brillants à la surface de l'eau. Et cela avait éveillé en elle l'image des feux follets si souvent évoqués par Joseph et qui la ramenaient invariablement à sa mère. «Maman…»

La folle envie l'avait prise alors de se jeter dans les eaux bouillonnantes pour aller retrouver Rébecca. Là, tout de suite, en finir avec cette «vie de misère», comme répétait Joseph. Cesser enfin de voir le bonheur lui filer entre les doigts et de renoncer aux êtres chers, à sa mère perdue à jamais, à son père en prison, à Simon qu'elle ne reverrait plus, et à Antoine, son cher Antoine, cet homme qu'elle s'était toujours défendue d'adorer. Jamais il ne se donnerait à elle parce qu'il appartenait à Dieu, il le lui avait clairement juré. Serment du désespoir qu'elle n'aurait jamais voulu entendre.

Elle avait alors haï Dieu de toute son âme en brandissant le poing au-dessus du barrage. Appuyée sur le garde-fou, elle avait pleuré sa révolte, et ses larmes avaient coulé comme l'eau qui dévalait furieusement par-dessus la digue. Il ne lui restait plus rien, rien, rien au monde. Pourquoi ne pas mourir?

Dieu avait-il eu pitié d'elle? Un passant, un ange sans doute, s'était arrêté derrière elle et l'avait questionnée gentiment.

— Tout va bien, mademoiselle? Aimeriez-vous que je vous raccompagne jusque chez vous?

— Non, non. Ça va aller, merci.

À cause de cet inconnu, elle s'était ressaisie et avait tourné les talons pour s'en retourner chez elle en courant. Aux côtés d'Anne déjà endormie, elle avait vainement cherché le sommeil en pressant son ange de porcelaine sur son cœur, seul élément concret de cette aberrante histoire d'amour. Cet ange offert un jour par le père Lacroix et censé la protéger. La protéger de quoi, elle se le demandait.

Le lendemain matin, le besoin pressant de se rendre au confessionnal s'était fait sentir. Au père Lagier, elle s'était accusée d'entretenir un amour défendu et d'avoir momentanément détesté Dieu à cause de l'impasse dans laquelle elle se trouvait. L'envie de mourir lui avait presque fait perdre la tête.

— Dieu a pour nous des desseins parfois obscurs. Il faut lui faire confiance, mon enfant. Avez-vous le ferme propos de revenir à lui et d'obéir dorénavant à sa sainte volonté ?

— Oui, mon père.

Elle avait prononcé un petit oui d'une voix étouffée, sans conviction, puis elle s'était rendue à l'école d'un pas malgré tout plus allègre. La vie l'avait aussitôt rattrapée et ramenée dans sa classe auprès de ses chers élèves. Ces enfants représentaient sa raison de vivre et sa planche de salut. Elle existait pour eux, et cela devait lui suffire. Leur apprendre non seulement les règles de grammaire mais surtout celles de la vie ne valait-il pas la peine ? Elle ne doutait pas que chacun d'eux se rappellerait le passage de mademoiselle Laurin dans son existence.

Ce matin-là, elle leur avait raconté l'histoire de la Belle au bois dormant, cette pauvre princesse que seul le baiser d'un prince charmant pouvait libérer du sommeil éternel auquel une méchante fée l'avait condamnée. Inconsciemment, Marguerite s'abreuvait à la candeur des enfants qui croyaient dur comme fer à l'arrivée du prince charmant. Il fallait y croire, elle voulait y croire !

Si les mauvais sorts existaient sans contredit dans l'existence de tout être humain, les princes charmants, eux, se faisaient plutôt rares. Il s'agissait de les repérer. Certains prenaient des allures de prince charmant mais ne faisaient que semer des maléfices. Il fallait s'en méfier. L'important était d'attendre patiemment la venue du véritable prince doté du pouvoir magique d'apporter la libération, sinon on risquait de périr, certains soirs, dans les flots tumultueux d'une rivière ou, contrairement à la princesse du conte, de s'endormir pour l'éternité. Marguerite, elle, n'avait pas le choix de respecter l'interdit jeté sur l'amour du père Lacroix. Jamais il ne se transformerait en prince charmant. Comment allait-elle revenir à la vie, alors ?

Pendant les semaines qui avaient suivi la déclaration d'amour d'Antoine, Marguerite avait systématiquement évité toute rencontre avec celui dont elle connaissait par cœur l'horaire d'enseignement. Quand le père Lacroix se trouvait sur les lieux, mademoiselle Laurin s'abstenait de sortir de sa classe et elle quittait l'école à la hâte en rasant les murs. À l'église, elle s'asseyait dans le dernier banc.

Mieux valait laisser refroidir les cendres de ce qui n'avait été, au fond, qu'un minable feu de paille. Oublier tout ça et faire son deuil. Et tenter de survivre. Dans le silence. Dans le renoncement. Dans le rien. L'écœurant, l'inacceptable, l'abominable rien.

Et voilà que, sans crier gare, Antoine Lacroix se trouvait de nouveau en face d'elle, dans ce train, la dévorant des yeux pendant qu'ils cheminaient ensemble vers le même endroit pour les mêmes raisons. Elle n'arrivait pas à y croire et en voulut au hasard. Elle eut même du mal à résister à l'envie d'aller s'installer ailleurs, dans le dernier wagon, n'importe où, loin de cet homme qu'elle adorait. Parce que sa présence ne faisait que raviver le feu. Et quand on veut éteindre un feu, on n'y ajoute pas du bois. Du bois mort, par surcroît. Du bois déjà mort.

Anne, loin de se douter de la tempête qui chavirait les pensées de sa sœur, contribua sans s'en rendre compte à détendre l'atmosphère. On bavarda de tout et de rien, du temps, de politique, d'enseignement, de commerce, d'immigration. Un subtil clin d'œil d'Antoine adressé mine de rien à Marguerite acheva de réduire les tensions. Allons, le prêtre continuerait d'agir comme à l'accoutumée. Aujourd'hui, c'était le vicaire de la paroisse, oblat de Marie-Immaculée, qui les accompagnait, et non l'irrésistible jeune homme aux yeux trop bleus.

Soudain Anne s'exclama, à brûle-pourpoint :

— Vous ne savez pas quoi ? Je me suis fait un ami. Un journaliste. Un jeune homme tellement intéressant que vous adoreriez discuter avec lui.

— Ne me dis pas, ma sœur, que tu te laisses enfin conter fleurette ? Petite cachottière, va ! Tu ne m'avais rien dit !

— Bah ! Tu peux bien parler, toi qui ne pars presque jamais !
Non, non, il s'agit seulement d'un copain.

L'embarras qui colora tout à coup le beau visage d'Anne trahissait bien autre chose et n'échappa pas à l'aînée. Comme elle la trouvait mignonne, ce matin, dans sa robe orangée qui mettait en valeur son teint de lait ! Quel garçon pourrait résister à ces yeux-là, verts et pétillants, à cette taille fine et à cette poitrine parfaite, à ce sourire d'enfant malgré ses seize ans bientôt révolus ? Mais c'était surtout sa vivacité et son caractère fougueux qui la caractérisaient, contrairement à Marguerite, plus posée et plus sérieuse. Le père Lacroix se montra intéressé.

— Alors, ma chère Anne, décrivez-nous l'heureux élu.

N'eussent été son collet romain et sa soutane, on aurait pu croire qu'il était le copain des deux jeunes filles, un garçon d'à peu près leur âge, jouissant avec elles des mêmes plaisirs de liberté et d'aventure.

— J'ai connu Pierre Forêt à La Par-botte. La première fois, il s'est présenté pour acheter une paire de chaussures. Puis, il s'est mis à revenir une ou deux fois par semaine pour faire un brin de causette. Mais ne pensez pas mal, il s'agit de simples rencontres amicales. On se voit aussi, à l'occasion, à la salle communautaire Saint-Joseph, lors de concerts ou de conférences sur différents sujets d'actualité.

Marguerite répliqua aussitôt, sur un ton badin :

— Ah ! là, je comprends maintenant ce changement radical de comportement : toutes ces soirées passées à t'occuper de la comptabilité et des commandes pour La Par-botte… Hum ! Tu ne nous a pas dit à quelle heure il vient faire ses jasettes, ton cher journaliste ! Je commence à avoir des doutes, moi. J'aurais dû me méfier et descendre au magasin de temps à autre pour mieux m'acquitter de mon rôle de chaperon ! Moi, ton aînée et ta protectrice. Ta gardienne…

— Ma gardienne ?

— Mais non, Anne, je te taquine. Tu peux bien agir comme tu veux et rencontrer qui tu veux. À ton âge, ça ne me regarde plus.

Je me réjouis pour toi et tant mieux si tu tombes amoureuse. J'ai bien hâte de le rencontrer, moi, ce bel écrivain !

À la vérité, Marguerite enviait soudainement sa cadette. La chanceuse ! Comme ça devait être merveilleux de laisser grandir librement un amour au fond de son cœur et de pouvoir le partager ouvertement. De pouvoir le vivre. Et d'envisager l'avenir avec des yeux pleins de rêve. Anne le méritait bien, après tout. Tant que le Pierre Forêt en question n'abusait pas d'elle et se montrait délicat et compréhensif.

Marguerite jeta un coup d'œil au père Lacroix. Le prêtre, subitement silencieux, regardait distraitement le paysage par la fenêtre. Se sentait-il écrasé d'amertume, lui aussi ? Lui qui n'avait pas, non plus, le droit d'aimer. Éprouvait-il quelque frustration après avoir entendu les confidences d'Anne ? Un peu d'envie ? Ressentait-il comme Marguerite le désir, et plus grand que le désir, le besoin impérieux de révéler là, tout de suite, dans l'instant, que lui aussi vivait un grand amour ? N'éprouvait-il pas le besoin de le crier sur les toits ? De laisser exploser ce bonheur tellement retenu qu'il allait finir par le briser ? « Non, se dit Marguerite, en saint homme, il a sagement renoncé ». Il le lui avait dit, l'autre soir : « Je ne me donnerai jamais à toi. »

La conversation tomba à plat et le silence envahit le compartiment. Anne ne tarda pas à revenir à la charge et à préciser plein de détails, en réponse à des questions qui ne venaient pas.

— Pierre a vingt-deux ans. Très gentil garçon. Il travaille pour un nouveau journal : *Le National*. Il s'occupe présentement du dossier du diocèse de Providence. Je vous dis que ça brasse, là-bas ! Il me tient au courant de tout ça.

Le père Lacroix sembla se réveiller et accueillir cette diversion avec soulagement. Il connaissait l'affaire et ajouta quelques détails à ce fait divers qui prenait de l'ampleur dans toute la Nouvelle-Angleterre.

— Ouais… Ce Mgr Hendriken va y goûter, je le crains. Les catholiques francophones ne vont pas se laisser mener comme ça par l'épiscopat irlandais, oh que non ! Parce qu'ils parlent anglais et sont en place depuis plus longtemps que nous, ces ratoureux d'Irlandais s'imaginent qu'ils vont réussir à nous imposer leurs vicaires. Cet abbé McGee, exclusivement anglophone, n'arrivera jamais à remplacer l'abbé Bédard de la paroisse Notre-Dame-de-Lourdes de Fall River. Dieu ait son âme ! Ça barde, dans ce diocèse-là, je vous le dis ! Et les paroissiens ont raison de protester. Ils ont même envoyé une délégation à l'archevêque de Providence mais ce fut peine perdue. Croyez-le ou non, le prélat a substitué un autre Irlandais à ce McGee. Le cher monseigneur ne reconnaît pas le droit aux Canadiens français d'avoir un prêtre de leur nationalité. Selon lui, il s'agit d'une faveur et non d'un droit. Vous voyez ça ? C'est pourtant les Canadiens qui ont payé l'église, le presbytère et l'école. Les francophones ont alors décidé d'aller à la messe ailleurs. Ou de ne plus y aller du tout. Quelle affaire, tout de même !

Anne acquiesçait avec de grands hochements de tête et profita du fait que le père Lacroix prenait une inspiration pour renchérir.

— Et l'évêque a alors jeté un interdit sur la paroisse. Tout le monde en parle. Mon ami journaliste affirme qu'on va en appeler à Rome. Quelle histoire !

— Ainsi, votre copain s'intéresse à cette cause ? Eh bien, vous ne fréquentez pas n'importe qui, ma chère ! Quelqu'un d'intelligent, en plus d'être beau…

L'oblat sourit à la jeune fille avec bienveillance avant de retourner à son observation du paysage. La conversation retomba de nouveau. Marguerite, qui n'avait jamais entendu parler de cette histoire de Providence, se sentit ignorante et ridicule, diminuée aux yeux du prêtre. Aiguillé sur ce sujet, ce dernier semblait avoir oublié la présence de celle qu'il prétendait aimer. Quand il ferma longuement les paupières, elle s'imagina qu'il méditait, retiré dans un recoin de son monde intérieur où elle n'avait pas sa place. Elle ne doutait pas qu'Antoine Lacroix possédât bien d'autres centres d'intérêt en dehors d'elle-même, elle, l'insignifiante maîtresse d'école peu renseignée, marquée du sceau du fruit défendu.

Il semblait tellement facile pour un homme de dire à une femme « Je t'aime » puis de se tourner vers autre chose. Et un prêtre alors ?

« Tu te trompes, Marguerite, pensa-t-elle, les prêtres ne disent pas « Je t'aime » aux femmes. Tandis que toi, depuis les aveux du fameux soir, tu ne dors plus. Tu vois maintenant à quel point lui peut se montrer détaché quand il le veut ? Ta présence n'a pas l'air de le troubler du tout ! »

Tandis qu'elle, si on l'avait prévenue qu'elle passerait près de dix heures en tête-à-tête avec Anne et Antoine Lacroix dans le compartiment d'un train, elle en aurait rêvé des jours à l'avance, même déchirée par le remords. Et voilà que l'objet de toutes ses pensées se trouvait là, devant elle, à quelques pieds à peine mais éloigné d'elle en esprit par des milliers de milles. En voyageant seule avec sa sœur, elle aurait ressenti moins de vague à l'âme. Sans doute Anne lui aurait-elle parlé davantage de son journaliste, en ajoutant de ces détails dont raffolent les femmes. Ainsi, elle n'aurait pas eu à souffrir de l'indifférence du faux prince charmant.

Mais qu'espérait-elle donc exactement ? Qu'Antoine lui prenne encore les mains, là, devant tout le monde au beau milieu du train ? Ou qu'il lui baise les joues en lui murmurant des mots tendres à l'oreille ? Allons ! Elle ne devait rien espérer de cet amour défendu qui ne verrait jamais le jour. Déjà elle n'en tirait pas autre chose que de la peine et du dépit. Et une impression de solitude étouffante comme un garrot autour de la gorge. Comme maintenant.

Anne avait replongé dans son livre. « C'est ça, cultive-toi, ma sœur ! songea Marguerite. À la longue, ta conversation deviendra plus intéressante que celle de ton aînée, future vieille fille frustrée ! » Elle sentit monter les larmes et s'empressa de se moucher bruyamment avant que son désarroi ne se liquéfie. Le père Lacroix sursauta.

— Excusez-moi… Je pense que je me suis assoupi quelques instants.

Marguerite ne put se retenir de penser que l'amour ne l'empêchait pas de dormir, lui ! À ce moment précis, le prêtre s'adressa directement à elle.

— Et vous, ma petite Margot ? Vous me paraissez bien tranquille, aujourd'hui. Qu'avez-vous à nous raconter ?

— Oh ! pas grand-chose…

— Vous savez, ce pamphlet de l'autre jour ? J'y ai beaucoup songé. Il n'est pas le seul, vous savez. Regardez ce livre du révérend Joseph Strong, publié à cinq cent mille exemplaires. Je l'ai apporté exprès pour vous le montrer.

Il se pencha pour sortir de son sac un petit bouquin rouge. Marguerite sourcilla. Antoine Lacroix venait de se trahir : il avait prévu cette rencontre, sinon dans le train, à tout le moins à Colebrook, puisqu'il lui avait apporté un livre.

— L'auteur accuse les immigrants de tous les maux et insiste sur leur rôle dans les bouleversements du pays. Plusieurs revues traitent d'ailleurs du même sujet. Heureusement, s'il y est question d'une éventuelle annexion du Québec par les États-Unis, on donne en général la parole tant aux nativistes, ces Américains qui se réjouiraient d'une telle fusion, qu'à des Canadiens, comme Honoré Beaugrand, qui la redoutent. Tenez, ça va vous intéresser.

Le prêtre tendit gentiment le livre à Marguerite. Cette délicate attention eut l'heur de pulvériser aussitôt les sombres pensées de la jeune fille. Ainsi, elle s'était royalement trompée : elle avait encore de l'importance aux yeux du prince Antoine Lacroix.

À l'arrivée du train, lorsqu'il l'aida à descendre, la force et la durée exagérée du geste qui unit leurs deux mains n'eut rien à voir avec le fait d'aider poliment une jeune fille à franchir le marchepied trop élevé d'un wagon.

12

Angelina n'en menait pas large quand les visiteurs se pointèrent chez elle à huit heures du soir. La grande maison de la rue Parsons baignait déjà dans la pénombre et Camille, vêtue de sa robe de nuit, veillait la malade en silence, à la lueur d'une seule lampe à huile, posée sur le guéridon. L'air sentait le renfermé et le camphre.

Impressionnées, les deux grandes se gardèrent de sauter au cou de leur jeune sœur malgré leur joie de la retrouver. Celle-ci, prostrée, réagit d'ailleurs très peu à leur arrivée et se mit à pleurer doucement.

— Je ne veux pas que maman meure, je ne veux pas que maman meure...

Anne ne put s'empêcher de rétorquer avec étonnement :

— Angelina n'est pas ta mère, Camille.

— Oui, elle est ma deuxième mère et moi je l'aime.

Le docteur Lewis semblait, lui aussi, complètement anéanti et secouait la tête. Il avait exploré toutes les voies possibles de la médecine avant de baisser les bras devant le cancer foudroyant de sa femme. Le père Lacroix posa une main qu'il voulait réconfortante sur l'épaule de l'homme effondré.

— Il ne reste donc plus d'espoir ?

— Non, il n'y a plus rien à faire. À moins d'un miracle… J'ai tout essayé mais le mal n'a cessé de gagner du terrain. Il s'agit maintenant d'une question de jours avant que la mort ne l'emporte. Il ne me reste plus qu'à tenter de soulager ses souffrances. Et encore… Devant la mort, on est parfois démuni, vous savez. Merci d'être venus aussi vite, mon père, et vous aussi, mes chères petites.

Au delà de l'émotion purement humaine, les devoirs sacerdotaux du père Lacroix se rappelèrent à lui. Le prêtre se sentit dans l'obligation de prendre la situation en main et de consoler ses ouailles écrasées par la fatalité.

— Si c'est la volonté de Dieu d'amener Angelina au ciel avec lui, il faut l'accepter humblement. Nous n'y pouvons rien. Il reste à nous résigner et à tenter de l'aider à franchir le grand pas vers l'autre monde. Votre épouse se retrouvera au paradis d'ici peu, docteur, soyez sans crainte. Elle en aura fini avec les épreuves terrestres et pourra enfin vivre dans l'allégresse. Ne devrait-on pas se réjouir pour elle ?

Le médecin se retourna brusquement et riposta sur un ton qui trahissait sa révolte.

— Pardonnez-moi, mon père, mais ma femme et moi vivions déjà dans l'allégresse, contents et satisfaits d'avoir aidé les autres durant toute notre vie. Notre bonheur fut parfait, et encore plus ces dernières années où Dieu a mis sur notre route un petit ange en la personne de Camille. Ni Angelina ni moi n'avions envie de voir cesser cette félicité, croyez-moi.

Désarçonné, l'oblat se racla la gorge et s'approcha de la malade. Quel être humain, fût-il moine, pape ou chaman, possédait la véritable réponse au grand mystère de la mort ? À travers les âges, dans la grande histoire de l'humanité, chaque civilisation, chaque peuple, et même chaque homme adaptait ses croyances et sa propre théorie sur la vie et la mort selon la religion à laquelle il adhérait. Quand il y adhérait… On appelait cela « avoir la foi ».

Antoine Lacroix s'était sérieusement posé des questions à ce sujet lorsqu'à dix-huit ans il étudiait la théologie. Pourquoi un Dieu qu'on prétendait infiniment bon permettait-il la mort et toutes les souffrances qui l'accompagnaient? Ces doutes, honnêtement avoués à ses maîtres, avaient failli lui coûter le renvoi pur et simple du séminaire. Mais le besoin de se dévouer pour les autres l'avait emporté. L'amour, prêché à pleines pages de l'Évangile, l'avait conforté dans sa réponse affirmative à l'appel de la vocation sacerdotale. Avec l'ardeur et la fougue de sa jeunesse, il avait enterré ses incertitudes, bravement renoncé à l'attrait des femmes et engagé toute sa vie au service de Dieu et des autres. La tuberculose, contractée quelques années plus tôt, n'avait nullement entravé son zèle. Après presque une année de repos chez les religieuses, dans l'aile hospitalière du couvent de Lévis, le missionnaire était revenu à Lowell, plus enthousiaste et motivé que jamais.

À n'en pas douter, si la foi du père Lacroix était occasionnellement mise à l'épreuve, ses vertus inébranlables d'espérance et de charité tout autant que le vœu de chasteté le maintenaient à flot dans ses engagements. Il restait que, devant les forces invincibles de la mort et le chagrin des familles éprouvées auxquels ses activités ecclésiastiques le confrontaient très souvent, le jeune prêtre redevenait un simple mortel que seul un fol espoir en un monde meilleur arrivait à ne pas déstabiliser.

Il prit doucement la main de la malade.

— Madame Lewis? Angelina? C'est moi, le père Lacroix, le prêtre catholique que vous avez réclamé. Je suis venu vous aider à préparer le grand voyage. Avez-vous des souhaits particuliers?

Il s'était adressé à la femme du docteur en français. Elle ouvrit de grands yeux étonnés et mit un certain temps avant de comprendre ce qui se passait. Le vicaire dut se pencher pour mieux saisir les mots qu'elle lui marmonna à l'oreille. Il fit signe aux filles de s'approcher.

Marguerite vint se placer près de la malade et sentit une main sèche et glacée agripper la sienne. Ce geste lui rappela la main de Rébecca, quelques années auparavant, qui l'avait empoignée sur son lit de mort et s'était accrochée à elle avec l'acharnement du désespoir. Le désespoir d'une condamnée. Même peau décharnée et froide, même fébrilité… Elle croyait avoir enfoui cette image au fond de sa mémoire, là où le trou noir ne laisse pas de place au souvenir, mais voilà qu'il ressurgissait, en ce moment même, au chevet de cette femme que Camille appelait maman.

Angelina sembla retrouver ses esprits et un léger regain d'énergie. Elle s'adressa aux deux sœurs d'une voix rauque et plus perceptible.

— Anne ? Marguerite ? Je voudrais vous demander pardon de vous avoir enlevé votre sœur pendant toutes ces années.

— Mais voyons, Angelina, vous n'avez pas à vous excuser pour ça ! Vous lui avez sauvé la vie. Vous l'avez soignée et guérie de ses blessures à la suite de son accident.

— Oui, mais après… J'aurais dû la renvoyer auprès de vous.

— Mais nous n'étions pas en mesure d'en prendre soin, Angelina, vous le savez bien. Papa… euh… notre père non plus, je crois. C'est plutôt à nous de vous dire merci.

— Jurez-moi de bien vous occuper de Camille. J'ai tant aimé cette enfant-là !

— On vous le jure, Angelina. Comptez sur nous. Vous pouvez partir tranquille.

Une fois de plus, les trois sœurs en larmes se resserrèrent dans les bras l'une de l'autre pour contrer la douleur insupportable. Marguerite se demanda pour quelle raison obscure c'était toujours le malheur qui les rapprochait ainsi. Henry Lewis, submergé par trop d'émotion, décida quant à lui d'aller fumer une pipe sur la galerie, malgré le mauvais temps.

Le père Lacroix en profita pour faire diversion.

— Angelina, je vous ai apporté la communion. Aimeriez-vous d'abord vous confesser ?

La malade fit un signe de la tête en ébauchant un sourire.

— Le bon Dieu vous ouvre tout grand les bras, ma chère dame. Le temps est venu de vous y blottir en totale confiance et d'oublier tout le reste.

Marguerite prit ses sœurs par la main comme elle le faisait quand elles étaient petites, et elle les entraîna sur la galerie, à la lueur d'une bougie, rejoindre le docteur appuyé à la rambarde, incapable de retenir ses sanglots.

— Ah! mon Dieu! Pourquoi Angelina part-elle maintenant? Il est trop tôt! Nous aurions pu vivre heureux encore de belles années.

Les trois filles ne surent que répondre, trop conscientes de l'horrible vide laissé par le départ d'un être cher. Quelques minutes plus tard, le père Lacroix surgit dans l'entrebâillement de la porte, l'air perplexe, et mit fin malgré lui aux lamentations du médecin.

— Marguerite, Angelina vous réclame. Vous toute seule… avec moi!

— Avec vous? Ah bon.

Curieux, les deux retournèrent dans la chambre et s'avancèrent à petits pas auprès du lit. Que pouvait-elle leur vouloir?

— Venez, approchez de chaque côté.

Avec une certaine maladresse, la malade réussit à s'emparer de la main de chacun. Puis elle commença à prononcer, avec une respiration oppressée et sifflante, des paroles que jamais Marguerite n'allait oublier.

— Écoutez-moi bien. Je sais que vous êtes amoureux l'un de l'autre. Ce fut facile pour moi de le deviner: j'ai aperçu, par la porte entrouverte, l'étreinte passionnée qui vous a réunis, il n'y a pas si longtemps, dans le vestiaire de l'école, à Lowell. Vous vous rappelez, Marguerite, quand on avait arrêté votre père? J'ai très souvent repensé à cette scène car elle m'avait bouleversée. C'est pourquoi je vous ai fait venir jusqu'ici, père Lacroix. Je voudrais vous divulguer un secret ignoré de tous. Et je désire le révéler devant Marguerite, la femme qui vous aime, mon père, dans le but de m'en confesser d'abord, mais aussi celui de vous faire réfléchir. Si jamais j'ai péché, donnez-moi l'absolution, je vous prie, mon père, même si je n'éprouve ni regrets ni remords pour ce que je vais vous raconter.

Bouleversés, les amoureux ne disaient mot et retenaient leur souffle. La malade poussa un vif soupir et poursuivit le discours qu'elle semblait avoir longuement préparé.

— Sachez que le docteur Lewis fut durant quelques années un prêtre, catholique, comme vous, mon père, avant d'étudier la médecine. Un Jésuite. Il a quitté la vie religieuse parce que j'attendais un enfant de lui. Nous habitions New York à l'époque. Bien sûr, comme vous semblez le faire maintenant, nous avons lutté contre ces sentiments inavouables. Ni lui ni moi n'avions cherché cela, cet amour qui dépassait l'entendement. Cet amour fou a finalement balayé tout le reste et nous a fait perdre la tête plus d'une fois… À cause de ma grossesse, nous avons décidé de nous épouser dans une autre confession religieuse et de déménager à Colebrook où personne ne nous connaissait. Mon mari, devant l'échec de que sa vocation sacerdotale, a entrepris des études de médecine. Il les a terminées en France, d'ailleurs. Mais nous étions déjà mari et femme et avions un enfant à ce moment-là, alors que tout le monde croit qu'il m'a connue et demandée en mariage là-bas. Et tous ignorent qu'il est un jésuite défroqué. Je suis arrivée en Amérique à l'âge de seize ans et ma famille s'est installée dans l'État de New York. Personne ne sait cela. L'histoire de notre passé est un pur mensonge.

Les deux interlocuteurs restaient là, sans bouger, trop impressionnés pour réagir. Angelina tourna la tête vers Antoine.

— Mon père, de toutes les fautes que j'ai commises au cours de mon existence, mon mariage est la seule que je n'arrive pas à regretter, dussé-je aller en enfer pour cela. Mais je ne doute pas que Dieu me pardonne, lui, la source de tout amour, même de celui ressenti pour l'homme consacré qui m'avait prise dans ses bras, lui aussi, un certain soir de grand chagrin. Comme je vous ai vus faire, tous les deux, l'autre jour…

— Parfois, Angelina, Dieu seul peut expliquer pourquoi certains sentiments, certains emportements nous échappent et deviennent plus forts que nous, pauvres humains. Il s'agit là de forces mystérieuses, plus grandes que nous-mêmes… Moi, je vous donne l'absolution. Et je sais que dans sa bonté infinie, Dieu vous a comprise et pardonnée depuis longtemps.

— Je vais donc rencontrer mon juge en toute sérénité. Il m'acceptera auprès de lui, je n'en doute plus, grâce à vous. Merci, mon père. Vous connaissez maintenant le secret du docteur Lewis et de sa femme. Nul ne le connaît à part vous deux et notre fils qui vit en Californie. Un jour, Marguerite, vous raconterez cela à Camille, si vous le voulez bien.

Les dires d'Angelina ouvraient tout à coup une nouvelle porte devant la jeune fille. Antoine et elle n'en étaient qu'aux premiers balbutiements de leur amour, mais l'histoire des Lewis lui faisait découvrir un horizon auquel elle n'avait jamais songé. Un horizon où l'impossible devenait possible, où le soleil pouvait briller malgré l'épaisseur des nuages. Un horizon où le bonheur pouvait exister hors des conventions. Marguerite n'avait jamais osé en rêver. Vivre sa vie auprès d'Antoine… Mais, ce jour-là, à cet instant précis, une mourante venait de lui en rappeler la réalisation potentielle.

Angelina rendit l'âme le lendemain, en soirée, entourée de son mari et des trois sœurs Laurin éplorées. Camille se montra inconsolable.

Le père Lacroix, quant à lui, était déjà retourné à Lowell, appelé par ses nombreuses obligations d'homme d'Église. Il était parti rapidement sans échanger de signe de connivence ni de regard complice avec Marguerite. Rien! Comme si les confidences d'Angelina n'avaient pas eu lieu.

«Parti trop vite, songea Marguerite. C'est mauvais signe…»

13

L'établissement pénitentiaire de l'État du New Hampshire arborait une allure lugubre, même de loin. À part une haute tour de garde près de l'entrée, l'édifice de plain-pied étendait ses tentacules au milieu des champs, ses pavillons de briques rouges aux minuscules fenêtres à barreaux. Un unique chemin pierreux, délimité par une haute cloison de perches, y menait à partir de la route de Concord, au sud de Colebrook. Au passage d'une diligence, un gardien, fusil sur l'épaule, examinait les passagers avant de lever la barrière. Seules les personnes autorisées avaient le droit d'y circuler pour se rendre au pénitencier, soit le personnel, soit les visiteurs munis d'un laissez-passer et admis uniquement pour une période d'une heure, une fois par semaine, le dimanche après-midi.

Les sœurs Laurin s'y étaient rendues à quelques reprises afin de soutenir le moral de leur père. En effet, depuis sa condamnation, Anne et Marguerite avaient plusieurs fois pris le train de nuit, le samedi, pour revenir à Lowell par celui du dimanche soir, sacrifiant leur repos et leur journée de congé. Mais elles se butaient à tout coup à l'attitude rébarbative et entêtée de Joseph. Non seulement se trouvait-il captif d'un lieu sordide, mais pire, une prison intérieure encore plus étanche et sinistre semblait l'habiter. Tristes expéditions que ces voyages stériles où l'homme refusait systématiquement d'ouvrir la bouche. Appréciait-il ces rencontres ? Lui faisaient-elles du bien ? L'encourageaient-elles à garder le cap ? Nul n'aurait pu le dire.

Les autorités, avares de détails, rassuraient toutefois Marguerite sur le comportement acceptable du prisonnier numéro cinq cent vingt-huit. Que signifiait le mot « acceptable » ? Mangeait-il à sa faim ? Prenait-il l'air dans l'espace entouré de barbelés aménagé à cette fin ? Prononçait-il quelques mots à l'occasion ? S'adressait-il aux gardiens ? S'était-il fait des amis parmi la population carcérale ? Pour quelles raisons ne répondait-il pas à leurs lettres ? Est-ce qu'on les lui remettait, au moins ? Et quand on l'extirpait de son cachot pour venir à la rencontre de ses filles à travers un minuscule guichet traversé de barres de fer, manifestait-il quelque contentement ? Marchait-il d'un pas alerte vers cette étrange salle de visites ? Ébauchait-il à tout le moins un semblant de sourire ?

Tant et tant de questions… Rien ! Les sœurs Laurin ne savaient plus rien sur l'homme qui se tenait devant elles, figé et imperturbable. Elles rentraient déçues de leur visite, avec l'impression d'avoir perdu leur temps. Quant à Camille, elle ne s'y était rendue qu'une seule fois en compagnie d'Angelina avant que celle-ci ne tombe sérieusement malade. Comme les autres, la princesse avait essuyé un regard muet d'indifférence. Joseph Laurin était devenu un homme déchu dont le masque de glace n'exprimait plus rien.

Depuis quelques mois, Camille habitait Lowell. Après l'enterrement d'Angelina, il avait été décidé de déménager la benjamine chez ses aînées. Cette entreprise ne s'était pas effectuée sans douleur, autant de la part du docteur Lewis que de Camille, et Marguerite avait réalisé à quel point sa sœur avait développé un sentiment d'appartenance à cet autre milieu. Mais la fillette ne pouvait vivre seule avec le médecin ni endosser la responsabilité domestique d'une aussi vaste demeure. Le docteur, d'ailleurs, avait décidé de vendre sa maison pour aller finir ses jours auprès de son fils unique et de son petit-fils en Californie. Le départ de Camille pour Lowell avait donc signé la fin de la présence des Laurin à Colebrook, d'autant plus que le lopin de terre de Joseph venait d'être saisi par la banque pour cessation du remboursement de l'emprunt. Avait-on mis leur père au courant ?

Cette fois, Camille faisait partie du groupe de visiteuses. L'annonce de la perte de son terrain et du déménagement de la princesse à Lowell susciterait-elle quelques protestations de la part du père, ou bien avait-il irrémédiablement perdu l'usage de la parole ? Et le sens des choses ? Marguerite appréhendait plutôt une réaction démesurée, voire une magistrale manifestation de révolte. Qui sait s'il ne leur demanderait pas d'acquitter elles-mêmes les mensualités ? Après tout, cette nouvelle mettait un terme à son projet farfelu de les rassembler un jour dans sa maison imaginaire de Colebrook. L'incendie de l'hôtel Hinman avait, par ricochet, réduit le beau rêve de Joseph en fumée. Au bout du compte, tout cela n'aurait été que fantasme et faux espoir. La fin d'une chimère.

Les trois sœurs pénétrèrent dans le hall sur la pointe des pieds. Après une fouille en règle, on les conduisit, au bout d'un long corridor, devant l'un des nombreux guichets étroits du parloir. L'homme impassible qui se présenta derrière le guichet leur parut méconnaissable. Ces derniers mois, il avait dû vieillir de dix ans. Dans leur souvenir, Joseph restait homme encore jeune, svelte et fringuant, celui qui les avait menées, avec un éclat de lumière dans l'œil, par monts et par vaux jusqu'à ce pays qu'il appelait la terre promise. Cette terre étrangère dans laquelle, bien malgré elles et sans trop s'en rendre compte, elles étaient en train de prendre racine…

— Salut, papa. Comment allez-vous ?

— …

— Nous vous apportons quelques nouvelles. Une bonne et une mauvaise. Par laquelle doit-on commencer ?

Joseph se tourna vers le mur en haussant les épaules. Enfermé pour dix ans dans une cage, que lui importaient les nouvelles, bonnes ou mauvaises ! Marguerite retenait ses sanglots. Cette fois, c'en était trop. Elle refusait de supporter ce silence plus longtemps et ne put résister à l'envie de poser la question qui lui brûlait les lèvres à chacune de ses visites.

— Papa, n'avez-vous pas envie de savoir comment on va ? Dites-moi si vous nous aimez encore… Dites-le moi, papa, je vous en supplie, sinon je ne reviendrai plus. Lowell est à des heures de Concord, et si vous n'avez pas envie de nous voir, je voudrais le savoir. Là, tout de suite. Parce que moi, je n'en peux plus, papa, je n'en peux plus.

Elle éclata en sanglots. Lentement, Joseph se retourna et plongea ses yeux dans ceux de sa fille. Des yeux de braise. D'une intensité qu'elle ne leur avait jamais connue. Au fond des prunelles, la lueur se fondait dans le ruissellement des larmes. Lentement, les écluses trop longtemps retenues s'ouvrirent et un torrent sans fin jaillit soudain sur les joues ravinées de l'homme. Il pencha sa tête ébouriffée et l'appuya contre les barreaux de fer qui le séparait de ses enfants.

Spontanément, Marguerite y passa une main timide, imitée aussitôt par ses deux sœurs qui se levèrent et se mirent à caresser doucement, du bout des doigts, les cheveux de leur père. Des cheveux secs et sales, parsemés de fils blancs… En ce geste banal résidait toute la tendresse du monde. Et le plus généreux des pardons. Un pardon accordé spontanément par des jeunes filles soudain redevenues des enfants. Des enfants qui ne se posent pas de questions et n'analysent rien. Des enfants qui ne font qu'écouter leur cœur.

Le prisonnier, toujours silencieux, les laissa faire sans broncher, sous le regard du gardien qui abaissa son arme, sans doute attendri par une telle scène.

— Papa… Voulez-vous savoir les nouvelles ?

— …

Joseph releva la tête. Même s'il s'obstinait à ne pas prononcer une parole, son regard trahissait une telle curiosité qu'Anne s'empressa de poursuivre.

— Papa, depuis la mort d'Angelina, Camille habite avec nous, à Lowell. Nous sommes tellement contentes ! Voilà pour la première annonce. N'est-ce pas une bonne nouvelle ? Enfin nous voilà réunies toutes les trois ! L'autre, c'est que… c'est que… vous avez perdu

votre terrain, papa. Nous l'avons appris récemment par une lettre
de la banque.

Cette fois encore, Joseph resta muet et préféra s'éloigner brusquement du guichet de sorte qu'aucune main ne puisse continuer à
le toucher. Quand le gardien, s'étant ressaisi, annonça que l'heure
de la visite était terminée, le prisonnier se retourna, l'espace d'une
seconde, et salua ses filles d'un bref signe de tête.

— Au revoir, papa. On va revenir vous voir, c'est promis.

— Poussé par le gardien, Joseph s'arrêta une seconde et, soule-
vant ses mains pour bien faire voir ses menottes, il s'écria d'une voix
gutturale, avant de franchir la porte :

— Oubliez-moi, mes enfants. Oubliez-moi… Je suis devenu
fou.

14

Marguerite n'en revenait pas. La nouvelle maison des Boismenu, dans un quartier cossu de Lowell, lui semblait un château, une fois la décoration terminée. Vastes pièces, boiseries ouvragées, tapis somptueux, soie, brocard, dentelle, tout y était luxueux et de bon goût.

— Oh la la ! Rose-Marie ! Quels pas de géant entre la Boott's Boarding House, le petit logement au-dessus du magasin et cette splendide maison ! Vous voilà maintenant devenus riches, Paul et toi. Je suis contente pour vous.

Celle que Marguerite considérait soudain comme une nouvelle riche se mit à rire.

— Ça ne change rien, tu sais. Je reste toujours la même personne.

— Je sais, je sais…

Marguerite jeta un regard affectueux à son amie. En effet, même si elle avait facilement adopté et profité des tendances capitalistes de son mari, Rose-Marie n'en demeurait pas moins une femme simple et sans prétention. Et la meilleure des amies pour les sœurs Laurin. Anne et Marguerite continuaient de garder confiance en celle qui jadis, à la résidence Boott's, avait rassuré et protégé, par son attitude maternelle, les deux orphelines en plein désarroi.

Une fois par semaine, les jeunes femmes se rencontraient autour d'une tarte aux pommes ou aux raisins et d'une tasse de thé. Leur relation s'alimentait de fous rires, de confidences et de discussions enflammées. En réalité, le couple Boismenu tenait lieu non seulement d'amis mais aussi de famille pour les orphelines. Et leur réussite financière n'avait en rien altéré ce lien précieux.

Depuis quelque temps, le Smallwood Saloon et le magasin La Par-botte rapportaient des profits faramineux. Paul, ambitieux et doué pour les affaires, avait eu la bonne idée de réinvestir cet argent dans une boutique de confection pour dames. Rapidement, le Rosemary's Fair avait attiré une clientèle riche et prospère issue de la population américaine, à laquelle s'ajoutaient plusieurs Canadiens.

— J'aurais aimé m'occuper de ce magasin avec mon mari, avait affirmé Rose-Marie, mais la maison est grande à entretenir et les deux enfants occupent tout mon temps. Savais-tu, Marguerite, que je suis encore « partie pour la famille » ?

— Eh bien, dis donc ! Quelle pondeuse tu fais, ma chère !

— Oui, mais cet enfant sera le dernier de la pondeuse et de son coq. Notre décision est prise : pas d'autres poussins dans la basse-cour des Boismenu. Il y a toujours bien des limites !

— Ah bon.

— Ben quoi ? Trois enfants, cela me semble une belle famille. Sinon, ça ne serait plus vivable, tu ne penses pas ?

— Ces choses-là ne me regardent pas, Rose-Marie. Mais n'oublie pas une chose : si tu empêches volontairement la famille, tu vas vivre constamment en état de péché mortel. Le prêtre va te refuser l'absolution et tu ne pourras plus communier. Et l'enfer te guette en cas de mort subite. Dommage, mais c'est comme ça. Je te dis ça en amie…

— Et après ? Tu crois à ça, toi ? Trouve-moi une femme aux États-Unis qui a eu dix-neuf enfants. Elles ne sont pas folles comme nous autres, les mères de famille américaines ! Et elles vont à l'église quand même. Voir si elles vont toutes se retrouver en enfer, voyons donc ! Ce ne sont pas les curés qui les mettent au monde, ces petits-là, ni qui les élèvent. Et qui étalent le beurre sur le pain. Eux, ils s'en fichent. Ils ont beau dire, les prêtres, moi je les trouve complètement à côté de la réalité.

— Tu as un peu raison. L'Église catholique…

— L'Église catholique, tu l'as dit ! Toute cette « trâlée » de vieux évêques et de curés miteux ne comprennent rien à la vie des femmes. Et ils se permettent, du fond de leur confessionnal, de tout décider pour nous et de nous dire quoi faire jusque dans notre lit. Franchement ! Et ils prétendent détenir la vérité, en plus ! Je me demande bien où ils la prennent, leur vérité, peux-tu me le dire ? Trouve-moi la page d'Évangile où il est ordonné aux femmes d'accoucher chaque année. On n'est pas des animaux, coudon ! Le Christ n'aurait jamais dit ça à une femme, j'en suis convaincue. Lui, il les comprenait, les femmes. Il devrait revenir pour leur parler dans le nez, à ces hommes-là qui ont le toupet de se faire appeler « mon père » sans avoir la moindre idée de ce que ça signifie, d'être père !

— Oh la la ! Rose-Marie, te voilà vraiment devenue rebelle !

— T'en fais pas. Au fond, je n'ai pas encore entièrement penché du côté du diable, mais…

Marguerite réprima un sourire et prit le parti de se taire. Elle était d'accord avec son amie, mais jamais elle n'aurait osé l'affirmer aussi haut et clair. Elle eut tout de même une pensée pour Antoine. Comment réagissait-il à ce sujet ? Le jeune prêtre se trouvait sans doute dans l'obligation de suivre la consigne prescrite par l'Église et, comme le reste du clergé, de condamner les femmes qui refusaient de « faire leur devoir conjugal ». Mais à l'entendre prêcher lors des retraites, il semblait doté d'un esprit plus ouvert que les deux autres prêtres de la paroisse. Chose certaine, on ne pouvait le classer parmi les curés miteux dont parlait Rose-Marie. Ah ça, non !

Comme si Rose-Marie avait deviné la pensée de Marguerite, elle ajouta, de but en blanc :

— De toute façon, moi, je vais toujours me confesser au père Lacroix. Lui, au moins, il est compréhensif !

Marguerite se garda bien de rétorquer. Depuis la mort d'Angelina, elle n'avait revu le prêtre que de loin, entre les murs de l'école, quand il y venait pour ses cours de catéchisme. Il se contentait alors de lui envoyer discrètement la main, et cela la rendait confuse. Elle détestait et bénissait à la fois cette distance qui, en même temps, la protégeait et la privait d'un amour qu'elle aurait voulu voir s'épanouir autrement. Espace à la fois dense et invisible qui concrétisait, au fond, la décision que ni elle ni Antoine n'avaient eu le courage de prendre, suite aux confidences d'Angelina. Ils ne vivraient pas ensemble, Marguerite devait se rendre à l'évidence : Antoine ne se déciderait jamais. Le bel horizon rose n'aurait duré que quelques instants au chevet de la malade. Une barricade s'élevait maintenant entre eux, plus infranchissable que les murs de la prison où se trouvait Joseph. Impossible à surmonter, la barricade, aussi solide, aussi indestructible que l'institution qui l'avait dressée. L'Église catholique.

Entre l'émouvant aveu d'amour du prêtre et ce mur de froideur et d'indifférence, Marguerite se sentait déchirée. Elle se demandait parfois si cette déclaration d'amour n'avait pas été le fruit de son imagination. Le soir, son ange de porcelaine serré contre la poitrine, elle s'affolait en pensant à l'affreuse impasse où elle se trouvait. Un amour secret et impossible à vivre ne la mènerait nulle part, sauf à la solitude et à la honte. Et assurément au mur des lamentations. L'alternative du bel horizon lumineux n'existait pas, car l'option d'Angelina n'avait absolument pas germé dans l'esprit d'Antoine. Ne restait que le statu quo. Ou le néant.

Devrait-elle toujours se satisfaire de banales salutations dans un corridor d'école ? Allait-elle sacrifier sa vie pour un homme qui ne la choisirait jamais et donnerait préséance, à perpétuité, à sa sainte mère l'Église ? Pour quelle raison devrait-elle se contenter d'appeler « mon révérend père » l'homme qu'elle voulait aimer corps et âme comme un amoureux passionné et peut-être même un époux ? Le bel Antoine n'avait rien d'un père, que diable ! Hélas, ne l'avait-il pas avertie, l'autre jour, en lui révélant son amour : « Mes mains consacrées ne te posséderont jamais… »

Qu'attendait-elle donc du père Lacroix ? Et de l'existence ? Écouler le reste de ses jours toute seule au monde en rêvant de lui ? Vivre l'âme en paix conformément à ses principes religieux, mais le cœur sec et déserté ? Mener, comme une sœur cloîtrée, une vie de renoncement et de frustration éternelle ? Ou bien se contenter d'une place d'amoureuse de second rang ? Dieu d'abord, elle ensuite ? Ou pire, épouser un homme qu'elle n'aimait pas, l'un de ces prétendants à l'esprit rustre et taillé à la hache qu'elle croisait parfois ?

Quand Angelina leur avait révélé son secret sur son lit de mort, Marguerite avait eu l'impression de détenir, pour un court instant, le pouvoir de décider de son destin. Mais tout cela avait viré à l'illusion. Antoine avait promptement détourné les yeux et s'en était allé. Et n'en avait plus reparlé. Elle avait compris que le prêtre prendrait toujours le pas sur l'homme.

Après quelques semaines de réflexion, le temps semblait maintenant venu de prendre une décision définitive et de le tracer, ce fameux destin, puisque Antoine préférait maintenir le statu quo. Non, elle n'allait pas passer toute son existence dans ce perpétuel état d'agitation et d'incertitude. Et la décision semblait n'incomber qu'à elle. Prisonnier de ses engagements, le prêtre n'arriverait jamais à se libérer de ses liens avec l'Église. Prisonnier de sa soutane et de son bréviaire, prisonnier de sa foi, il se contentait de laisser aller les choses, elle le sentait bien.

L'évidence se présentait à elle, ce matin-là, au cours de sa discussion avec Rose-Marie sur le point de vue des prêtres. Mais Marguerite n'avait pas le courage de l'admettre. Cela devrait lui sauter aux yeux pourtant : mieux valait lâcher prise et mettre un terme à cette aventure malsaine. Déguerpir à l'autre bout du monde pour ne plus voir les yeux bleus qui, même du fond d'une église ou dans les corridors d'une école, lui instillaient leur poison. Elle se devait à elle-même de recommencer à neuf. Après tout, elle n'avait que dix-neuf ans. Tout lui était encore permis. Ah ! rencontrer un homme libre qui l'aimerait naturellement et simplement… Un homme normal qui lui offrirait une vie normale. Une vie ordinaire de femme ordinaire. Et qui lui ferait quinze enfants ! Pourquoi pas ? Un petit nid bien chaud grouillant d'oisillons à aimer, elle en rêvait depuis si longtemps ! Elle, elle ne dirait pas non comme Rose-Marie après son troisième marmot. Certainement pas !

— Marguerite ? Tu es dans la lune, ma chère. À quoi rêves-tu donc ?

La jeune fille esquissa un pauvre sourire. Si Rose-Marie avait su l'objet de ses pensées, elle n'en serait pas revenue. Mais il n'y avait même pas de place pour les confidences à une amie dans cette terrible voie sans issue. Pas de secrets, pas d'épanchements. Que le silence… Il fallait taire tout ça et éviter le scandale. Sinon, qu'aurait pensé Rose-Marie du père Lacroix ?

Elle jeta un air condescendant à la jeune mère. Empêcher la famille n'était rien à côté de vivre une histoire d'amour avec un prêtre. Elle frissonna. Ah oui, ça urgeait ! Éteindre le feu pendant qu'il en était encore temps. Prévenir l'incendie ravageur. « Se méfier des feux follets », aurait dit son père. Et se sauver, se sauver au plus vite à l'autre bout du monde. Et pourquoi pas au Canada ?

— You-hou… Es-tu là, dis donc ? Comme ça, c'est marché conclu : Camille va venir travailler ici comme aide domestique à partir de lundi prochain. T'en fais pas, Marguerite, je ne vais pas ambitionner sur ta sœur et je vais bien la payer comme Paul le fait pour Anne. Et elle aura une belle chambre pour elle toute seule à l'étage.

Marguerite ne s'en faisait pas outre mesure pour la benjamine, à part une certaine appréhension concernant le comportement de Paul Boismenu. Elle ne pouvait oublier les confidences d'Anne au sujet de son audacieux baiser derrière le comptoir du magasin. Elle se rassurait en songeant qu'à treize ans, Camille saurait bien se défendre. La fillette s'était assez facilement adaptée à sa nouvelle vie à Lowell même si, depuis la perte d'Angelina, plus personne ne l'adulait et la servait comme une souveraine. Tranquillement, l'adolescente avait pris sa place dans le foyer de ses sœurs en dépit de l'exiguïté des lieux. Une place de « petite dernière » un peu capricieuse, certes, mais assurément pas celle d'une princesse gâtée à outrance.

Quand vint le temps de décider à quoi Camille occuperait ses jours, les deux grandes refusèrent de l'envoyer travailler à la manufacture. L'offre de Rose-Marie tombait à point : enceinte d'un troisième enfant, obligée de maintenir un certain train de vie parmi les gens d'affaires de la ville, un «*standing*», comme elle disait, elle n'avait plus le temps d'entretenir sa maison ni de s'occuper quotidiennement de ses enfants. Camille serait la bienvenue.

Elle aménagea donc chez les Boismenu, non sans un reniflement. Habiter une demeure somptueuse ne l'excitait guère, elle en avait l'habitude. Mais l'obligation de gagner sa pitance et de s'adapter à un nouvel environnement et à des patrons inconnus qui lui dicte-raient sa conduite ne l'enchantait pas du tout. Par contre, Rose-Marie et Paul, par leur gentillesse et leur patience, arrivèrent facilement à mettre leur nouvelle employée à l'aise. Les deux enfants surtout, d'adorables petits bouts de chou, achevèrent de la conquérir.

Le soir du déménagement, Marguerite, incapable de trouver le sommeil, avait regretté sa décision. Elle n'aurait pas dû laisser Camille s'installer chez leurs amis. N'était-ce pas la jeter dans la gueule du loup? Elle l'avait néanmoins mise en garde contre la tendance de certains hommes à devenir trop entreprenants quand ils avaient bu, sans mentionner, bien sûr, le nom de Paul. Mais, dans sa candeur, la fillette n'avait pas vraiment porté attention à ce conseil. Et cela n'avait guère rassuré l'aînée. Elle avait donc pris la résolution de demeurer vigilante et de surveiller sa sœur de loin.

Anne, de son côté, n'avait pas réagi à ce sujet, preuve que l'unique tentative de séduction de Paul, jadis, ne s'était vraisembla-blement pas reproduite. Un accident de parcours valait-il la peine de chambarder les décisions importantes de l'existence? Si Anne avait quitté le magasin de chaussures à cause de ce banal baiser, où se trouverait-elle aujourd'hui? En train de peiner encore, douze heures par jour, dans une des manufactures de la ville? Non, il valait mieux passer outre, du moins Marguerite le croyait. En espé-rant que tout se passe bien. Ce soir-là, la sœur aînée n'avait réussi à s'endormir qu'après avoir longuement appelé sa mère Rébecca au secours de ses trois filles.

Quelques jours après son installation chez les Boismenu, Rose-Marie, voyant à quel point Camille adorait jouer du piano, eut la délicate pensée de lui offrir de poursuivre ses études à l'académie de musique de Lowell. À son grand bonheur, la jeune fille passa désormais ses heures de loisir entre la machine à coudre et le nouveau piano trônant dans un coin du salon.

Petit à petit, le salaire versé chaque semaine procura à l'adolescente une certaine indépendance. Tranquillement, la dernière des petites Laurin apprenait son métier de femme et creusait sa place dans la société. Le bonheur semblait réapparaître dans le paysage.

15

Dès son entrée dans le logement, Anne, suivie de Pierre Forêt et de l'un de ses amis, lança le journal sur la table de la cuisine.

— As-tu vu ça, Marguerite ? Les Canadiens ont gagné leur cause à Rome. Hendriken, le vieil archevêque du diocèse, va sûrement ravaler sa barbe ! Sur les instances du Vatican, on vient de nommer un prêtre canadien-français à la paroisse Notre-Dame-de-Lourdes de Fall River, l'abbé Joseph Laflamme. Ouf ! il était temps ! Ces damnés Irlandais ne nous ont pas eus cette fois. On vient de remporter une superbe victoire. *Yessssss* !

Surprise par cette arrivée impromptue, Marguerite déposa sa tasse de thé. Elle s'apprêtait à répondre quand Pierre prit la parole.

— Excusez-moi, Marguerite, puis-je vous présenter mon ami Hugo Dubuque, à la fois mon collègue et mon patron, journaliste, homme de loi, copain, tout ce que vous voudrez ! Hugo, voici Marguerite Laurin, la plus charmante future belle-sœur de la planète.

— Enchanté, mademoiselle.

Future belle-sœur ? Marguerite sursauta. Comment ça, future belle-sœur ? Anne ne lui avait pas fait de confidences à ce sujet ! Évidemment, elle se doutait bien que, tôt ou tard, une telle annonce surviendrait. Les assiduités de Pierre Forêt, son empressement, les séances de *minouchage* qui n'en finissaient plus à la fin de la veillée alors qu'elle avait envie de se retirer dans sa chambre, les regards langoureux, les baisers dérobés sur le coin de la porte qu'elle feignait de ne pas voir et, surtout, les prétendues obligations d'Anne de devoir travailler le soir à la boutique après les heures d'ouverture, tout cela allait de toute évidence conduire à des épousailles, un jour ou l'autre. Mais Anne aurait pu au moins lui en parler au lieu de lui laisser apprendre la nouvelle de cette manière abrupte et impersonnelle.

À peine s'était-elle retournée vers sa sœur que déjà le fameux Hugo déposait un chevaleresque baiser sur sa main. L'homme, dans la jeune trentaine, plut immédiatement à la jeune fille. Distingué, le visage ouvert, la chevelure sage, l'habit classique, il représentait bien l'élite de plus en plus nombreuse et visible parmi la population francophone en provenance du Québec.

Anne avait souvent parlé à sa sœur de ce jeune avocat enflammé, ardent défenseur des droits des immigrés canadiens. Il avait écoulé sa jeunesse à aider sa mère veuve, restée seule avec la charge de neuf enfants. Après avoir entrepris ses études à Saint-Hyacinthe, il avait achevé son cours de droit à Boston. Depuis un certain temps, il menait une double lutte et était parti en campagne pour la libération de Louis Riel, défenseur de la cause des Métis, en même temps qu'il prônait activement la sauvegarde des paroisses nationales en Nouvelle-Angleterre. Ses chroniques dans les journaux locaux ne manquaient ni de panache ni de conviction. Il n'avait de cesse de visiter, dans toute la Nouvelle-Angleterre, les organismes culturels, institutions ou assemblées paroissiales pour donner des conférences sur les droits de ses compatriotes.

Marguerite n'en revenait pas de voir Anne, avec son simple cours primaire et sa culture pour le moins limitée, fréquenter des personnages de ce calibre et accepter de partir en croisade avec eux pour ce genre de problèmes. Évidemment, l'influence de Pierre Forêt y était pour quelque chose. Le prétendant de sa sœur ne manquait ni d'attrait ni de romantisme. À vrai dire, lui aussi représentait le plus charmant des futurs beaux-frères. Elle n'aurait pu rêver de meilleur époux pour Anne, sachant ce garçon non seulement cultivé mais franc et droit, et respectueux des conventions. Son bon comportement mettrait certainement un baume sur les mauvaises expériences d'Anne. Les amoureux feraient sans doute publier les bans à l'église avant longtemps. On célébrerait le commencement d'un bonheur. Un bonheur bien mérité !

— Marguerite, que dirais-tu de nous accompagner à la réunion de ce soir, au journal ? C'est la fièvre, tu penses bien. Une telle nouvelle, il faut fêter ça !

— Désolée, j'aurais bien aimé, mais j'ai trop de corrections à faire pour ma classe de demain. Et puis, je ne possède pas une âme de militante comme vous trois, moi.

— Oh ! mais ça peut se développer, mademoiselle. On pourrait s'en charger.

Cette voix chaude et conciliante… Marguerite se sentit rougir. Avait-elle rêvé ou une ombre de déception était bel et bien passée sur le visage du séduisant monsieur Dubuque ?

— Bon, bien, t'inquiète pas, sœurette, je ne rentrerai sûrement pas avant minuit.

Une fois la porte refermée derrière les trois compères, Marguerite se sentit envahie par un étrange cafard. Pourquoi avoir refusé spontanément l'invitation à les accompagner ? Pour quelles raisons fuir ce fameux Hugo ? Elle aurait sans doute passé une agréable soirée en sa compagnie au lieu de se taper la correction de trente-six dictées bourrées de fautes. Corrections qui n'urgeaient vraiment pas, à la vérité. Le lendemain, durant la matinée, elle aurait eu tout son temps pour liquider le travail pendant le cours d'anglais dispensé à ses élèves par le professeur Binder.

Elle avait menti sans même s'expliquer pourquoi. S'agissait-il d'un simple prétexte pour s'isoler et cultiver la morosité au lieu d'aller s'amuser comme tous les jeunes de son âge ? Si elle continuait à vivre ainsi, en recluse comme une moniale, le monde entier allait oublier son existence. Mais elle n'avait pas le goût de réagir. Pas ce soir.

Ce soir, un seul être occupait ses pensées comme une obsession. Un seul et dangereux courant emportait sa barque à la dérive au fond d'une caverne où elle risquait de périr. Et elle n'avait même pas envie de résister ni de lutter pour se maintenir à flot et à contre-courant. Elle n'en pouvait plus d'amour et de solitude. Plus le temps s'écoulait, moins elle se sentait capable de prendre la décision qui s'imposait d'éliminer de son esprit le seul refuge qui la consolait: la pensée d'Antoine Lacroix.

Elle appuya en reniflant son front contre la vitre de la grande fenêtre du salon. Quelques passants de la Middle Street déambu-laient sans se presser. Des gens heureux, probablement. Le monde tournait si bien sans elle!

C'est alors qu'elle le vit venir, de loin. Il marchait d'un pas rapide et tenait à la main un bouquet de fleurs. Son cœur ne fit qu'un bond quand il s'approcha de l'escalier qui menait à son logement sur le côté du magasin. Quoi? Le père Lacroix se dirigeait chez elle? Et avec des fleurs? Elle en eut le souffle coupé. Oh! mon Dieu! Elle l'entendit grimper à pas de géant et frapper trois coups peu discrets à la porte. L'espace d'un moment, elle pensa que le prêtre lui appor-tait de mauvaises nouvelles au sujet de Joseph. Elle mit quelques secondes avant de retrouver ses esprits et de se donner une conte-nance, puis elle ouvrit toute grande la porte et invita le visiteur à entrer.

— Bonsoir, Marguerite. J'espère que je ne vous dérange pas, je n'en ai que pour quelques minutes. En passant près d'ici, je n'ai pu résister à l'envie de venir vous annoncer, à vous et à votre sœur, que mon ami Joseph Laflamme a été nommé curé à Fall River. Je viens tout juste de l'apprendre. Cette bonne nouvelle a une importance capitale, je crois, dans l'histoire des Canadiens français du nord des États-Unis. Nous avons gagné la bataille contre les Irlandais, croiriez-vous ça? Anne va être contente, je sais qu'elle s'intéresse à ce genre de choses. Au fait, votre sœur n'est pas ici? Je croyais que…

Marguerite tenta de cacher sa déconvenue. Ainsi, c'est plutôt Anne que le père Lacroix venait rencontrer. Elle faillit répondre amèrement que ce genre de choses ne la préoccupaient guère et qu'elle se trouvait présentement seule à la maison. Seule à se languir de lui, Antoine Lacroix. Mais elle réussit à se ressaisir et à répondre poliment, sur un ton neutre.

— Oui, je suis au courant. Anne se trouve justement au journal avec ses amis pour fêter l'événement. Vous pouvez la rejoindre là-bas, si vous voulez.

— Non, non, je voulais simplement vous annoncer la bonne nouvelle, à toutes les deux. Bon… Je me sauve. Oh! j'oubliais: je vous ai apporté ces fleurs qui poussent tout autour de l'église. Elles portent ton nom, Marguerite. Chaque jour, je les regarde, mais…

— …

— Mais elles ne sont pas aussi belles que toi. Je…

— Mon père, taisez-vous, je vous en prie, taisez-vous.

— Marguerite, dis-moi de partir, s'il te plaît. Ordonne-moi de m'en aller et je vais t'obéir. Je t'en supplie, dis-le-moi!

Elle opta pour le silence, un silence gêné et coupable qui risquait de faire basculer toute sa vie. Et si elle hésita l'espace d'une seconde, le regard éploré qu'elle jeta au prêtre suffit à trahir son état d'âme. Elle le laissa s'approcher d'elle.

— Marguerite, je t'aime. Je t'aime tellement… Je t'aime plus que Dieu, plus que l'Église, plus que moi-même. Plus qu'il n'est permis à un prêtre d'aimer. Je ne dors plus, je ne prie plus. Je n'en peux plus, ma petite Margot. Je t'aime plus que la vie elle-même, mon amour, mon amour. Laisse-moi au moins te le dire, laisse-moi t'aimer une fois, au moins une fois. Une seule fois…

— Antoine…

Avec une délicatesse infinie, il posa la main sur le visage de la jeune femme qui ne trouva pas le courage de lui résister. Ce candide mouvement de tendresse balayait du même coup toutes les indifférences dont le prêtre la gratifiait à chacune de leurs rencontres. Ces attitudes impersonnelles et dépourvues de sentiments, ces comportements désinvoltes, détachés, cette distance insupportable qu'il mettait entre elle et lui, tout ce qui jetait dans son cœur d'amoureuse un doute cruel sur le feu qu'elle croyait éteint chez le prêtre, tout cela, il venait de le jeter par terre. Dorénavant, elle ne douterait plus de lui.

Ce furent leurs regards qui se fondirent en premier et se laissè-
rent pénétrer jusqu'au fond, jusqu'au jardin secret de l'âme. Puis,
leurs bouches se cherchèrent et se trouvèrent avec une telle envie
de se dévorer qu'ils en oubliaient de respirer. Marguerite goûtait
la douceur de l'étreinte malgré la raideur de la soutane qui enve-
loppait le corps frémissant du prêtre. Pressée contre lui, elle put
humer son odeur, palper sa carrure. Et cette chevelure, ces boucles
longues et souples… Ah! y enfouir enfin la main comme elle en
avait envie à chaque cérémonie à laquelle elle assistait du fin fond
de l'église.

Il se mit à l'embrasser lentement dans le cou, à petits baisers
mouillés qui lui donnaient le frisson, en ne cessant de murmurer
« Je t'aime, je t'aime ». Elle sut qu'elle allait perdre la tête.

— Viens, Antoine, viens dans ma chambre.

— Ne te moque pas de moi, Marguerite, si je me montre un peu
malhabile. Je n'ai jamais vu une femme nue de ma vie!

— Moi non plus, je n'ai jamais fait ça. Et je n'ai pas eu de petit
frère pour me montrer comment c'est fait, un homme. Peu importe,
viens!

Il dégrafa en riant, un à un, les minuscules boutons de sa soutane, et ce fut ce rire qui la fit craquer. Un rire à la fois d'homme et
d'enfant. Un rire ingénu, irrésistible. Un rire chaud. Un rire chaud
d'amour…

Elle passa ses bras avec délices autour de celui qu'elle avait
surpris, l'autre soir, en pantalon et tricot de corps. Le père Lacroix
transformé en « vrai » homme… Enfin elle pouvait s'imprégner de
sa chaleur, palper sa nuque et caresser sa peau fine et duveteuse.
Malgré une certaine pudeur, elle défit elle-même les premiers boutons de son corsage, bien consciente de signer, par ce geste, sa perte
définitive.

Ils s'unirent alors. Et en dépit de leur maladresse, ils connurent
toutes les voluptés. Ni avec la chaleur des rayons du soleil, ni avec
l'immensité de la mer, ni avec la beauté des fleurs ou la force du
vent, ni avec l'infiniment grand ou l'infiniment petit, leur extase
n'eut de similitude. Ils atteignirent l'absolu, là où la communion

des corps rejoint celle des âmes, dans cet espace hors du temps où le bonheur existe à l'état pur, là même où l'humain atteint la certitude de l'existence d'une entité d'une autre dimension. La plénitude.

Ils faillirent s'endormir dans les bras l'un de l'autre, repus, heureux, émerveillés, souverainement coupés de la réalité. Hélas, Antoine se leva d'un bond après avoir saisi sa montre qui traînait sur la table de chevet.

— Dieu du ciel! Onze heures! Je dois partir! S'il fallait que ta sœur rentre! Et, au presbytère, on doit bien se demander où je suis passé. Je vais leur répondre: au chevet d'une fidèle. N'est-ce pas, ma fidèle, ma douce, mon ange, ma bien-aimée, mon amour?

Anéantie par la réalité qui venait de la rattraper trop brutalement, Marguerite le regardait enfiler prestement ses vêtements, collet romain, robe noire et large ceinturon, et s'acheminer à vive allure vers la porte. C'est à peine s'il prit le temps de déposer un chaste baiser sur le front de sa maîtresse avant de dévaler l'escalier.

— Bonne nuit, ma chérie. N'oublie pas que je t'aime pour l'éternité.

— Antoine, vas-tu revenir?

Il secoua la tête sans répondre, comme s'il ne le savait pas.

Elle le regarda partir en soupirant, se répétant à l'infini sa dernière phrase qui prenait des allure de bouée de sauvetage: «N'oublie jamais que je t'aime pour l'éternité».

Dans sa hâte, Antoine ne vit pas les marguerites répandues par terre dans l'effusion de son arrivée. Elle les ramassa une à une et les enveloppa de papier journal. Il n'était pas question que quelqu'un trouve ça dans la maison. En jetant les fleurs dans la boîte à ordures, elle comprit qu'elle venait de réintégrer sa barque dangereusement ballottée dans un lac souterrain.

16

Les jours suivants, Marguerite rencontra Hugo plus souvent qu'elle ne vit Antoine Lacroix. Il arrivait à l'avocat de l'attendre à la sortie de l'école et, la prenant par le bras, de l'entraîner au parc où il l'invitait à faire une promenade le long des canaux. L'homme l'impressionnait autant par son érudition et sa culture que par sa grande conscience sociale qui faisait de lui un membre actif de l'actualité.

Très connu dans la communauté francophone de la Nouvelle-Angleterre, Hugo Dubuque n'hésitait pas à monter sur les estrades pour promouvoir la naturalisation tout en protégeant la culture et les coutumes canadiennes. La «naturalisation sans l'assimilation» constituait son leitmotiv, et tous les clubs sociaux se montraient intéressés à entendre son discours.

D'un autre côté, l'avocat avait honnêtement prévenu Marguerite qu'il ne se trouvait à Lowell qu'occasionnellement. Il n'était donc pas question de fréquentations sérieuses, et encore moins d'une relation amoureuse entre eux. Pour le moment, il ne recherchait que l'agréable compagnie de la jeune fille pour occuper ses temps libres dans cette ville étrangère où on lui avait commandé quelques conférences et articles de journal.

Si les centres d'intérêt d'Antoine Lacroix se polarisaient sur la religion, Hugo, lui, n'avait de cesse d'entretenir Marguerite sur la politique. Il lui avait même confié son rêve de se présenter, un jour, comme candidat pour devenir juge à la Cour Supérieure. La jeune fille l'écoutait sagement, assise sur un banc du parc, pendant qu'il discourait en déambulant de long en large devant elle, transformée en auditrice intelligente et intéressée, fort flattée de se voir l'objet d'une telle considération. «Relation divertissante et sans conséquence» ne cessait-elle de se répéter.

Cependant, si elle se plaisait bien en cette compagnie, il lui arrivait de laisser son esprit vagabonder durant les interminables discours de l'avocat. Invariablement, son esprit se tournait vers le père Lacroix. Servir de passe-temps à un homme sans promesse d'avenir représentait-il le prix à payer pour vivre un amour occulte avec un prêtre? Attendre sans fin l'attente que des circonstances se prêtent à une autre rencontre inavouable avec l'unique objet de ses sentiments, était-ce là sa destinée? Attendre, toujours attendre…

À y songer froidement, il devenait évident que sa liaison avec Antoine ne possédait pas plus d'avenir qu'elle n'avait de présent. Il suffisait qu'une décision en haut-lieu mute le père Lacroix ailleurs, dans une autre ville du diocèse, pour mettre un terme définitif au conte de fées. Un conte de fées qui risquait de virer au conte d'horreur. L'oblat de Marie-Immaculée appartenait à Marie-Immaculée, pas à Marguerite Laurin. À elle, Antoine n'appartiendrait jamais.

Les deux amoureux vécurent tout de même quelques autres moments d'amour. À l'occasion, le prêtre revenait timidement sonner à la porte du logement de sa maîtresse, après s'être assuré de l'absence de la sœur encombrante. Il apportait une revue ou une fleur, parfois même une friandise dérobée sur la table du presbytère. Souvent, il racontait à Marguerite les hauts et les bas de sa vie de vicaire, lui confiait ses états d'âme, ses joies, ses peines, ses aspirations profondes. Peu habituée à la confidence, Marguerite hésitait à lui parler de ses appréhensions au sujet de leur relation. Elle discourait plutôt sur sa famille ou sur sa vie professionnelle. Ces échanges, encore plus que leurs ébats au lit, consolidaient de plus en plus les liens en train de se tisser entre eux.

Leurs jeux amoureux les emportaient pourtant avec la même fougue, la même ardeur que la première fois. Ils oubliaient alors le reste de l'existence et se juraient de s'aimer pour l'éternité, comme font tous les amoureux du monde.

Une éternité inquiétante, en vérité. Le retour à la réalité s'avérait toujours pénible pour Marguerite. Non seulement le doute et le remords la rongeaient, mais elle voyait repartir son amant avec l'effroyable crainte de ne plus le voir revenir. À la longue, le vide créé par les absences d'Antoine finit par prendre figure d'enfer. Un soir, elle avait confié sa détresse à celui que les regrets ne semblaient pas effleurer.

— C'est mal, ce que nous faisons, Antoine. C'est péché mortel. Et tu le sais pourtant mieux que moi ! Qui me dit qu'un jour, tu ne me laisseras pas tomber pour retourner dans le droit chemin ?

Le prêtre s'était redressé et avait parlé avec ferveur, sur un ton qui ne laissait pas de place à la discussion.

— C'est l'Église catholique qui y voit du mal, pas Dieu ! Et pas moi ! Jamais, tu m'entends, Marguerite, jamais personne, dût-il porter la mitre ou la tiare, ne me fera croire que notre amour est inspiré par le démon. Jamais ! Mon sentiment pour toi est trop beau, trop pur pour offenser Dieu. Je n'arrive pas à voir en quoi il constituerait un manquement à mon amour envers le Créateur et envers mon prochain, ni à mon engagement de prêtre. Au contraire, il me grandit et me rapproche de Dieu. Seul l'Être suprême peut avoir conféré aux humains cette grâce d'aimer autant. Ne me parle plus de péché ni d'enfer, ma petite Margot. Et ne crains rien, je t'aimerai toujours. Je t'aimerai pour l'éternité.

Hélas, quand il ramassait sa robe noire et son chapelet et repartait aussi discrètement qu'il était venu, Antoine se gardait bien de fixer le moment précis d'une prochaine rencontre. En dépit des beaux discours, l'horreur du néant causé par ce départ n'avait d'égal, pour Marguerite, que l'intensité de la présence qui venait de s'évanouir. Alors, intérieurement, elle se traitait de possessive et d'égoïste. De jalouse de Dieu…

Pour se consoler, elle avait pris l'habitude de se rendre à l'église Saint-Joseph à tous les matins pour assister à la première messe du jour, celle de six heures, toujours célébrée par le père Lacroix. Anne n'avait pas été sans remarquer chez sa sœur ce regain d'intérêt pour la religion, sans se douter de sa véritable motivation. Elle s'en était moquée gentiment.

— Dis donc, toi! Te voilà de plus en plus dévote! Serais-tu devenue bondieusarde comme les sœurs du couvent? À moins que tu aies des choses à te faire pardonner…

— T'es folle! Jamais de la vie!

Marguerite s'était mordu les lèvres. Si seulement Anne savait… Mais jamais elle ne saurait, elle y veillerait. Pourtant, en une seule visite à Lowell, Angelina avait facilement deviné, elle, ce que Marguerite croyait caché pour le reste du monde.

Assise dans le dernier banc de l'église Saint-Joseph derrière les vieilles bigotes, Marguerite dévorait le célébrant des yeux, à son insu. Jamais elle n'aurait osé se présenter à la sainte table pour recevoir l'hostie de ses mains. En dépit des affirmations d'Antoine sur l'innocence de leur liaison, et n'ayant pas le courage de confesser ses péchés de luxure au curé ou à l'autre vicaire, la jeune femme avait le sentiment de vivre en perpétuel état de péché mortel et se refusait à aller communier.

Tant pis! elle brûlerait dans le feu éternel pour l'amour d'un prêtre, celui-là même qui consacrait l'hostie chaque matin, là, devant le maître-autel. Et qui communiait devant elle, allègrement, comme si de rien n'était. Elle se demandait si les prêtres détenaient le pouvoir de s'absoudre eux-mêmes, ou bien si son amant ajoutait une nouvelle tricherie à sa liste déjà longue de fautes graves.

Un jour, Hugo vint la chercher en fin de journée à l'école pour une promenade. Au grand affolement de Marguerite, le couple croisa par hasard le père Lacroix qui se dirigeait vers le bureau de la direction, documents à la main. Le prêtre la salua aimablement en retirant son chapeau, non sans jeter un regard surpris sur le compagnon de sa maîtresse.

— Bonjour, mademoiselle Marguerite. Vous allez bien ?

— Bonjour, mon père. Mais oui, je vais bien. Permettez-moi de vous présenter un de mes amis, Hugo Dubuque, journaliste et conférencier. Hugo, voici le père Lacroix, vicaire de la seule paroisse francophone de Lowell.

Hugo tendit la main à l'oblat et les deux hommes échangèrent une solide poignée de main.

— Mais, dites donc, on s'est déjà vu ! Salut, mon vieux ! Comment vas-tu ? Saviez-vous, Marguerite, qu'Antoine et moi, on se connaît depuis très longtemps ? On est allé ensemble défendre les Canadiens français à Boston lors de l'affaire des Chinois de l'Est, vous vous rappelez ? Et on a fréquenté la même la petite école durant notre enfance. Malheureusement, Antoine a mal tourné : il est devenu un membre du clergé, ha ! ha !

Les inévitables claques dans le dos volèrent entre les deux anciens confrères, et la promesse de se revoir très bientôt pour bavarder plus longuement fut répétée plus d'une fois. Marguerite réprima un sourire amer. Pourquoi l'amitié existait-elle si rarement entre un homme et une femme ? Et entre une femme et un prêtre ? Comme les choses deviendraient plus faciles…

Les deux hommes se quittèrent sur une accolade. Mine de rien, Marguerite se retourna après s'être éloignée d'Antoine qui avait semblé poursuivre nonchalamment son chemin. Elle constata qu'il s'était arrêté pile au milieu du corridor pour la regarder partir, sans doute déçu de la voir au bras d'un cavalier. Mais le clin d'œil qu'il lui lança valut pour Marguerite toutes les déclarations d'amour du monde. Quand elle descendit l'escalier du couvent derrière Hugo qui ne se doutait de rien, elle avait des ailes.

C'est au cours de cette même soirée, qu'assis sur un banc de parc en face de la rivière, l'avocat prit la main de Marguerite et la porta délicatement à ses lèvres. Puis, à sa grande surprise, il lui demanda, en la regardant avec insistance, s'il pouvait la fréquenter « pour la bonne cause ».

— À force de vous connaître, ma belle dame, je ne peux retenir certains sentiments de grandir en moi. Vous me paraissez une femme sage et réservée, Marguerite, et je vous en sais gré. À tel point que je n'ose vous manifester l'affection que j'éprouve de plus en plus à votre égard. Me voici, je le crains, en train de m'attacher à vous.

— Moi, Hugo, je vous trouve parfait, mais…

— Vous n'êtes pas sans savoir que j'habite à Fall River et que mon travail m'oblige à de nombreux déplacements tant en Nouvelle-Angleterre qu'au Québec. Me permettez-vous d'apporter avec moi la pensée qu'une femme de rêve m'attend quelque part, à Lowell, et qu'un jour, si Dieu nous prête vie, elle acceptera de lier son existence à la mienne?

Marguerite faillit s'étouffer. Dieu du ciel! À vrai dire, elle aurait dû s'attendre à une telle déclaration un jour ou l'autre, compte tenu de la régularité de l'homme à la fréquenter chaque fois qu'il mettait les pieds à Lowell. Trop souvent d'ailleurs! Ces petites attentions, cette sollicitude… Il avait beau l'avoir mise en garde contre une relation amoureuse, son empressement dépassait largement celui de la simple camaraderie.

— En toute sincérité, Hugo, je ne peux vous répondre pour l'instant. J'éprouve de l'amitié pour vous mais…

— Serait-ce, ma mie, qu'un autre prétendant enflamme un coin secret de votre cœur lorsque je ne suis pas là?

— Peut-être bien… Je ne sais trop! Je me sens confuse, je ne m'attendais pas à une telle demande de votre part. Vous me troublez, mon ami.

«Menteuse! Je ne suis qu'une menteuse! songea-t-elle, soudainement prise de panique. Tu veux ménager la chèvre et le chou, Marguerite Laurin, et tu vas finir par tout perdre. Parce qu'au fond de toi-même, tu sais très bien que cet homme de classe te ferait un bon parti et saurait te rendre heureuse. Vas-tu le laisser passer, lui aussi, comme une ombre dans ta vie, à l'instar de Simon Lacasse? Pour l'amour de quoi? Pour quelqu'un qui n'a et n'aura jamais rien d'autre à t'offrir qu'un évasif et pitoyable clin d'œil quand il te croise dans un corridor? Est-ce une vie, ça?»

— Si vous m'aimez sincèrement, Hugo, accordez-moi un peu de temps pour réfléchir et voir clair en moi.

Spontanément, elle appuya sa tête contre l'épaule de l'homme, étonnée de la hardiesse de son geste.

17

En ce dix-neuf septembre 1886, le soleil était au rendez-vous. On avait dressé des tables dans le jardin de Paul et de Rose-Marie pour y recevoir, à la sortie de l'église, une quinzaine d'invités, pour la plupart des amis des nouveaux époux et de la famille Boismenu. Les fleurs rivalisaient de beauté sous les arbres agitant leurs feuilles flamboyantes dans l'air tiède et bleu de ce grand jour.

La mariée n'était pas en reste avec la nature. Anne Laurin rayonnait dans sa robe de crêpe orangé qui mettait en valeur les reflets de sa magnifique chevelure *auburn*. À son bras, Pierre Forêt, un chrysanthème d'automne à la boutonnière, portait haut et fier. Hugo Dubuque avait accepté de servir de témoin pour le marié orphelin de père. De son côté, Anne avait bien formulé par écrit, sans trop d'espoir, une demande officielle aux autorités de la prison d'État du New Hampshire pour obtenir une permission de libération temporaire pour Joseph, à l'occasion du mariage de sa fille. On lui avait froidement répondu que dix ans de prison ferme signifiait dix ans sans sortie pour quelque raison que ce soit. Paul Boismenu avait donc signé, du nom de Paul Smallwood, le registre des mariages de la paroisse Saint-Joseph comme représentant du père de la mariée.

À neuf heures du matin, les futurs époux, émus, avaient pénétré dans l'église pour se jurer fidélité et amour sous le regard bienveillant d'un père Lacroix à la fois ravi et fort attendri. Enfin, l'une des sœurs Laurin se trouvait casée et pouvait tourner la page après des années d'agitation et de tâtonnements. Anne ne l'avait pas volé, son petit bonheur bien à elle, il en savait quelque chose !

Assise dans le deuxième banc aux côtés de Hugo et de Camille, Marguerite fixait ardemment l'officiant en se demandant s'il éprouvait secrètement les mêmes émotions qu'elle. De voir Anne et Pierre réaliser l'aboutissement de leur amour et s'engager pour la vie n'était pas sans provoquer chez elle un certain pincement de cœur qu'elle se refusait à qualifier d'envie. Au contraire, elle se réjouissait de voir sa sœur enfin heureuse. Elle-même risquait de ne jamais connaître une joie semblable si elle continuait à entretenir sa folle et secrète idylle avec Antoine Lacroix.

Le banquet fut splendide. Une multitude de mets canadiens se trouvaient sur les tables : ragoût de pattes de cochon, tourtières, marinades, pain de ménage, tarte aux pommes. Plusieurs bouteilles d'un vin importé de France trônaient parmi les plats. Les Boismenu n'avaient pas regardé à la dépense, fiers de témoigner leur affection à une grande amie et, de surcroît, à « leur première et meilleure employée, celle qui avait contribué à les mettre sur la carte par son charme et son intelligence ».

Paul, dans son discours, n'avait pas manqué de préciser qu'« Anne Laurin n'avait pas son pareil pour attirer dans sa boutique de chaussures, non seulement les acheteurs américains et irlandais en plus des Canadiens, mais surtout les journalistes ! Et à des heures tardives, même après la fermeture ! » Ce sous-entendu ne manqua pas de dérider les invités. Il termina en ajoutant sa fierté de compter Pierre Forêt parmi ses amis, ce digne défenseur des droits des Canadiens français. Il termina son discours avec emphase, pouces derrière les bretelles : « Car n'oubliez pas : si les belles paroles s'envolent, les écrits des journalistes restent… Soyez heureux, Anne et Pierre, et ayez beaucoup d'enfants, afin que notre race continue de se perpétuer au-delà de nos frontières. »

Sous un tonnerre d'applaudissements, on réclama des nouveaux mariés qu'ils s'embrassent devant l'assemblée. « Un p'tit bec ! Un p'tit bec ! » Par pudeur et à cause de la présence d'un prêtre, Pierre se contenta de déposer un chaste baiser sur la main de sa bien-aimée.

Marguerite eut du mal à retenir une larme. Sa chère Anne venait de se marier, elle n'arrivait pas à y croire, même après un an de fréquentations. Comme elle allait trouver la maison vide ! Déjà, la veille, Anne avait transporté ses pénates chez son fiancé, locataire d'un appartement du centre-ville. Bien sûr, cela laisserait une place vacante pour Camille, mais cette dernière semblait apprécier sa condition de domestique chez les Boismenu et hésitait à accepter la proposition de Marguerite de venir habiter avec elle. Au fond, l'aînée pouvait comprendre cette indécision. Pourquoi imposer à Camille un nouveau déménagement et une nouvelle adaptation si elle se sentait heureuse chez les Boismenu ? À la longue, la crainte d'un assaut sexuel de la part de Paul à l'égard de Camille s'était estompée et Marguerite avait laissé glisser dans l'oubli ce banal écart de conduite envers Anne.

Maintenant, elle se faisait peu à peu à l'idée de demeurer seule. Comme les années avaient passé rapidement, malgré tout ! Comment aurait-elle pu oublier la petite Anne, exubérante et sensible, tellement blessée autrefois d'avoir perdu sa maman et souffrant de l'arrachement à son foyer et à son pays ? Cette sœur qu'elle enviait déjà, à Colebrook, en la voyant revenir de l'école et courir dans les champs avec le chien de la ferme tandis qu'elle-même devait gagner sa vie dans une manufacture de chaussures… Mais ce temps de liberté avait été de courte durée pour Anne. Quelques mois plus tard, on l'avait à son tour obligée à se pencher, six jours par semaine, sous les moulins à tisser de Lowell pour ramasser des boules de coton. Elle avait failli en mourir, la pauvre, à cause d'une crise d'asthme. Et comment ne pas se rappeler l'indifférence de Joseph et ses trop nombreuses absences dont elle aussi avait souffert ? Encore, aujourd'hui, il ne se trouvait pas là où il aurait dû être : aux côtés de sa fille, à l'avant de l'église. Marguerite avait beau se raisonner, s'interdire de lui en vouloir, certains jours, quand elle regardait en arrière comme en ce moment, elle sentait remonter à la surface la colère sourde qu'elle avait mis des années à reléguer aux oubliettes et qu'une certaine visite à la prison de l'État avait semblé réussir à mater. Mais aujourd'hui…

Voilà qu'en ce jour béni, elle voyait Anne habillée en mariée. Sa route bifurquait et prenait le chemin de la quiétude et de la stabilité avec un homme qu'elle adorait et qui méritait bien qu'on l'adore. Il lui ferait des enfants et lui donnerait un vrai foyer. Marguerite frissonna, saisie d'émotion. Assis à ses côtés, Hugo ne fut pas sans remarquer cette bouffée de mélancolie.

— Allons, ma mie, cessez-moi ces soupirs! Vous ne perdez pas une sœur, vous gagnez un beau-frère et, avant longtemps, quelques neveux et nièces qui ne manqueront pas de venir. Et qui sait si votre tour d'enfiler un anneau ne se présentera pas bientôt?

Marguerite fit mine de ne pas comprendre l'allusion pourtant évidente. Cher Hugo! Toujours attentif et délicat. Plein d'égards. Capable de saisir ses sentiments sans même qu'elle ait à lui faire de confidences. Il devinait tout, comprenait tout. Plus elle le connaissait, plus elle découvrait sa grandeur d'âme. À ses yeux, il représentait un compagnon protecteur, un être généreux et bon, rempli d'idéal. Une force à laquelle s'accrocher. Le meilleur des amis…

Elle eut une pensée pour Antoine. Le beau ténébreux, lui, se contentait de l'aimer à distance, lui ouvrant son cœur à de trop rares occasions et ne partageant avec elle aucun rêve d'avenir sinon de romantiques promesses d'éternité. Comment pouvait-elle le préférer au journaliste?

— Allons, venez danser!

Paul Boismenu avait loué les services d'un violoniste et d'un joueur d'harmonica hors-pair pour agrémenter la fête. Dès la fin du repas, les deux bonhommes s'en donnèrent à cœur joie pour faire danser les invités. Bien sûr, les mariés exécutèrent les premiers pas d'une valse, suivis des invités d'honneur. Bon danseur, Hugo entraîna sa belle et la fit virevolter en la pressant tendrement contre lui.

— Ma chère Marguerite, je vous trouve ravissante. J'attends toujours votre réponse à ma proposition de l'autre jour, vous savez.

Elle répondit par un signe affirmatif et préféra s'étourdir sur les rythmes de danse. Pour une fois, ne plus penser, ne plus évaluer sa situation. Pour une fois, oublier tout, oublier qui elle était, qui elle aimait, qui elle désirait. Et danser en ne sachant plus entre quels bras elle se trouvait. Et tourner, tourner jusqu'à en perdre haleine.

Camille se joignit aux danseurs de rigaudon. À la fin de ses treize ans, elle n'avait pas encore de cavalier attitré mais, déjà, la gent masculine se retournait sur son passage. Décidément, les trois sœurs Laurin faisaient leur place aux États-Unis !

À la recherche d'un fauteuil pour reprendre momentanément son souffle, Marguerite croisa par inadvertance le père Lacroix qui se dirigeait vers le vestibule non sans avoir, durant un long moment, regardé évoluer les danseurs. Étonnement, on avait invité l'officiant à se joindre au banquet. S'il n'était pas coutume qu'un prêtre accepte une telle invitation, Antoine Lacroix, lui, y était venu avec plaisir.

L'oblat savait se tenir. Après le bénédicité et un court discours d'usage pour souhaiter une longue vie heureuse aux nouveaux époux, il s'était contenté de manger du bout des lèvres à la table d'honneur. Puis il avait longuement fait la conversation avec les mariés et chacun des invités. Le berger connaissait bien ses brebis. Puis il s'était penché sur les enfants Boismenu, Patrick et Jennifer, petits bouts de chou qui tentaient d'apprendre les pas de danse avec l'aide de Camille. Il avait aussi pris dans ses bras le petit dernier, bébé Geoffroy, qu'il avait baptisé dernièrement. S'il s'entretint long-temps avec Hugo, il avait adopté, à l'égard de Marguerite, son atti-tude polie et distante habituelle. Après quelque temps, sans doute gagné par l'ennui, on le vit s'acheminer vers la sortie. Un prêtre, ça ne dansait ni ne buvait, ça n'avait pas sa place dans une fête mondaine.

À vrai dire, de voir rire et s'amuser la femme qu'il aimait au bras d'un prétendant, et pas n'importe lequel, représentait un supplice insupportable pour le père Lacroix. Plus il y songeait, plus Antoine réalisait qu'il serait sage de laisser ces deux-là s'aimer en paix. Hugo Dubuque, son compagnon de jeunesse, était un homme de qualité. Un homme bien. Il saurait rendre Marguerite heureuse, alors que lui-même…

Quelle folie de s'être emparé du cœur si naïf de la jeune femme !
Il n'avait pas ce droit, il n'avait rien d'autre à lui offrir que le goût
amer du fruit défendu. Il resterait prêtre pour l'éternité, il le savait.
Jamais il n'aurait l'audace de se lancer dans une histoire comme
celle d'Angelina et du docteur Lewis. Et Marguerite Laurin méritait
mieux qu'une relation interdite. Elle méritait de vivre une vie normale
au grand jour comme toutes les jeunes filles de son âge. Une vie normale et ordinaire auprès d'un conjoint normal et ordinaire.

Par pur égoïsme, il l'avait entraînée dans le péché et la déchéance.
Dans une aventure occulte nourrie de remords. Quel toupet ! Et
quelle inconscience ! Il n'était rien d'autre qu'un bel écœurant, un
vrai salaud ! Et le pire des égoïstes. Il la regardait tournoyer dans sa
belle robe de soie bleue et la savait tourmentée à cause de lui même
si elle riait de toutes ses dents. Dire qu'il prêchait la charité… Ouais,
un beau dégoûtant ! Et personne ne s'en doutait. On le respectait, on
l'adulait, on lui demandait conseil, on lui obéissait. On lui donnait
du « cher homme de Dieu » par-ci, du « mon révérend père » par-là.
Ou encore, on l'interpellait en le nommant « monsieur le ministre
du culte » ou « monsieur mon directeur ». « Directeur de conscience,
mon œil ! » pensait-il. Si les paroissiens savaient !

Souvent, au moment où il la quittait après lui avoir fait l'amour,
il voyait Marguerite pleurer, et cela avait pour effet de jeter par terre
toutes ses belles théories sur les qualités divines de leur relation. Sa
bien-aimée pleurait par sa faute, par sa très grande faute. Et il savait
que tôt ou tard, il devrait prendre la décision de mettre un terme
définitif à cette aventure. Et le plus tôt serait le mieux. Il en avait la
responsabilité, c'est lui qui l'y avait entraînée. Cette situation n'avait
que trop duré. Mais il l'aimait pourtant. Il l'aimait tellement.

Marguerite décela dans les yeux d'Antoine une telle tristesse
qu'elle en fut chavirée. Il en profita pour la saluer de la tête et porter
prestement la main sur la porte de sortie.

— Antoine ! Euh… mon père ? Père Lacroix, vous nous quittez ?

— Hélas, oui ! Le devoir m'appelle. Cette fête a été un enchan-
tement. Encore une fois, mes vœux de bonheur aux mariés. Et…
amusez-vous bien, Marguerite !

— Mon père, mon père, laissez-moi vous dire…

Marguerite ne put poursuivre sa phrase. Il avait déjà tourné le coin.

⋟⋞

Le lendemain matin, au cours de la messe de six heures, Marguerite se fit remarquer par Antoine. Pour la première fois, elle s'installa à l'avant de la nef parmi les assistants. Il eut un léger sursaut quand il la vit se lever avant les autres à la lecture de l'Évangile. Quand vint le moment de distribuer la communion, elle s'approcha de la sainte table et s'agenouilla à l'extrémité, de façon à être la dernière fidèle à recevoir l'eucharistie des mains du prêtre.

Il se rendit jusqu'à elle, prêt à déposer l'hostie sur sa langue en prononçant le répétitif *Corpus Christi*. Mais elle n'ouvrit pas la bouche et se contenta de déposer un minuscule billet de papier replié dans la main du prêtre désemparé, avant de retourner à sa place. Quand, à la fin de la messe, il se retourna pour donner la bénédiction à l'assemblée, elle avait disparu.

Une fois les enfants de chœur repartis, il déplia le bout de papier, le cœur battant, et il le porta à ses lèvres après l'avoir relu dix fois plutôt qu'une. Il retourna ensuite dans l'église déserte et fit brûler le message dans la flamme d'un lampion brûlant devant la statue de la Vierge. Il regarda les mots se consumer un à un :

C'est toi que j'aime, pas lui.
M.

Puis il s'agenouilla et, la tête entre ses mains, il pleura amèrement.

18

— Regarde-moi bien, Victor, si je prends une tarte aux pommes et que je la divise en deux, et puis encore en deux, j'obtiendrai combien de morceaux?

— Euh…

L'enfant dévisageait Marguerite de ses grands yeux écarquillés. « Quel adorable garçon, songea-t-elle, mais quelle intelligence bornée!» Elle se demandait comment il réussirait à se débrouiller dans la vie avec une capacité de raisonnement aussi déficiente. Pourquoi s'était-elle attachée à lui, elle ne se l'expliquait guère. Sans doute à cause de sa petite taille et de sa vulnérabilité, lui qui faisait la risée des autres, mais aussi à cause de ses immenses yeux bleus qui n'étaient pas sans lui rappeler d'autres yeux qu'elle chérissait à la folie et qu'elle croisait trop peu souvent.

En effet, depuis le mariage d'Anne et de Pierre, si Antoine se pointait un peu plus fréquemment chez Marguerite, le soir, au retour d'une assemblée communautaire ou d'une visite à un malade, il ne restait en général que quelques minutes, le temps d'un baiser et d'une étreinte furtive. Épreuve de frustration aussi intense que cruelle pour les amoureux, car sa brièveté ne satisfaisait aucunement leur désir. Trop souvent, Marguerite l'attendait en vain, le nez collé contre la vitre du salon, vêtue de ses beaux atours, une biscotte ou un morceau de gâteau placé sur le comptoir de la cuisine.

Mais leurs causeries autant que les moments exceptionnels où ils avaient l'opportunité de se retrouver dans le lit suffisaient à entretenir le feu de leur amour. Chaque fois, ils voulaient rattraper le temps perdu, tout se donner, tout se dire. Malgré leurs hésitations de l'automne précédent, ils avaient finalement décidé de poursuivre leur relation, vaille que vaille. Ils s'aimaient trop pour renoncer l'un à l'autre, et cet amour fou leur donnait la force de supporter l'épreuve infernale de l'absence et du silence. « Dieu l'a dit : l'amour est plus fort que tout. Nous en sommes la preuve vivante ! » ne cessait de répéter Antoine.

L'hiver 1887 parut interminable à Marguerite. Les mois s'écoulaient lentement et n'en finissaient plus de finir, posant sur leurs jours le voile opaque de la solitude et sur leurs nuits le fardeau du vague à l'âme. Elle avait l'impression de vivre à l'ombre, étouffée au fond d'une grotte glacée. En dépit de cela, les « Je vous attends » des lettres enflammées de Hugo Dubuque en provenance de Fall River ne faisaient pas le poids avec les « Je t'aime » prononcés avec ferveur par le père Lacroix, ses yeux pleins de lumière plongés dans ceux, humides, de sa douce.

À plusieurs reprises, l'avocat était revenu à Lowell pour quelques jours, et Marguerite avait accepté de bon gré de le revoir en exigeant toutefois que ces rencontres restent strictement sur le plan amical. Il n'était plus question d'élaborer de projet matrimonial, la jeune femme avait clairement expliqué qu'elle préférait s'en tenir à l'amitié. L'homme avait accepté, convaincu que, tôt ou tard, le cœur de la belle finirait bien par battre pour lui.

À la vérité, l'avenir paraissait toujours aussi incertain à Marguerite, et cette précarité la minait. À vingt ans, la perspective de devenir une vieille fille ne l'enchantait guère. Depuis quelque temps, une fatigue chronique l'accablait, et elle mettait cette langueur sur le compte de la morosité. Pourtant, cette année-là, le printemps s'était montré resplendissant, avec sa tiédeur, son cortège de fleurs et ses envolées d'oiseaux. « Ça va finir par passer » se disait-elle en essayant de se rassurer au sujet de cette lassitude inexplicable. «Encore quelques semaines et les vacances vont arriver. Je vais enfin pouvoir me reposer.»

Elle envisageait de se changer les idées au cours de l'été. Pourquoi pas un petit voyage dans la région du Saguenay? Elle avait tant rêvé de retourner un jour au Canada. Ou simplement une visite de la ville de Boston située à proximité de Lowell? Ou encore quelques jours à la plage? Elle n'avait jamais vu la mer et se mourait d'envie d'aller l'admirer et de s'en mettre plein la vue.

Depuis son mariage, elle s'ennuyait d'Anne. Sa vivacité, sa bonne humeur, les discussions qu'elles engageaient toutes les deux à l'heure du souper, même ses traîneries manquaient à la grande sœur! Depuis septembre dernier, plus rien ne bougeait dans le petit appartement au-dessus du magasin. Maniaque de l'ordre et de la propreté, Marguerite retrouvait maintenant, avec un certain dépit, toutes les choses désespérément intactes après sa journée de travail. Même les rares visites d'Antoine ne laissaient pas de traces!

— Allons, mon petit Victor, fais un effort! Tiens, on va séparer ta galette de gruau en deux parties. Puis encore en deux.

Décidément, cet enfant ne possédait pas la bosse des mathématiques! Par compassion, il arrivait à Marguerite de le retenir après la classe, certains jours, avec la permission des parents, afin de multiplier ses explications dans l'espoir de le délurer quelque peu.

Comme elle se levait brusquement de sa chaise pour aller chercher un couteau, elle éprouva un tel haut-le-cœur qu'elle faillit tomber par terre. Le petit la regardait, l'air hébété, sans broncher.

— Bouge pas, Victor, je reviens tout de suite!

La main sur la bouche, elle prit ses jambes à son cou et courut jusqu'aux toilettes pour y vomir son dernier repas. Chaque contraction de l'estomac lui tirait des larmes. Mais… était-ce bien les vomissements qui la faisaient pleurer ainsi? «Non, non! Je ne veux pas! Mon Dieu, s'il vous plaît, n'ajoutez pas cette épreuve à ma vie. Pas ça! Je ne pourrai pas, je préférerais mourir! Par pitié…»

Quelques instants plus tard, lorsqu'elle revint dans la classe, la mère directrice se trouvait auprès d'un Victor en pleurs, paniqué à l'effet qu'on l'ait laissé seul.

— Depuis quand, mademoiselle Laurin, abandonne-t-on un jeune élève dans une classe sans avertir la direction ?

— Excusez-moi, ma sœur, je me suis sentie mal et j'ai dû courir jusqu'aux toilettes.

— En effet, vous me paraissez bien pâle, ma fille. Retournez chez vous pour aujourd'hui, je vais m'occuper du petit.

— Merci, ma sœur.

Marguerite ne s'en retourna pas chez elle mais se rendit directement chez le médecin dont le bureau se trouvait à un coin de rue de l'école. Il fallait qu'elle sache, qu'elle le sache tout de suite…

L'homme, un Canadien dans la cinquantaine, l'accueillit chaleureusement et la pria de s'asseoir. Installée bien droite sur le bout de sa chaise, elle restait muette avec un air de petite fille coupable.

— Alors, quel bon vent vous amène ?

— Bon vent, bon vent… Je ne suis pas certaine qu'il s'agisse d'un bon vent ! Je me sens fatiguée sans raison depuis quelque temps, je viens de vomir mon dîner et… et… je me demande quelle mouche m'a piquée.

— Quelle mouche ? Et vos menstruations, elles vont bien ?

— Euh… pas vraiment, elles retardent d'une dizaine de jours.

— Et vous avez un amoureux ?

— Non. Euh… oui…

— Vous savez, on ne fait pas les bébés seulement en se donnant un bec sur la joue. Est-ce que vous avez…

Marguerite n'eut pas le courage de répondre et se contenta de hocher la tête.

— Eh bien ! ma petite dame, ne cherchez pas plus longtemps. Vous n'avez pas besoin de moi pour vous révéler l'évidence même : vous êtes sûrement enceinte !

— Je m'en doutais, voyez-vous, docteur. Le problème, c'est que je ne suis pas une « petite dame », mais une demoiselle.

De retour dans son quartier, Marguerite ne se rappelait pas le chemin parcouru entre le bureau du médecin et son logis. Elle avait déambulé sur les trottoirs comme un automate, complètement écrasée par la confirmation qu'elle venait de recevoir. Elle n'arrivait pas à se faire à l'idée d'attendre un enfant même si elle appréhendait cette évidence depuis la semaine précédente. Ces nausées, ses seins congestionnés...

Comment réagir ? Quelle décision prendre ? À qui confier cette tragédie ? À qui demander conseil ? À aucun moment de sa vie, elle ne s'était sentie aussi isolée, aussi délaissée. Pourtant, un petit être existait bel et bien dans son ventre, preuve qu'elle ne se trouverait plus jamais seule au monde. Un petit être dont elle ne voulait pas, un petit être qu'elle devrait haïr, rejeter, faire disparaître. Un petit être qui n'avait pas le droit de voir le jour ni de s'immiscer dans sa vie. Un petit être qui témoignerait de son péché à la face du monde. De leur péché, à elle et à Antoine Lacroix. L'enfant d'un prêtre. Un enfant sacrilège. Les enfants de prêtres n'avaient pas le droit de vivre.

Mieux valait mourir tout de suite, elle et l'enfant. Elle n'avait pas envie de passer le reste de sa vie enfermée dans la grotte imaginaire qu'elle avait déjà l'impression d'habiter, ni dans une bulle de mensonges. Encore moins de vivre le bannissement dont elle et son bâtard, et peut-être même Antoine, feraient certainement l'objet. Ostracisés par l'Église, les amants maudits, montrés du doigt par les bien-pensants, jugés, condamnés, expulsés de la communauté comme des déchets... Vite ! Elle devait se sauver, disparaître à jamais, se dissoudre dans un nulle part que personne ne connaîtrait. Ou bien détruire le germe du bébé pendant qu'il en était encore temps. Mais comment ?

Elle n'avait pas monté trois marches de l'escalier menant chez elle qu'elle en redescendit aussitôt. Anne ! Elle n'avait pas le choix de confier son terrible secret à quelqu'un, sinon elle allait suffoquer et s'effondrer, mourir là, tout de suite, sur le trottoir, au pied de l'escalier.

Et pourquoi pas ? Pourquoi ne pas mourir immédiatement ? Se pendre à la rampe d'escalier, tiens ! Tous les problèmes se régleraient en même temps…

Non, non, elle devait en parler à Anne, d'abord. Surtout ne pas envisager ce problème seule, il s'avérait trop gros, il la dépassait. Il la mènerait directement à sa perte, à sa propre destruction, elle le voyait bien. Sa sœur saurait l'écouter et la conseiller sagement. Pour une fois, les rôles s'inverseraient et Anne lui apporterait son soutien comme une mère, elle la prendrait dans ses bras, la consolerait. Pour le moment, c'est tout ce que Marguerite demandait : se laisser bercer pour ne plus penser. Pour oublier. Juste un instant, un tout petit instant, ne plus voir la réalité en face et croire encore que tout allait bien. Et sa sœur se trouvait là, à quelques pas, dans la boutique de chaussures, avec sa bienveillance, sa douce chaleur fraternelle.

Vite entrer dans le magasin. Durant quelques minutes, elles pourraient accrocher la pancarte *Fermé* dans la vitrine et Marguerite pourrait alors vider son sac. Elle se soulagerait de ce poids trop lourd impossible à supporter. Ce poids qui allait grossir de plus en plus chaque jour… Ah ! Seigneur, quelle affaire ! Anne tomberait sûrement par terre en apprenant la nouvelle et surtout le nom du père du bébé. Mais, au moins, l'aînée ne se sentirait plus seule.

Curieusement, le fameux écriteau indiquant la fermeture du magasin se trouvait déjà sur la porte verrouillée de La Par-botte, malgré l'heure hâtive. Quelqu'un y avait accolé un billet écrit à la main :

Fermé. De retour demain matin.
Closed. Back tomorrow morning

19

Les jours suivants, Marguerite trouva la force de se rendre à l'école en dépit de son mal de cœur, afin de s'acquitter de son mandat jusqu'à la fin de l'année scolaire. Il n'était pas question que l'on découvre son état. De toute manière, d'ici peu, elle se retrouverait en vacances, et ce répit lui permettrait de réfléchir à froid et plus calmement avant de prendre une décision finale. En fin de compte, elle avait choisi de ne confier sa situation à personne, pas même à Anne, et encore moins à Antoine qui ne se doutait de rien.

Au fond, c'était lui le responsable de tous les maux. Il lui avait juré, selon un truc appris en entendant les confessions, veiller à se retirer «juste avant» afin d'éviter la fécondation. «Un péché de plus ou de moins, au point où l'on en est!» avait-il ajouté avec un sourire malicieux. Marguerite lui faisait confiance et avait naïvement éliminé de son esprit les risques de grossesse. Elle aurait dû se méfier. Quand on ne veut pas de bébé, on ne couche pas avec un homme, un point, c'est tout! Cependant, elle détenait une grande part de responsabilité dans cette histoire, elle devait bien l'admettre.

Coupable… Si ce n'était que cela. Les remords de conscience, elle s'arrangeait quand même avec ça depuis un an. Mais un bébé, c'était une autre histoire. Qu'allait-elle faire d'un bébé sans mari, sans famille, sans aide? Vivre avec le statut de fille-mère pour le reste de ses jours? Et avec la charge d'un enfant qu'on traiterait méchamment de bâtard? Déjà étiqueté avant de naître, le petit aux yeux possiblement bleus qui grandissait dans son ventre! Déjà orphelin de père et marqué au sceau d'une pauvreté certaine! Comment allait-elle gagner sa vie dorénavant? Dès qu'elles verraient son ventre augmenter de volume, les sœurs la mettraient à la porte, Marguerite n'en doutait pas une seconde. Elle entendait déjà la directrice, scandalisée, s'adresser à elle, le bec pincé et les yeux levés au ciel en lui donnant du « mademoiselle » gros comme le bras : « Une fille-mère? Vous n'y pensez pas, mademoiselle! Quel exemple pour nos enfants! Retournez chez vous, et qu'on ne vous revoie plus! » Toutes les religieuses de toutes les écoles de l'univers entier refuseraient une mère célibataire parmi leur personnel enseignant, Marguerite en avait la certitude. Cette grossesse allait signer la fin de sa courte carrière d'enseignante à l'école française de Lowell.

Quant au père Lacroix, elle avait pris le parti de ne pas le mettre au courant. Pas pour le moment du moins. La décision lui appartenait. Uniquement à elle. C'est elle qui portait le bébé dans son ventre, pas lui. Il lui incombait de choisir de le mettre au monde ou non. De le garder ou de le donner en adoption. Ou encore, de s'en débarrasser le plus vite possible. Et le plus tôt serait le mieux.

Pourquoi briser la vie d'Antoine? Que lui arriverait-il si les autorités ecclésiastiques découvraient le pot aux roses? La carrière du vicaire de la paroisse Saint-Joseph serait terminée à jamais. Et qui sait si on ne l'enverrait pas missionnaire dans un pays lointain ou, pire, si on ne lui retirerait pas le droit d'exercer son sacerdoce? Non! Elle aimait assez son amant pour lui éviter ces drames inutiles. Il apprendrait la vérité bien assez vite.

Dernièrement, Hugo Dubuque s'était justement présenté en réitérant sa demande en mariage. Marguerite voyait là une autre solution potentielle : un mariage hâtif pourrait encore sauver la face. Elle ne se trouvait qu'en début de grossesse, après tout, et personne ne pourrait deviner sa condition, pas même le nouveau mari. D'un autre côté, il lui faudrait vivre dans le mensonge à perpétuité auprès d'un homme qu'elle aimait bien, mais pas d'amour.

Tromper l'honnête Hugo sur ses sentiments et, pire, sur l'origine du bébé, en plus de briser le cœur d'Antoine, mentir à ses sœurs, mentir à tous et, par-dessus tout, dissimuler pour toujours à son enfant la véritable identité de son père. Ça, non, jamais! En aucune façon, Marguerite Laurin ne pousserait la lâcheté jusqu'à manigancer autant d'affreuses tromperies!

Le dernier jour de l'année scolaire, après avoir embrassé chacun de ses élèves et souhaité un bel été aux religieuses, elle quitta l'édifice de briques de la rue Moody le cœur serré, bien consciente qu'elle venait de vivre son dernier jour comme enseignante. À moins que…

Elle ne résista pas à l'envie de retourner de l'autre côté de la rue, chez le médecin qui la reçut avec un certain étonnement.

— Il me semble que je vous ai vue, il n'y a pas très longtemps. Pas de saignements, j'espère?

— Tout va très bien. Trop bien! Et je vais pouvoir me reposer, maintenant, car les vacances débutent aujourd'hui même. Euh… dites-moi, docteur, je viens pour un conseil. Ou plutôt pour deux conseils.

— Allez-y, mon enfant. Je suis là pour ça.

— Eh bien… à supposer que je veuille me défaire du bébé, que me conseillez-vous?

Le médecin sembla se rebiffer et fusilla la patiente du regard.

— Je ne vous conseille pas d'agir de la sorte, mademoiselle. Pas du tout! Car vous risqueriez d'y laisser votre peau. Chaque jour, des jeunes femmes meurent parce qu'elles se sont défoncé l'utérus et l'intestin avec des aiguilles à tricoter ou qu'elles ont ingurgité des poisons violents qui les ont tuées en même temps que leur enfant. Sans parler des infections ultérieures qui sont monnaie courante, croyez-moi.

— Les médecins ne peuvent-ils pas pratiquer eux-mêmes ce genre de… d'opération?

— Oui, ça existe, mais certainement pas moi, ma chère! Cependant, par charité, uniquement par charité, je peux vous donner une adresse, ici, à Lowell, où on commet ce genre d'aberration. Mais seulement si vous y tenez absolument.

Le médecin toussota et se mit à marcher de long en large pour se donner une contenance. Il ne semblait pas prêt à livrer la fameuse adresse.

— Au fait, quel autre conseil vouliez-vous me demander?

Marguerite tentait désespérément de retenir le flot de larmes qui lui brouillait la vue et finit par répondre d'une voix peu assurée.

— Si jamais je décidais de mettre mon enfant au monde au Canada, connaissez-vous un endroit où l'on accepte... euh... où l'on accueille les filles-mères?

— Que voilà une solution plus raisonnable, mademoiselle! Je sais qu'à Québec, les religieuses du Bon Pasteur possèdent un hospice pour les femmes dans votre condition. À Montréal également, les sœurs de la Miséricorde ouvrent leurs portes aux mères célibataires. Je peux vous donner l'adresse exacte si ça vous intéresse.

— S'il vous plaît, docteur.

Le médecin parut soulagé de voir Marguerite envisager cette autre solution et l'accompagna jusqu'à la sortie. Elle le salua rapidement avec, en main, les coordonnées d'un médecin avorteur et celles de l'hôpital de la Miséricorde de Montréal inscrites sur un bout de papier qu'elle tenait fébrilement comme si elle avait en main l'objet le plus précieux du monde. Avec la même ferveur que le père Lacroix élevait l'hostie au moment de la consécration, au cours de sa messe du matin. Le salut du monde au bout des doigts...

La porte franchie, Marguerite se dirigea une fois de plus vers la Merrimack et s'attarda longuement, appuyée sur le garde-fou en face du barrage. Elle avait une décision à prendre: vivre ou mourir. Mourir, elle n'en avait ni le courage ni l'envie. Elle aimait trop la vie, ses sœurs, son emploi. Elle aimait trop Antoine Lacroix. Non, elle penchait définitivement du côté de la vie, coûte que coûte. Mais vivre comment? En femme mariée, en mère célibataire ou en femme libre? Devenir madame Dubuque ou bien se transformer, dans un ailleurs, en fausse madame Laurin, veuve et mère d'un enfant? Ou alors garder le statu quo et demeurer mademoiselle Laurin, fille-mère et maîtresse cachée d'un membre du clergé? Plus que tout, elle désirait redevenir une femme affranchie. Mais comment le devient-on avec un bébé rivé dans les entrailles ? Devait-elle se faire avorter dès maintenant ou bien mettre l'enfant au monde et le donner ensuite à l'adoption ? Quelle était la meilleure façon de s'en débarrasser ?

Elle songea à Angelina. Son problème s'était résolu bien autrement : son beau curé avait renoncé au sacerdoce pour l'épouser. Marguerite n'en attendait pas autant d'Antoine. À aucun moment il ne lui avait reparlé des confidences de la femme du docteur sur son lit de mort et jamais il ne lui avait proposé la moindre ébauche d'un projet de ce genre.

Pourtant, une chose lui paraissait maintenant de plus en plus évidente : elle ne pouvait se débarrasser de cet enfant-là. Il représentait le fruit du plus grand amour de la terre et le plus beau cadeau qu'Antoine Lacroix puisse lui laisser en héritage. La moitié de lui, de sa chair, de son sang, de son esprit. Comment même songer à le détruire ? Au contraire ! Elle se sentait tout à coup très capable de l'adorer, ce trésor, et même de l'élever. Le fils d'Antoine… Que valait un ange de porcelaine au fond d'une poche à côté d'un enfant bien vivant, héritier des traits de son père ? Un enfant qui resterait présent pour elle à chacun des jours de sa vie ? Soudain, elle eut l'impression de l'aimer déjà.

En se retournant derrière le barrage, elle remarqua qu'on l'observait de loin. Cette vision lui rappela le soir où Antoine lui avait révélé son amour à l'intérieur du presbytère. Au bord de la panique, elle avait accouru à cet endroit précis, près de la rivière, et un homme s'était approché d'elle. Sans le savoir, il lui avait en quelque sorte sauvé la vie en lui demandant simplement comment elle allait. Un ange… Elle passa devant l'inconnu et le salua silencieusement de la tête avec l'étrange sentiment que quelqu'un, où que ce soit, veillerait toujours sur elle.

❖

Une fois sa décision prise, Marguerite se sentit soulagée. Elle toucha instinctivement son ventre. Dans son esprit, son enfant venait de naître en cet instant précis. « T'en fais pas, mon tout-petit, tu vas vivre. Et tu vas naître au Canada. Je vais prendre soin de toi, je t'en fais le serment. » Elle déchira l'adresse de l'avorteur et la lança au-dessus des flots puis dirigea allègrement ses pas vers La Par-botte. Mieux valait agir rapidement et concrètement avant que le doute ne la rejoigne encore.

Cette fois, le magasin semblait ouvert mais paraissait désert. Même si la petite clochette suspendue au-dessus de la porte annonça joyeusement l'arrivée de sa sœur, Anne mit un certain temps avant de sortir de l'arrière-boutique. Marguerite remarqua aussitôt son teint blême et ses yeux cernés.

— Ah ! c'est toi ? Allo ! comment ça va ?

— Bonjour, Anne. Je vais assez bien, mais toi, tu me parais plutôt pâlotte.

— T'en fais pas, je ne suis pas malade. Dis donc, tu n'affiches pas un meilleur teint que le mien, ma foi !

— Moi ?… Les vacances viennent à peine de commencer et je planifie déjà plein de choses. Je suis venue pour te raconter ça.

— Les vacances ? Mais oui, j'avais oublié ! L'école vient tout juste de se terminer. Eh bien, bonnes vacances, ma sœur ! Alors, ces fameux projets ?

— Je pars pour Montréal. J'ai envie depuis des années de visiter cette ville. Aussi bien en profiter cet été.

— Bonne idée ! Mais ne me dis pas que tu vas partir seule. Amène Camille avec toi, au moins. Moi, je ne pourrais pas t'accompagner mais…

— Évidemment, il y a le magasin.

— Il y a le magasin, oui. Mais il y a autre chose aussi…

Anne s'approcha avec un air mystérieux qui cachait mal son excitation.

— Je suis enceinte, Marguerite. Le croirais-tu ? Je vais avoir un bébé au début de février. J'allais justement monter pour te l'annoncer en fermant la boutique, ce soir. Je suis tellement contente, tu n'as pas idée ! Mais… qu'est-ce que tu as ? Embrasse-moi au moins !

Marguerite n'embrassa pas sa sœur mais lui tomba plutôt dans les bras, secouée de sanglots, incapable de prononcer une parole.

Sa main s'agrippa au bras d'Anne et elle le serra avec une telle vigueur que celle-ci faillit lâcher un cri de douleur. Intriguée par une si étrange réaction, elle se mit à secouer son aînée.

— Voyons, Marguerite, ressaisis-toi ! Il ne s'agit pas d'une mauvaise nouvelle. Au contraire ! Le docteur dit que tout va bien. Pierre et moi…

Anne s'arrêta net. Quelque chose lui échappait. Quelque chose de grave. Sa sœur ne réagissait pas normalement. On n'apprend pas l'arrivée prochaine d'un neveu en s'effondrant. Même le bonheur de devenir tante et marraine n'expliquait pas un tel torrent de larmes.

— Que se passe-t-il, Marguerite ? Tu n'es pas contente ?

— …

— Réponds-moi, je t'en prie. Pourquoi pleures-tu de la sorte ?

Marguerite se dégagea de l'étreinte et fit un pas en arrière pour prendre une certaine distance. Le silence se fit lourd, quasi insupportable. Après s'être essuyé les yeux du revers de la main, elle plongea un regard de détresse dans celui, étonné, de sa sœur. Puis elle se lança.

— Moi aussi, je vais accoucher l'hiver prochain.

— Quoi !?!

— Moi aussi, je vais avoir un bébé en février. Pour moi, ce sera à la fin du mois.

— Que me racontes-tu là ? Tu es enceinte ? Je n'en reviens pas ! Mais de qui, pour l'amour du ciel ? Je n'aurais jamais deviné que…

Marguerite haussa les épaules sans répondre et se remit à sangloter. Anne, muette de surprise, vit un tel désarroi sur le visage de sa sœur qu'elle n'osa pas l'interroger davantage. Non, il ne s'agissait pas d'une mauvaise blague. Marguerite la raisonnable, Marguerite la parfaite allait devenir une fille-mère. Une fille tombée… Anne n'arrivait pas à y croire. Sa grande sœur si sage, si rangée… Son modèle. Quelle catastrophe ! Soudain, devant le mutisme de Marguerite, elle crut trouver l'explication.

— Ah ! je comprends ! Hugo Dubuque… Eh bien, il a réussi à cacher son jeu, celui-là ! Mais alors, Marguerite, tu es sauvée. Il te suffit d'accepter de le marier. Il n'a d'yeux que pour toi quand il vient à Lowell. Ne m'as-tu pas dit, l'autre jour, qu'il t'a déjà fait la « grande demande » ? Voilà la solution !

La clochette de la porte vint interrompre Anne sur sa lancée. Une famille au grand complet venait de s'introduire dans la boutique. Contrariée, elle se trouva dans l'obligation de souhaiter la bienvenue aux envahisseurs et de s'informer des besoins de chacun. Le père voulait des bottes de travail, la mère désirait des souliers d'été pour chacun des enfants et une paire d'escarpins pour elle-même et l'adolescent se cherchait des chaussures pour jouer au baseball.

Une fois les clients satisfaits, au bout d'une demi-heure, quand elle put enfin se tourner vers Marguerite, celle-ci avait disparu. Convaincue qu'elle était montée dans son logis à l'étage, Anne grimpa les marches quatre à quatre. Mais elle se buta à une porte verrouillée. Qu'importe, elle ne se gêna pas pour y entrer grâce à sa propre clé qu'elle possédait encore. Sa sœur avait besoin d'elle et elle n'allait pas l'abandonner. Mais personne ne se trouvait dans l'appartement.

Ce soir-là, Anne et Pierre cherchèrent la grande sœur partout dans la ville et ne la trouvèrent nulle part. Ils revinrent le lendemain matin, dès la première heure, frapper de nouveau à sa porte. Une enveloppe adressée à Anne Laurin était collée sur la vitre. Le cœur battant la chamade, Anne parcourut les quelques mots visiblement rédigés à la hâte au verso d'un vieux papier.

Ma chère Anne,

Ne me cherche pas. Au moment où tu lis ce message, je suis déjà dans le train pour le Canada. J'ai apporté seulement quelques affaires indispensables. Tu peux prendre ou vendre les meubles et louer l'appartement. Je ne crois pas revenir à Lowell avant plusieurs mois, compte tenu de mon état. Je t'en prie, ne t'inquiète pas pour moi, je saurai me débrouiller. Tout va bien se passer, comme pour toi d'ailleurs. Je te le souhaite de tout mon cœur. Tu vas me manquer !

Je te donnerai de mes nouvelles une fois fixée là-bas. Et je pose ma candidature pour devenir la marraine de ton enfant. Que dirais-tu si on faisait un échange de marrainage ? Tu vas prendre soin de toi, hein ? Et rassure ma petite Camille à mon sujet. Dis-lui que je l'aime. Vous êtes toute ma vie, mes deux sœurs adorées, et cela me crève le cœur de devoir vous quitter pour un bon bout de temps. Mais ainsi en ont voulu, ma chère Anne, les méandres de mon destin...

Ta sœur qui t'aime,
Marguerite

Au même instant, Antoine, en quittant le presbytère pour se rendre à l'église, décachetait d'une main fébrile l'enveloppe qui lui était adressée, laissée bien à la vue sur le perron. Le bref et glacial message dont il prit connaissance l'ébranla au point qu'il eut de la difficulté à se concentrer sur sa messe.

Mon révérend père,
Vous n'êtes pas sans connaître le désarroi qui habite mon âme depuis trop longtemps. J'ai donc pris la décision de m'éloigner de Lowell pour une période indéterminée. J'ai l'intention d'aller me ressourcer dans mon pays d'origine pour quelque temps. Je vous souhaite un bel été.

Marguerite Laurin

20

Entre la nouvelle gare Bonaventure de Montréal et l'hôpital de la Miséricorde, Marguerite erra sans but, encombrée de ses bagages. Elle n'avait pourtant pas apporté grand-chose, consciente qu'avant longtemps, elle rentrerait difficilement dans ses vêtements. Quelques blouses amples, un châle de laine, une robe de nuit, une paire de souliers confortables allaient suffire. Avant de quitter la Middle Street, elle avait jeté un regard désolé sur ses livres, son lit, sa lampe à huile, cadeau de Hugo, son vase à fleurs peint à la main par Anne. Son petit univers bien à elle… Le sentiment de tout abandonner pour toujours lui serrait la gorge.

Le temps était venu pour elle de tourner la page et de prendre une autre direction. Pour elle et pour lui, cet enfant dont la présence se manifestait chaque matin par des maux de cœur même après deux mois et demi de grossesse. Elle n'avait pas oublié non plus de glisser son ange de porcelaine dans son sac. De cette manière même lointaine et silencieuse, Antoine l'accompagnerait, il se trouverait sans cesse auprès d'elle.

Elle entra un moment dans l'église Notre-Dame afin de reprendre son souffle et surtout de trouver assez de courage pour aller sonner à la porte de l'hôpital dont elle avait retenu l'adresse par cœur. Impressionnée par la grandeur de la nef en comparaison de celle de la petite église catholique de Lowell, elle s'agenouilla devant une statue de la Vierge portant l'enfant Jésus dans ses bras. Folle d'angoisse, elle implora la mère de Dieu de l'aider à se rendre jusqu'au bout du tunnel.

— Je vous envie, Vierge Marie, d'avoir conçu votre enfant sans avoir commis l'œuvre de chair. Vous avez pu le montrer fièrement à la face du monde, vous avez pu l'élever au grand jour, tandis que moi, je devrai le donner ou le cacher parce qu'il portera les stigmates de mes fautes. Oui, oui, je sais, le vôtre a porté les péchés du monde sur ses épaules et il est mort sur la croix pour cela, justement pour racheter mes erreurs et mes faiblesses. Antoine l'a clairement expliqué aux fidèles dans son sermon de dimanche dernier. Mais mon enfant à moi n'est-il pas déjà mort au monde, lui qu'on ne tardera pas à traiter de bâtard? De fils illégitime? Tout ça à cause de moi… Et moi aussi, on va me juger et me montrer du doigt. Suis-je donc si coupable de seulement aimer Antoine Lacroix? À quelle source devrai-je m'abreuver pour enfin ressentir des regrets? Et le ferme propos de ne plus recommencer? Oh! aidez-moi, bonne Sainte Vierge, aidez-moi, car je n'y arrive pas.

Marguerite resta un long moment effondrée sur le prie-dieu. Puis elle finit par retrouver son sang-froid, convaincue d'avoir là-haut une protectrice. Elle traversa d'un pas déterminé l'allée qui menait à la sortie. Le temps était venu de plonger. Après avoir poussé la lourde porte, un éclat de lumière l'éblouit mais ne l'empêcha pas de remarquer un magnifique papillon orange immobile sur la première marche du perron. Il ne réagit pas sur son passage et ce comportement inusité intrigua la jeune femme. Elle se pencha et l'insecte se laissa prendre en s'agrippant sur le bout de son doigt avec ses pattes de velours noir moucheté de blanc. On aurait dit qu'il la dévisageait de ses yeux globuleux, prêt à l'écouter. Elle vit alors son aile déchirée.

— Oh! pauvre bête! Qui t'a brisée de la sorte? Te voilà bien mal foutue avec ton aile en morceaux. Les prédateurs ne vont pas manquer de te poursuivre.

Le monarque comprit-il ces paroles ? Il s'envola soudain en dessinant de maladroites arabesques et alla se réfugier sur l'une des fleurs qui ornaient le portail. Marguerite comprit le message et soupira : « Allons, ma vieille, il ne faut pas se laisser abattre. Même mal foutue, même avec une aile brisée, la vie continue. Pour lui comme pour moi. »

❧

À la tombée du jour, Marguerite gravit lentement les marches extérieures de l'aile droite de la bâtisse située au 850 Dorchester, entre les rues Saint-Hubert et Campeau. Une porte en forme d'arche rouge vin fraîchement repeinte parmi les pierres grises d'un édifice de conception assez récente. Dans quelques minutes, le processus s'enclencherait et sa situation serait officiellement reconnue. Elle frissonna. « Advienne que pourra… »

Elle dut actionner à deux reprises la clochette fixée sur la porte avant qu'une religieuse rondelette ne vienne lui répondre en maugréant.

— Du calme, du calme, mademoiselle, y a pas le feu !

Marguerite porta son attention sur le costume noir de la portière, orné de l'incontournable croix sur la poitrine et du bandeau blanc sur le front surmonté d'une cornette à double pli. Ainsi, de l'école de Lowell à l'hôpital de la Miséricorde, elle passait d'une communauté religieuse à une autre : même genre de déguisement, même odeur, même teint blafard, même regard austère, mais aussi même dévouement. « Du pareil au même ! » songea-t-elle.

Sœur Sainte-Clothilde l'interrogea en la toisant de haut en bas.

— Que peut-on faire pour vous, mademoiselle ?

— Je…

Marguerite ne trouvait pas le courage d'en dire davantage et porta instinctivement une main nerveuse à sa ceinture. La religieuse ne lui donna pas le temps d'apporter des précisions et la pria froidement d'aller s'asseoir dans la salle d'attente attenante au portique. Deux autres filles s'y trouvaient déjà. La première affichait un état de grossesse avancé et salua Marguerite d'un signe de tête. L'autre, par contre, se lamentait à fendre l'âme et semblait souffrir atrocement. Les jambes écartées, recroquevillée sur sa chaise, elle lançait des cris perçants. Ses yeux effarés et les perles de sueur qui coulaient sur son front n'échappèrent pas à Marguerite. En apercevant la religieuse, la pauvre se mit à hurler.

— Oh! Ah! Ouille! Vite, ma sœur, j'en peux plus! Le bébé s'en vient, je le sens!

— Si ça peut arrêter de sonner à la porte, on va pouvoir s'occuper de vous, ma fille. Pourquoi avoir attendu si tard? Allons, venez! Suivez-moi, on monte au troisième étage.

La future mère se leva péniblement et s'appuya sur la religieuse. Marguerite remarqua alors sa jupe imbibée d'un liquide laiteux et abondant. Même la chaise qu'elle venait de quitter était mouillée.

Cette image lui rappela une autre jupe qu'elle avait observée, jadis, dans sa petite maison de Grande-Baie où, adolescente, elle avait vu les vêtements de sa mère enceinte de huit mois complètement trempés. Mais cette fois-là, il s'agissait de sang. Du sang rouge. Rouge clair. Et il y en avait partout, même par terre.

Elle se rappelait parfaitement cette journée-là. Quand elle était revenue de l'école, elle avait trouvé Rébecca écroulée sur une chaise, la tête appuyée sur la table de la cuisine. Elle aussi avait les jambes écartées, le regard perdu et se lamentait. Elle aussi avait la jupe mouillée. Marguerite avait d'abord pensé que sa mère l'attendait, mais elle comprit rapidement que Rébecca divaguait. Elle ne cessait de crier:

— Va chercher ton père, va chercher ton père!

Puis elle avait ajouté en manquant tomber par terre.

— Mais avant, aide-moi à monter dans ma chambre.

Marguerite avait alors vu le sang dégouliner des plis de la robe jaune de sa mère. Du sang qui dessinait des taches sur les marches de l'escalier. D'énormes taches rouges informes qui s'agrandissaient à vue d'œil et qu'elle n'oublierait jamais. Et une fois rendue à l'étage, Rébecca s'était mise à vomir du sang, encore du sang. Il lui en sortait de partout, par les narines, par la bouche, à travers ses sous-vêtements.

Au début, la naïve fillette de treize ans avait cru que le temps d'accoucher était venu, mais elle n'avait pas mis de temps à comprendre que quelque chose ne tournait pas rond. Il n'était pas normal de cracher du sang quand on met un bébé au monde. Personne ne lui avait jamais parlé de cela. Et c'est elle qui avait dû nettoyer les souillures quelques heures plus tard, à la demande de son père, pendant que sa mère rendait l'âme dans la chambre, succombant à l'hémorragie.

Et s'il lui arrivait la même chose? Si, à l'arrivée du bébé, elle aussi se mettait à saigner? Qui sait si l'hérédité… Alors, à sa honte et à sa détresse, à son infinie solitude, s'ajouta la peur. Une peur sournoise et viscérale. Une peur dévastatrice. Elle se mit à trembler.

— Bonjour, je m'appelle Lucie. Et toi?

Marguerite sursauta. Obnubilée par ses souvenirs et ses frayeurs, elle n'avait pas porté attention à l'adolescente assise en face d'elle qui la dévisageait de ses grands yeux bruns.

— Attends-tu ton bébé pour bientôt? Moi, il me reste à peine deux ou trois semaines.

— Euh… c'est pour février seulement.

— Vas-tu rester ici jusqu'à l'accouchement? Si j'avais su qu'on acceptait d'héberger les filles longtemps avant la naissance du bébé, je serais venue plus tôt.

— J'ignore si je vais demeurer ici. À vrai dire, je suis sans ressources. Je suis arrivée des États-Unis ce matin seulement, je ne connais personne et…

— Moi, mon père ne voulait pas me laisser sortir de la maison pour ne pas montrer mon état aux voisins. Comme il me battait sans arrêt, c'est ma mère qui m'a amenée ici, en cachette. Mais elle m'a quittée une fois rendues à la porte. Toi, vas-tu garder ton bébé?

— Je ne sais pas encore. Je n'ai pas eu beaucoup de temps pour y réfléchir sérieusement. Il est fort possible que je le garde. On verra…

— Le mien va aller à l'adoption, c'est sûr! Surtout qu'il est l'enfant de mon père. Il n'acceptera jamais de le recevoir à la maison, tu penses bien. Je ne suis pas certaine de pouvoir y retourner moi-même…

Marguerite regarda tristement l'adolescente. Presque encore une enfant. Elle se demanda laquelle des deux situations s'avérait la plus pathétique : porter l'enfant d'un prêtre ou porter l'enfant de son propre père ? Au moins, elle-même avait conçu son bébé dans l'amour tandis que cette innocente avait sans doute subi douloureusement les assauts pervers d'un vieux salaud… Pauvre Lucie ! Quel âge pouvait-elle avoir ? Quatorze ans peut-être ? Quinze ans tout au plus.

Pauvre Lucie, et pauvres femmes ! Les géniteurs, eux, s'en lavaient les mains royalement. Ils pouvaient bien fanfaronner en toute liberté et fuir leurs responsabilités, ces chevaliers de la couchette ! Ce n'était pas eux qui portaient le fardeau de leur péché, cette preuve tangible de leurs actes de jouissance dont le poids s'alourdissait de jour en jour dans le corps des femmes. Ce fardeau vivant et vibrant qui n'avait pas demandé à exister et qui, pourtant, en plus de jeter la réputation de la mère par terre, bouleversait déjà son existence… Uniquement celle de la mère ! Et, pour comble, ce fardeau possédait déjà le droit indéniable à la vie. Il avait des petits pieds, des petites mains, une frimousse adorable et un cœur qui battait déjà. La plupart des femmes ne pouvaient y résister.

Lucie raconta que, dans cet hôpital, on empêchait les mères de voir leur bébé au moment de la naissance afin d'éviter qu'un lien ne se crée avant d'envoyer le nouveau-né à la crèche. Marguerite n'en croyait pas ses oreilles.

— Mademoiselle Lucie ? Venez avec moi, s'il vous plaît.

La religieuse boulotte, entrée dans la salle d'attente sur la pointe des pieds, s'était plantée devant Lucie à son insu. La jeune fille sursauta et se releva sans un regard pour sa voisine. Marguerite se retrouva soudain seule dans la salle étroite. Elle fut saisie par l'odeur du parquet ciré, la même que celle du portique de l'école Saint-Joseph. L'envie de fuir l'effleura. Partir à toutes jambes loin de ce lieu, loin de cette souffrance. Courir jusqu'à perdre haleine, courir jusqu'à en mourir. Mais courir dans quelle direction ? Elle n'avait plus de patrie, plus de famille, plus d'amant, plus personne. Elle n'avait plus rien, plus rien du tout. Rien d'autre que ce bébé… « Oh ! Antoine, Antoine… » Elle chercha d'instinct son ange au fond de sa poche et ne le trouva point.

— Mademoiselle Laurin ? Veuillez me suivre jusqu'à mon bureau, je vous prie.

C'est à ce moment-là seulement que Marguerite remarqua le chapelet suspendu à la ceinture de la religieuse. Une tête de mort tenait lieu de médaille à l'endroit où se rejoignaient les extrémités de la chaîne.

21

Marguerite se tournait et se retournait dans son lit, incapable de fermer l'œil. Malgré l'emplacement de sa couchette à l'extrémité du dortoir des filles-mères, les bruits qui agitaient la grande salle du quatrième étage la tiraient sans cesse d'un sommeil superficiel et agité. Pleurs et lamentations, bruits de pas, claquements du chapelet de la surveillante de nuit faisant sa ronde, tout la dérangeait.

L'air s'y trouvait vicié car on gardait placardées, à longueur d'année, et peu importe la saison, toute la série de fenêtres donnant sur la rue Saint-Hubert. Les filles-mères n'avaient pas le droit de regarder dehors pour voir palpiter le monde extérieur. Celles qu'on appelait les pénitentes devaient se mortifier et expier leur péché, le plus terrible péché qui soit sur terre : le péché de chair. Être enceinte hors des liens du mariage s'avérait une infamie qui les mettait au ban de la société. La pire des conditions !

Même à la chapelle, on refusait aux pénitentes d'assister aux offices dans la nef. Elles devaient se contenter de se tenir droites devant les bancs de bois du jubé, malgré leur gros ventre, avec l'interdiction de chanter ou de prononcer à voix haute les répons au chapelet ou aux litanies. Les filles-mères se trouvaient recluses même à l'intérieur des murs de l'Hôpital de la Miséricorde qu'on appelait, par les années passées, Maternité Sainte-Pélagie. Portant un cordon rouge autour de la taille sur leur uniforme aux amples plis, celles qu'on appelait aussi les « filles tombées » devaient s'amender et se préparer à changer de style de vie. Que ces femmes soient devenues enceintes par amour, par simple plaisir ou par viol, qu'elles affichent un âge mûr ou une jeunesse précoce, qu'on les identifie comme des ex-prisonnières, ex-prostituées, délinquantes, alcooliques, itinérantes, filles de familles, tout cela n'importait guère. Elles avaient toutes en commun une certaine marginalité, volontaire ou non : elles avaient procréé sans être mariées. Il importait donc de leur imposer une routine et un cadre de vie pour favoriser leur cheminement vers le repentir et le pardon, et aussi vers une situation sociale plus acceptable.

Marguerite ne pouvait croire qu'elle allait demeurer dans ce lieu pendant de longs mois. Après l'accouchement, on retenait les jeunes filles sans argent pendant une période d'au moins six mois afin de rembourser les frais de leur séjour par un travail dans la communauté hospitalière.

Une fois leur bébé au monde, si certaines mères célibataires désiraient rester définitivement chez les sœurs, on les gardait, mais elles ne pouvaient pas, pour le reste de leur existence, prononcer les vœux perpétuels de la communauté à cause de leur manquement à la chasteté. Par contre, elles s'engageaient à ne plus sortir du couvent, transformées en « Madeleines », genre de novices perpétuelles qui devaient rester cachées et s'atteler aux humbles tâches d'entretien de l'hospice : repas, ménage, couture, fabrication de savon ou de chandelles. Seules les veuves avec un enfant étaient autorisées à devenir de véritables religieuses, ayant procréé à l'intérieur du mariage.

Dans sa malchance, Marguerite avait tout de même trouvé une consolation : quand la directrice de l'hospice avait été mise au courant du métier d'institutrice de la jeune femme, elle l'avait dispensée des travaux ménagers et l'avait affectée à l'enseignement du français auprès des Madeleines qui, pour la plupart, ne savaient ni lire ni écrire. Du matin jusqu'au soir, elle rencontrait donc des groupes de femmes vêtues comme des nonnes, mais d'un costume différent de celui des autres sœurs.

Auprès de ces Madeleines, Marguerite se sentit mal à l'aise au début, écrasée par un sentiment d'infériorité qu'elle maîtrisait mal. Ces femmes n'avaient-elles pas déjà vécu l'expérience de l'accouchement alors qu'elle-même n'en savait rien et l'appréhendait au plus haut point ? Toutes avaient mené leur grossesse à terme et connu les douleurs de l'enfantement, et toutes avaient mis au monde un être humain auquel elles avaient renoncé pour le donner à l'adoption. Et cela impressionnait Marguerite.

Pour le moment, elle n'arborait qu'un petit bedon à peine apparent. Et contrairement à ces femmes, elle se rebutait à l'idée de renoncer à son bébé. Elle n'en avait encore parlé à personne, surtout pas à la direction qui encourageait fortement l'adoption. À cet effet, on achevait présentement des travaux pour ouvrir incessamment une pouponnière dans l'édifice même de l'hospice, au lieu de conduire les nourrissons à la crèche des sœurs Grises comme on le faisait depuis des années. Déjà, on avait commencé à y garder certains bébés. Jamais Marguerite ne pourrait accepter d'abandonner l'enfant d'Antoine, cet enfant qu'on appelait méchamment « enfant du péché » ou, pire, « enfant sacrilège » quand il s'agissait de l'enfant d'un religieux. Dire qu'on qualifiait ce lieu de maison de la délivrance et de la miséricorde… « Plutôt l'antre du désespoir ! » se disait-elle.

Toutefois, Marguerite devait reconnaître que, malgré leur obsession du péché et de la pénitence, les sœurs, que certaines gens de la bonne société accusaient d'encourager le vice, se dévouaient corps et âme pour accueillir inconditionnellement les filles-mères désespérées, selon les plus purs principes de la charité. Tout bien considéré, il ne s'agissait pas de la maison du désespoir… Petit à petit, Marguerite en vint à admettre que sans le zèle et la bienveillance de ces religieuses, elle se serait retrouvée à la rue, sans gîte et méprisée de tous.

D'un autre côté, si entrer à l'Hôpital de la Miséricorde et y accoucher s'avérait relativement facile, en sortir représentait tout un défi aux yeux de la jeune femme. Elle ne cessait d'y songer, le soir, en se retournant mille fois dans son lit avant de sombrer dans un sommeil peuplé de cauchemars. Chose certaine, elle n'accepterait certainement pas de porter la coiffe des Madeleines. Mais alors, où irait-elle avec son enfant ? Qui l'accepterait ? Qui prendrait soin d'elle et de lui ? Et comment gagnerait-elle sa vie ? Retournerait-elle aux États-Unis ? Elle ne connaissait personne à part ses deux sœurs à Lowell, Camille, obligée de gagner sa vie à quatorze ans et Anne, déjà casée et future mère de famille qu'elle n'oserait pas encombrer de sa présence et de celle d'un marmot à nourrir.

Restait Antoine. Son bel Antoine, son amour, sa vie. Quand il apprendrait la vérité, il ne refuserait pas de l'aider, même au risque de perdre sa réputation, elle n'en doutait pas un instant. Il l'aimait assez pour cela. Après tout, elle portait son enfant. Mais… l'aider comment ?

Chaque nuit, elle prenait la résolution de lui écrire dès le lendemain matin. Mais on lui avait expliqué que les lettres écrites par les pénitentes devaient passer par la censure et étaient très rarement déposées à la poste. On agissait de même à la réception du courrier. Au bout du compte, à peu près personne n'envoyait ni ne recevait de courrier. Quand elle apprit cela, Marguerite se mordit les lèvres. Elle n'avait pas prévu cette situation et regrettait de ne pas avoir dévoilé la vérité à Antoine avant de quitter Lowell. À tout le moins, elle aurait dû révéler le nom du père de l'enfant à Anne. Elle se trouvait maintenant isolée avec son terrible secret, prise dans un étau sans possibilité d'en sortir. Et cela la menait au bord de la panique, surtout au cours de ces nuits de septembre que l'absence de chauffage rendait encore plus glaciales.

Pourtant, autour d'elle, la plupart des Madeleines à qui elle enseignait les rudiments du français arrivaient à raconter sans trop d'émotion des histoires encore plus pathétiques que la sienne. On avait banni l'une de son foyer à jamais, l'autre se trouvait sans ressources, reniée par son amant, lui-même père de nombreux enfants. Certaines, comme la jeune Lucie à qui on avait retiré son petit garçon dès sa naissance pour l'envoyer à la crèche, craignaient ne plus pouvoir retourner dans leur foyer. D'autres étaient attendues par un père et des frères vicieux alors qu'elles-mêmes souhaitaient ne plus les revoir pour le reste de leur existence. Ne restait à ces malheureuses filles que la perspective de se tapir dans la communauté des sœurs, chez les Madeleines, en prétextant une vocation religieuse qu'elles n'avaient pas et n'auraient sans doute jamais.

Au bout du compte, Marguerite prenait conscience que ce faux « antre du désespoir » constituait en réalité une maison de refuge, un refuge béni pour la plupart de celles qu'on traitait de vulgaires pécheresses. Hélas, si l'espoir existait, sa lueur paraissait bien faible dans la noirceur de l'horizon de Marguerite Laurin.

⤞⤝

Le statut de professeur laissait tout de même un peu de latitude à Marguerite pour se déplacer à l'intérieur de la bâtisse. Entre deux cours, à l'heure où tout le monde s'adonnait à son travail, elle avait pris l'habitude d'aller à la chapelle déserte pendant quelques minutes. Cet îlot de silence et de paix, brisé seulement par l'écho de ses pas, et l'odeur des lampions lui rappelaient l'église Saint-Joseph, à l'aube, quand elle se rendait à la messe dans l'espoir d'apercevoir, même de loin, son bien-aimé. Cher, cher Antoine ! Pour cet homme, elle aurait donné sa vie. Dire qu'il ne se doutait de rien !

Contrairement au règlement qui reléguait les pénitentes au jubé lors des offices, Marguerite avançait dans la nef déserte et s'agenouillait devant le petit autel situé à la droite du chœur. Selon la coutume de l'époque, la statue d'une sainte enchâssée dans un cercueil vitré semblait dormir d'un sommeil éternel. Marguerite aimait contempler cette sainte dont elle ignorait le nom et l'histoire. Fascinée par sa beauté parfaite et la paix qu'elle dégageait, la future mère portait sur elle un long regard méditatif, et cela la réconfortait. Quelle avait été la vie de cette femme ? S'agissait-il d'une vierge et martyre ayant sacrifié sa vie pour préserver sa virginité ? Ou bien avait-elle mené une vie de pécheresse pour se convertir aux derniers moments de sa vie ?

Ce matin-là, plongée dans ses réflexions, elle mit du temps à apercevoir un jeune homme déambulant à pas feutrés dans l'allée centrale de la chapelle. Un étudiant en médecine sans doute. Depuis une vingtaine d'années, l'Église catholique, par l'entremise de Mgr Bourget, avait décrété qu'en dépit de leur diplôme reconnu, les sœurs ne pouvaient et ne devaient plus exercer leur rôle de sages-femmes auprès des futures mères, cette fonction jugée menaçante pour leur vertu en raison de l'un de leurs vœux. La faculté de Médecine voyait d'un bon œil cet abandon qui assurait aux patientes plus de compétence médicale en plus d'une clientèle certaine à ses étudiants en obstétrique. Depuis ce temps, une horde d'étudiants accompagnés de leurs professeurs envahissaient les lieux quotidiennement. En général, on les voyait rarement circuler dans l'hôpital, sauf à l'étage des salles d'accouchement. Il arrivait cependant que l'un d'eux fasse un suivi auprès de certaines patientes. Ce jeune homme faisait probablement partie du groupe, car Marguerite le croisait de temps en temps dans les corridors.

Ce matin-là, elle le vit d'un œil étonné s'approcher d'elle à pas hésitants et se placer sur un agenouilloir à côté d'elle.

— Saviez-vous qu'il s'agit de sainte Marguerite ?

— Vous parlez de la sainte sous l'autel ? Êtes-vous sérieux ? Elle est donc ma patronne, puisque je porte le même nom. Par contre, à moi, il manque la sainteté !

Marguerite réprima un fou rire et ce rire coula en elle comme une eau de source. Il y avait si longtemps… Elle se tourna vers l'homme et le trouva beau. Un visage empreint de sérénité sous des sourcils d'ébène…

— Connaissez-vous son histoire ?

— Euh… pas vraiment. Je suppose qu'elle était pure et vierge comme toutes les saintes de l'Église. On dit, en tout cas, qu'elle protège les femmes enceintes.

— Eh bien ! elle va avoir du travail avec moi !

— Vous n'allez pas bien ?

— Au contraire, je vais très bien. Trop bien ! Le bébé prend de la vigueur, je crois même l'avoir senti bouger, cette nuit. Mais moralement, c'est moins brillant.

— Allons… Dieu vous a certainement pardonné.

— Comment voulez-vous qu'une femme enceinte d'un prêtre aille bien ? D'autant plus que le prêtre en question n'est même pas au courant.

Marguerite s'interrompit aussitôt. Comment en était-elle arrivée à faire une confidence de cette gravité à ce pur étranger dont elle ne connaissait même pas la première lettre du nom, alors qu'elle n'avait jamais divulgué son secret à personne, pas même à sa sœur ? Elle n'en revenait pas de son audace, là, au milieu de la chapelle déserte où l'écho avait répercuté jusqu'à la voûte ses mots pourtant prononcés à mi-voix. « Mon audace ? Plutôt ma faiblesse ! », se dit-elle. Fallait-il qu'elle se sente seule et soit rendue à bout, fallait-il qu'elle n'en puisse plus pour se livrer ainsi au premier venu !

Mais elle comprit vite que le premier venu n'était pas le moindre. Le jeune homme tourna vers elle un regard d'une telle bonté qu'elle faillit éclater en sanglots et se jeter dans ses bras en criant : « Au secours ! ». L'étudiant se contenta de frôler doucement l'épaule de Marguerite, l'espace d'une seconde, en murmurant des paroles dont elle se souviendrait longtemps.

— Tout va bien se passer, mademoiselle Marguerite, j'en suis convaincu. Si jamais vous avez besoin de moi, vous n'avez qu'à feindre des douleurs ou prétendre avoir noté quelques pertes sanguinolentes. On m'appellera alors à votre chevet, car je suis de garde tous les matins de la semaine. Et puis, il y a cette chapelle où l'on pourra parfois converser un court instant, quoique le risque de voir une religieuse venir y faire une génuflexion impromptue existe bel et bien. Je m'appelle Rémi Beaulieu et vous pouvez compter sur moi, ne l'oubliez pas.

Elle ne l'oublia pas. Ce soir-là, pour la première fois, elle s'endormit paisiblement en remerciant sainte Marguerite d'avoir mis le docteur Beaulieu sur son chemin. Curieusement, à part la douceur de ses grands yeux, elle n'arriva pas à se rappeler sa physionomie.

Qu'importe, elle ne se sentait plus seule au monde. La sainte sous l'autel avait accompli un miracle : Marguerite Laurin avait maintenant un ami.

Ce soir-là, pour une rare fois, elle oublia de glisser son petit ange sous l'oreiller.

22

— Je vous en prie, ma sœur, donnez-moi une heure seulement.

Sœur Sainte-Clothilde semblait hésiter. Il n'était pas dans la politique de la maison de laisser les futures mères sortir pour circuler en toute liberté dans les rues de Montréal. L'un des buts de l'institution consistait justement à les protéger du péché en les empêchant de retourner dans le monde, ce lieu de perdition. De plus, mieux valait soustraire aux regards leur taille arrondie susceptible de provoquer le scandale et des jugements téméraires chez les bienpensants. Combien de filles-mères, à leur arrivée, avaient attendu la noirceur pour sonner à l'hôpital ou s'étaient présentées piteusement à la porte de côté afin que personne ne les reconnaisse…

Au nom de quoi la directrice, prompte au soupçon, accorderait-elle à cette demoiselle Laurin la permission d'aller exhiber son péché sur les trottoirs de Montréal? Les vraies mères de famille, elles, restaient à la maison quand elles se trouvaient « en famille ». Au lieu de suivre le règlement comme les autres, de méditer et de se mortifier, cette jeune capricieuse désirait aller « prendre l'air »! Quel air? La religieuse se le demandait. Marguerite avait-elle un but précis? Aurait-elle par hasard réussi à se ménager un rendez-vous clandestin? Une rencontre avec le père de son bébé ou un autre homme? Ou peut-être avait-elle projeté une activité particulière?

Visite des magasins? Rencontre amicale? Flirt? Ou, pire, avortement ou même suicide?

— Je vous le jure, ma sœur, je n'ai aucune intention malsaine. Je voudrais simplement aller marcher pour prendre le pouls de cette ville que je ne connais pas. Voir du monde, quoi!

Marguerite faillit préciser qu'elle avait envie de voir du monde normal. Elle en avait assez des pénitentes larmoyantes, des sœurs crispées et des Madeleines déprimées par le cul-de-sac dans lequel elles allaient végéter pour le reste de leur vie. Mais elle se retint de livrer le fond de sa pensée à la religieuse à l'air sévère qui marchait de long en large dans son bureau en faisant virevolter son chapelet à chaque tournant.

— Je n'ai pas besoin de me cacher, ma sœur. Je ne connais pas âme qui vive à Montréal, et personne ne pourrait me reconnaître dans la rue. D'ailleurs, je m'en fiche un peu, si vous voulez savoir!

— Vous ne ressentez donc pas de honte à afficher votre péché? Le Seigneur n'a-t-il pas dit: «Si ton œil te scandalise, arrache-le»? Alors, cachez-vous, pour l'amour du ciel, au lieu d'horrifier les autres!

— Oui, j'ai péché, ma sœur, mais Dieu m'a pardonné. Écoutez, je suis venue ici de mon plein gré, pourquoi n'aurais-je pas le droit de sortir de temps à autre? Un hôpital n'est pas une prison, que je sache! Il ne m'arrivera rien et je ne ferai rien de mal, soyez sans crainte. Je veux uniquement me promener près de l'hôpital, vous pouvez me faire confiance.

— Qui me dit que vous n'irez pas rencontrer votre amoureux? Ou acheter de l'alcool, que sais-je…

— Je n'ai pas d'amoureux et je déteste l'alcool, grâce à mon père. Vous pouvez me fouiller, je n'ai ni argent, ni rien d'autre sur moi.

— C'est bon, vous avez gagné. Je vous accorde ma permission, mais pas pour aujourd'hui. Demain dimanche, vous pourrez sortir entre deux heures et trois heures et demie de l'après-midi. La seule raison pour laquelle j'accède à votre demande est votre piété exem-plaire. Plusieurs m'ont rapporté vous avoir vue fréquemment pénétrer dans la chapelle pour vous recueillir au moment de la pause. Ceci me paraît tout à votre honneur, mademoiselle. Et l'enseignement que vous prodiguez aux Madeleines est largement apprécié. Cela mérite tout de même une récompense et quelque encouragement.

À part le docteur Beaulieu, personne ne connaissait la véritable histoire de Marguerite Laurin. Contrairement à la plupart des pensionnaires qui ne cessaient de ressasser bien haut leur drame, Marguerite préférait se taire. On savait qu'elle arrivait des États-Unis, où vivaient ses deux sœurs, rien de plus. De son lieu d'origine, de ses parents, de sa famille, de son roman d'amour, on ignorait tout. Le père de son enfant demeurait un mystère pour le petit peuple de l'hôpital de la Miséricorde.

— Je vous remercie, ma sœur. Vous ne le regretterez pas.

— Je l'espère bien.

La religieuse regarda partir Marguerite sur la pointe des pieds en se demandant bien comment une jeune femme aussi intelligente et déterminée avait pu tomber aussi bas.

⁂

L'automne avait incendié les grands érables en bordure de la rue et Marguerite aspira goulûment l'air frais avec la même joie que le voyageur du désert avale l'eau dans l'oasis. Dès sa sortie de l'hôpital, elle dérogea à sa promesse de rester aux alentours et dirigea ses pas en direction du sud, vers le marché Bonsecours, désert le dimanche.

Elle l'aperçut de loin, assis en plein soleil, journal à la main, sur les marches de l'entrée située sous le dôme. À son approche, il sauta sur ses pieds.

— Bonjour, Marguerite. Comment allez-vous ? Quel bonheur de vous voir en liberté et en plein jour !

— Bonjour, docteur Beaulieu.

Marguerite souriait de toutes ses dents. L'étudiant en médecine représentait, en ces jours sombres, la seule personne en qui elle avait confiance. Vêtu en civil, sans son sempiternel uniforme blanc d'hôpital, il lui parut encore plus grand et plus fort. Plus charmant.

Son ami. Son seul véritable ami. Elle se demandait, d'ailleurs, pour quelle obscure raison cet homme lui offrait son amitié, à elle plutôt qu'à une autre.

Rémi tendit une main amicale à Marguerite mais se garda de la poser sur son épaule comme il en avait l'habitude au milieu de la chapelle.

— Ma chère, je ne peux vous accorder qu'une petite heure car j'ai un rendez-vous par la suite. Aimeriez-vous prendre un café quelque part ou préférez-vous marcher ?

— Je dois rentrer sous peu à l'hôpital, moi aussi, sinon la directrice risque non seulement de s'évanouir mais aussi de me châtier pendant des mois ! Contentons-nous d'une promenade, si vous voulez bien, ça me changera des corridors de l'hôpital et de la salle sans fenêtre où j'enseigne aux Madeleines.

— Je comprends votre besoin d'en sortir. Je ne sais pas comment vous faites pour demeurer dans cet endroit en permanence ! L'atmosphère me semble irrespirable certains jours. J'admire les religieuses pour leur dévouement, mais…

— Mais ?

— Vous savez, il se produit parfois des frictions entre les sœurs et les médecins. Autrefois des sages-femmes diplômées, certaines religieuses s'appuient sur leur expérience d'infirmières pour contrecarrer, à l'occasion, les nouveaux protocoles des médecins. Surtout les nôtres, jeunes étudiants qui travaillons pourtant sous la supervision de nos professeurs. Hier, par exemple, une religieuse est montée sur ses grands chevaux parce que je mettais trop de temps à examiner une patiente. Elle m'a finalement tenu responsable des convulsions de la femme quelques heures plus tard. Cela n'avait pourtant rien à voir. Au contraire, sans le remède que je lui ai donné, ces convulsions auraient pu lui être fatales.

— Ah oui ?

— L'autre jour, la même sœur a contesté la dose de médicament prescrite par l'un de mes confrères afin d'accélérer le processus d'un accouchement à risque. Croyez-le ou non, elle a accusé mon ami d'imposer cette potion parce qu'il était fatigué et pressé de partir !

Voir si un médecin agirait de la sorte quand il tient la vie d'une femme entre ses mains! Vous savez, Marguerite, j'admire ces religieuses pour leur travail et leur zèle. Ces femmes consacrent généreusement leur vie aux autres. Elles peinent jour et nuit, et sans salaire, au service de la collectivité. Certes, nous avons besoin d'elles pour leurs services inestimables, et je ne les blâme pas de vouloir garder la main haute sur le fonctionnement de leur institution. Mais qu'elles résistent au progrès et s'acharnent à conserver leur rituel parfois désuet face aux exigences du corps médical, ça…

Emporté par son discours, le docteur Beaulieu semblait avoir oublié la jeune femme qui trottinait à ses côtés sur les trottoirs de bois longeant le macadam poussiéreux. Sans se concerter, les deux amis passèrent sans s'y attarder devant la petite église Notre-Dame de Bonsecours sur la rue Saint-Paul, en train d'être restaurée, et à laquelle on ajoutait une nouvelle façade. Ils remontèrent ensuite la rue Bonsecours et prirent la direction inverse sur la rue Notre-Dame. Même l'hôtel de ville, édifice majestueux par ses proportions et sa hauteur ne retint pas l'attention des marcheurs, pas plus que les nombreuses constructions de pierre, pour la plupart à caractère commercial. Seules quelques rares enseignes rédigées en langue française attirèrent le regard distrait de Marguerite, elle qui en voyait si peu à Lowell et à Colebrook, les deux seules villes qu'elle connaissait.

Le médecin s'arrêta pile devant les tours de l'église Notre-Dame.

— Avant la construction de la chapelle, on baptisait ici les bébés nés à la Miséricorde avant de les porter à la crèche des Sœurs Grises. Mais dites donc, je parle, je parle… Peut-être avez-vous des choses à dire, vous aussi, Marguerite? Pardonnez-moi de me laisser emporter comme un véritable guide touristique.

— Mais non, au contraire, je vous trouve très intéressant.

— Cette ville vous impressionne-t-elle?

— Pas vraiment. J'ai habité une ville américaine pendant des années. Toutes les villes d'Amérique se ressemblent un peu, je suppose. Quoique Montréal, pour ce que j'en connais, me paraît un peu plus campagnarde, peut-être… Plus chaleureuse, c'est certain. Je m'y sens davantage chez moi.

— Montréal prend de plus en plus d'ampleur, vous savez. On la qualifie de ville britannique où bat un cœur français. D'ailleurs, les Canadiens français sont en train d'y redevenir majoritaires. Mais parlez-moi plutôt de vous, Marguerite. Racontez-moi votre vie, vos expériences aux États-Unis…

— Bof… ce n'est pas très intéressant et ça prendrait trop de temps. N'avez-vous pas rendez-vous dans quelques minutes ?

— Dieu du ciel ! J'allais l'oublier ! Nous allons devoir rebrousser chemin et retourner vers la rue Saint-Denis.

Marguerite se racla la gorge et porta une main hésitante à la poche de sa jupe pour en retirer une pile de feuillets repliés, couverts d'une écriture dense et penchée, à l'encre bleue.

— J'ai arraché quelques pages au centre des cahiers d'écriture de mes élèves sans qu'il y paraisse. Faute de papier à lettres, il faut bien se débrouiller. Vous m'avez offert, l'autre jour, de…

— Mais oui ! Je vais déposer tout ça à la poste avec plaisir.

— Je n'avais pas d'enveloppes, non plus. J'ai donc écrit les adresses en haut de chacune des lettres. Il y en a quatre : une à ma sœur Anne, une autre au père Antoine Lacroix, celui dont je vous ai parlé l'autre jour. Le père de mon bébé… Et celle-ci est pour un de mes amis, Hugo Dubuque. La dernière s'adresse à la révérende sœur Plante, la directrice de l'école où j'enseignais. Pour les timbres, j'ignore comment vous remettre l'argent. Je ne possède pas un sou pour le moment.

— Il n'y a pas de problème, je m'occupe de tout. Et vous ne me devez rien. Tout sera fait comme vous le désirez et dans les plus brefs délais, soyez-en assurée. Et vous pouvez compter sur ma discrétion. Je ne lirai pas vos feuillets, c'est juré, même si j'aimerais bien en connaître davantage à votre sujet.

— Ça viendra ! Un jour, quand nous en aurons le temps, je vous raconterai tout. Mais je vous avertis, ce sera long !

Elle jeta un sourire oblique à l'étudiant en obstétrique. L'homme lui inspirait une confiance absolue, non seulement par sa stature d'où émanait une force puissante, mais surtout à cause de la bienveillance qui éclairait toute son attitude. Auprès de lui, elle se sentait parfaitement à l'aise. Elle n'avait rien à préserver ou à dissimuler, et cela la libérait d'un poids immense. Elle n'avait pas connu ce sentiment depuis si longtemps, gardée constamment aux aguets et dans la clandestinité, la tromperie et l'hypocrisie à cause de sa relation avec l'un des hommes les plus connus de la paroisse Saint-Joseph. Le docteur Beaulieu connaissait la vérité sur l'origine de son bébé, elle n'avait donc rien à lui prouver. De lui, elle n'attendait rien non plus, sinon une écoute attentive. Enfin, pendant quelques minutes, elle pouvait se montrer elle-même tout simplement. Et cela lui faisait l'effet d'un merveilleux baume.

Dans la rue Saint-Denis, en approchant de l'intersection Saint-Antoine, le médecin sembla devenir plus nerveux, jetant un regard scrutateur de tous les côtés.

— Ah tiens, les voilà !

Une femme, poussant un landau dans lequel se trouvaient assises deux jumelles d'une dizaine de mois, s'approcha de Rémi. Il prit aussitôt l'un des bébés dans ses bras.

— Salut, mes trois amours ! Vous avez fait une belle sieste ? Marguerite, je vous présente mon épouse, Éva. Et voici mes deux trésors, Laurence et Philomène.

23

Montréal, 6 septembre 1887

Mon amour,

Enfin je me décide à rédiger cette lettre qui me déchire le cœur depuis des jours et des jours. Tu te doutes bien que je n'ai pas quitté Lowell pour les raisons officielles données à tout le monde. Non, je ne suis pas partie en vacances et non, je ne reviendrai pas non plus de sitôt. Je verrai, en février prochain, quand mon enfant sera né, si je décide de rentrer aux États-Unis ou si je choisis plutôt de m'installer définitivement au Québec.

Eh oui! mon cher Antoine, j'attends un enfant. Un enfant de toi, mon chéri. Le fruit tangible et adorable de notre amour. Dussé-je te perdre à jamais, il me restera toujours cet enfant, celui ou celle que je suis en train de créer à ton image. Cette petite vie innocente, je la sens palpiter dans mes entrailles. C'est toi, Antoine qui vis là, en moi. C'est toi qui m'habites, qui me remplis. C'est toi que j'ai emporté avec moi. Je ne serai plus jamais seule, tu seras près de moi, toujours. Et je pourrai, chaque jour, plonger dans le bleu sans fond du regard de notre petit pour y retrouver le tien et la *profondeur de ton âme. Notre enfant aura tes yeux, j'en suis convaincue, mon amour. Sache que je veillerai sur lui aussi longtemps que je vivrai.*

Et jamais je ne le donnerai en adoption, je t'en fais le serment solennel. Ma décision est maintenant prise et irrévocable. Je vais sans doute perdre ma réputation et le respect voué aux filles de bonne famille. Sans parler de mon emploi… On me montrera du doigt, on m'ostracisera, on me méprisera indubitablement. Mais je resterai debout. Je n'ai pas à t'expliquer quel sort notre belle société catholique et puritaine réserve aux filles-mères et à leurs enfants. On traitera aussi ton enfant de bâtard, Antoine, ou au mieux, d'enfant illégitime. On prêche le pardon et la charité, mais on ne s'empêche pas de marquer des innocents au fer rouge ! Savais-tu que le fils d'un religieux ne pourra jamais entrer en religion ? Marqué pour la vie, l'enfant d'un prêtre…

Mais tu peux être tranquille, je m'arrangerai pour éviter que cela se sache. Et je l'aimerai pour deux, cet enfant. Je l'aimerai pour toi, je l'aimerai pour nous. Je l'aimerai pour tous ceux qui ne l'aimeront pas. Et personne ne saura jamais qu'Antoine Lacroix est son père. Le secret restera scellé en moi jusqu'à ma mort. Fais-moi confiance. Tu pourras continuer d'exercer ton sacerdoce impunément, tu n'auras jamais à subir le jugement des hommes. Dieu seul saura sanctionner notre amour qualifié de maudit par les bien-pensants.

Pour ma part, sache que je ne regrette rien. Mon amour pour toi reste pur et absolu, et je le conserverai dans mon cœur pour le reste de mon existence, dussé-je passer l'éternité en enfer. Pourtant, il me semble que je n'arriverai jamais à réduire cet amour au rang de péché mortel.

Un jour, je reviendrai à Lowell pour te montrer notre trésor, celui ou celle qui nous prolongera, toi et moi. J'ignore à quel moment, par contre. Dans quelques mois, dans quelques années, qui sait… Pour le moment, je n'ai aucune idée de ce que me réserve le destin et je n'ai pas pris de décision à part celle de garder mon bébé malgré les recommandations insistantes des religieuses.

Je te laisse l'adresse personnelle d'un bon ami qui me remettra dorénavant tes lettres que j'attendrai avec une douce impatience.

Je t'aimerai toujours,

Marguerite

❧

Antoine ne quittait pas la lettre des yeux et regardait son supérieur la brandir et battre l'air, puis la remettre sur la table, puis la reprendre de nouveau.

— Je n'en reviens pas, Antoine, je n'en reviens pas !

De son poing fermé, le père Garin martelait la surface du pupitre. La face rougie, les traits crispés, la lèvre humide, il bavait de rage. Le père Lacroix songea un instant que son curé allait faire une crise d'apoplexie.

— Calmez-vous, père Garin, calmez-vous, voyons ! Racontez-moi plutôt la mauvaise nouvelle que semble contenir cette lettre.

— Une mauvaise nouvelle ? C'est vous qui me demandez ça, Antoine Lacroix ? Il s'agit de la pire calamité du siècle ! Je n'en reviens simplement pas !

— Vous m'intriguez, mon père.

— Vous, mon fils, vous me dégoûtez ! Vous me donnez la nausée, tiens !

— …

— Croyez-moi, mon cher, c'est par pure distraction que j'ai ouvert cette lettre qui vous est destinée. Dieu a probablement guidé ma main. Quand le berger est malade, il faut remplacer le berger…

Antoine s'effondra sur une chaise sans qu'on l'y invite. Ainsi le père Garin venait de mettre la main sur une lettre de Marguerite et il l'avait lue, le sacripant ! Sans doute une lettre d'amour… Quelle affaire ! Ce simple geste venait de signer, à n'en pas douter, son arrêt de mort. Il aurait tout donné pour lire ces mots dans l'intimité de sa chambre. Des nouvelles de sa bien-aimée, enfin ! Depuis tant et tant de jours qu'elle était partie, comme s'il s'était agi d'une fuite, en lui donnant si peu d'explications qu'il n'en avait pas dormi pendant des nuits. Les sœurs de l'école l'avaient d'ailleurs informé, ce matin même, avoir reçu une lettre de la jeune femme pour les aviser de l'abandon de son poste à la rentrée scolaire de l'automne, mais sans donner d'éclaircissement ni justifier sa décision.

Au début de l'été, au moment du départ de Marguerite, il avait bien questionné Anne, mine de rien, à la fin d'une messe du dimanche, mais elle avait répondu sans donner de détails, comme si le sujet ne l'intéressait pas. Peut-être Marguerite avait-elle décidé de le laisser tomber ? Peut-être l'avait-il trop négligée ? Peut-être avait-elle besoin d'une relation plus ouverte et plus constante ? Quelle femme au monde accepterait de vivre une vie de couple illicite, sans aucun espoir de la voir jamais éclore au grand jour ? Un amour sans chaleur et sans lumière. Sans fleurs non plus. Un amour sans enfants. Un sinistre cul-de-sac… Au fond, elle avait eu raison de le quitter, sa belle Margot. Mais, tout de même, cette façon d'agir ne lui ressemblait guère. Elle aurait pu au moins le prévenir.

Hélas, il se trouvait dans l'impossibilité de lui donner davantage de temps et de présence. Comment faire autrement ? Combien de fois avait-il, pour elle, trompé son supérieur, menti, triché, usurpé une liberté qu'il ne possédait pas ? Non seulement il avait les mains et les pieds liés, mais aussi l'âme et le cœur. Le père Antoine Lacroix, oblat, n'était pas seulement lié, il était crucifié. Consacré à Dieu pour l'éternité. Et dans cet engagement irrévocable, il n'y avait pas de place pour l'amour humain. Le fameux « Aimez-vous les uns les autres » concernait la simple charité envers le prochain et aucunement l'amour charnel. Et dans cet engagement religieux, dans ce don de soi réel, il ne se trouvait pas de place pour une femme unique, fut-elle un ange. Fut-elle une sainte.

Pauvre, pauvre Marguerite, il ne l'avait pas aimée assez pour lui éviter cette impasse. Il aurait dû continuer à taire cet amour, à l'étouffer dans l'âme comme il l'avait fait durant les premières années. Cette retenue, ce silence… Ah ! sa petite Margot, l'avait-il adorée !

Dès le premier jour où il l'avait rencontrée en compagnie de son père, il n'en avait pas vu clair. Farouche, déterminée, belle à croquer et combien intelligente, la fillette ! Et, avec le temps, elle était devenue la plus merveilleuse des femmes.

Lui seul se trouvait responsable de sa peine. Et de sa perte. Voilà pourquoi elle ne revenait pas du Québec. Sans doute avait-elle trouvé là-bas la liberté. Et la paix. La sainte paix enfin ! Et pourtant non, non, ça ne se pouvait pas ! Elle ne pouvait pas ne plus l'aimer, il n'arrivait pas à le croire. Vite ! lire ce qu'elle lui avait écrit, y trouver peut-être une fibre, une lueur d'espoir…

— Vous me scandalisez, jeune homme ! Jamais je n'aurais cru ça de vous ! Seul Dieu pourra vous pardonner. Qu'il aie pitié de vous. Moi… il me faudra y mettre du temps et beaucoup de prières, croyez-moi !

— Puis-je savoir de quoi vous parlez précisément ?

— Je vous prie de faire vos bagages immédiatement. Vous retournez à notre maison-mère au Canada. Vous êtes renvoyé, mon cher. Vous avez besoin d'une longue, très longue retraite fermée pour réfléchir. Et… regretter ! Sans parler du ferme propos… Demain, nos paroissiens apprendront que le père Lacroix est parti en congé de maladie. Récidive de la tuberculose, tiens ! Dieu nous pardonnera ce mensonge pieux.

Sans plus de palabres, le curé chiffonna la lettre brutalement. Abasourdi, Antoine bondit sur ses pieds.

— Cette lettre m'appartient ! Vous n'avez pas le droit. Donnez-la-moi !

Mais avant même qu'Antoine puisse approcher, le père Garin s'était levé précipitamment et l'avait lancée dans le feu de la cheminée.

— Voilà ce que j'en fais, moi, de cette cochonnerie, de ce torchon du diable !

— Dites-moi au moins le contenu de cette lettre, puisque vous l'avez lue. S'il vous plaît…

— Allez au diable !

— Par pitié, mon père. Que me dit Marguerite ?

— Qu'elle vous quitte définitivement. Que tout est terminé entre vous deux. Elle ne vous aime plus, c'était écrit noir sur blanc. Il s'agit d'une lettre de rupture en bonne et due forme, mon fils. Il était temps !

Le vicaire demeura prostré, retenant ses larmes avec peine. Dans l'âtre, les mots de Marguerite s'effaçaient un à un, léchés par les flammes. Antoine avait beau y accrocher désespérément le regard, il voyait les lettres rondes tracées par sa bien-aimée perdre une à une leur sens à jamais. Et le flot de ses larmes ne suffisait pas à éteindre le feu. Ce feu diabolique, ce feu d'éternité…

— Allez, ouste ! Déguerpissez au plus vite et allez faire vos bagages. Je ne veux plus vous voir. Demain matin, vous prendrez le train à la première heure.

Antoine ne demanda pas son reste et sortit en claquant la porte. La pénombre avait déjà envahi la ville et une pluie glaciale lui fouetta le visage. Il erra longtemps comme un somnambule dans les rues boueuses avant de réintégrer, au milieu de la nuit, son lit au fond du presbytère plongé dans l'obscurité.

Le temps était peut-être venu de faire le geste auquel il songeait depuis longtemps. Depuis trop longtemps.

24

Antoine Lacroix ne prit pas le train pour le Canada, le lendemain matin. À sept heures, il dormait encore sur ses deux oreilles. Et ni la messe de six heures ni celle de sept heures, pas même celle de huit heures n'eurent lieu à la paroisse francophone de Lowell, au grand étonnement des paroissiens. S'ils avaient entendu la discussion qui avait lieu, ce matin-là, dans le dortoir du presbytère, ils n'en auraient pas cru leurs oreilles.

— Je vais partir, père Garin, et je vais vous débarrasser de moi, ne vous inquiétez pas. Mais pas pour la maison-mère du Canada.

— C'est un ordre, jeune homme !

Le curé, flanqué de l'autre vicaire, ne tenait pas en place. Un peu plus et, de rage, il aurait frappé Antoine. De son côté, le père Lagier restait immobile, appuyé contre le mur, les bras croisés sur la poitrine, et il se contentait de dévisager sévèrement son compagnon de travail. Ainsi, il ne s'était pas trompé. Il soupçonnait le père Lacroix d'activités coupables depuis plusieurs mois. Un retard injustifié par-ci, une absence inexplicable par-là, un refus de tâche sans raison valable, et surtout cet air distant et détaché, ce manque flagrant d'intérêt pour les affaires de la paroisse lui avaient mis la puce à l'oreille. Hier encore, une paroissienne était venue se plaindre que sa mère malade n'avait toujours pas reçu la visite du père Lacroix attendue depuis plusieurs jours. Trop de dossiers restaient en plan et certaines gens commençaient à exprimer leur insatisfaction. Il se devait de tirer les choses au clair.

La veille, après avoir cueilli et trié soigneusement le courrier à la sortie du bureau de poste, le vicaire Lagier avait donc fortement suggéré au père Garin de vérifier la nature d'une mystérieuse missive en provenance du Canada et destinée à Antoine Lacroix. N'incombait-il pas au pasteur de veiller sur ses brebis ? Et au chien de garde du pasteur de l'aviser de la menace d'un danger imminent ? Le curé s'était emparé de l'enveloppe en fronçant les sourcils. Il n'avait pas tardé à réagir, quelques heures plus tard, pour semoncer vertement le père Lacroix et l'obliger à quitter la paroisse au plus vite, compte tenu de la gravité du contenu de la lettre dérobée.

Mais le lendemain, au lieu de se retrouver à la gare, Antoine, assis sur le bord de son lit, se frottait cavalièrement les yeux devant un père Garin courroucé.

— Je vous avais dit de quitter dès ce matin !

— Je n'ai plus d'ordre à recevoir de vous, mon cher curé. Ni de vous ni de qui que ce soit. Je quitte officiellement l'Église catholique, aujourd'hui même.

— Quoi ? Que dites-vous là ? Mais vous n'y songez pas, mon fils ! Le sacrement de l'ordination vous a consacré pour la vie. N'agissez pas sur un coup de tête, de grâce ! Prenez au moins le temps de réfléchir. On n'adopte pas une telle décision à la légère. Il n'est jamais trop tard pour se racheter, vous savez. Devant Dieu, s'entend ! Lui seul peut tout pardonner sans condition, même vos folies avec… avec…

— Je songe à ce départ depuis longtemps, mon père. Depuis des années. Quant à Dieu, je saurai bien m'arranger avec lui.

— L'amour d'une femme vous a fait perdre complètement la tête !

— Comment cela ?

— Marguerite Laurin…

— Vous saurez que Marguerite Laurin n'a rien à voir avec ma décision. Pour être franc, j'y réfléchis depuis le jour de mon ordination.

Estomaqué, le père Garin faillit perdre pied. Soutenu par le père Lagier, il dut s'asseoir sur le bord du lit pour reprendre contenance. Jamais il n'aurait cru devoir vivre un tel moment au cours de sa carrière sacerdotale. Non seulement il perdait l'un de ses précieux vicaires, mais celui-ci allait probablement défroquer. Une calamité s'abattait sur la paroisse Saint-Joseph.

Antoine revint à la charge.

— Je ne crois plus au ministère que j'exerce, voilà toute l'affaire. J'en ai assez, vous comprenez? Assez…

— Non, je ne comprends pas, Antoine. Expliquez-vous, pour l'amour du ciel. Vous avez commis le péché de la chair pour satisfaire un besoin physique naturel, je veux bien comprendre cela, mon fils, mais ça ne constitue pas une raison suffisante pour abandonner l'Église. Le sacrement de pénitence…

— Justement! Parlons-en, du sacrement de pénitence! Pas plus tard qu'hier matin, pour observer les règles strictes et rigides de notre chère Église, j'ai dû refuser l'absolution à trois femmes qui voulaient «empêcher la famille». L'une d'elles avait mis au monde huit enfants en moins de dix ans. L'autre avait reçu une recommandation du médecin de ne plus enfanter. La troisième pleurait à chaudes larmes, n'en pouvant plus de faire «son devoir matrimonial» tous les soirs et tous les matins avec son mari brutal et obsédé. Les consignes déshumanisées de l'Église sont un non-sens! On m'oblige à refuser l'absolution alors que j'éprouve une envie irrésistible de la donner. Imaginez-vous un peu mes problèmes de conscience, mon père? Ils m'apparaissent bien plus graves que ceux d'avoir aimé une femme, je vous assure! .

— Attention à ce que vous dites, mon fils.

— Je n'ai plus foi en l'Église catholique, père Garin, et je n'arrive plus à m'y soumettre. Pratiquer hypocritement des gestes auxquels je ne crois plus me trouble sans bon sens. Pire, ça m'horripile! J'éprouve un sentiment de malhonnêteté envers moi-même.

— L'Église ne fait que respecter les lois naturelles, Antoine. Que faites-vous de la propagation de la race ? Les femmes ne sont-elles pas là pour ça ?

— Nous ne sommes pas du bétail, que je sache ! Et pas plus les femmes que les hommes ! Pour se reproduire chaque année, les animaux délaissent en général leur progéniture au bout de quelques mois. Pas après quinze ou vingt ans comme les humains ! Avez-vous une idée de ce qu'élever des enfants représente ? Les bêtes ne songent qu'à deux choses : survivre et perpétuer leur race. Mais la race humaine est différente. Vous criez sur tous les toits que les humains ont une âme. Eh bien, prenez-la en considération, cette âme, et que l'Église arrête donc de considérer les femmes comme des machines à mettre bas !

— Notre sainte Mère considère autant les femmes que les hommes, voyons ! Vous oubliez nos hôpitaux et nos orphelinats ouverts un peu partout, sans parler des écoles, des collèges et des couvents où des religieux prodiguent gracieusement aux filles comme aux garçons un enseignement de haute qualité. L'Église n'a qu'un souci, vous devriez le savoir : le salut des âmes, bien au delà des désirs terre-à-terre de l'être humain et de ses tendances pernicieuses.

— Pernicieuses, pernicieuses… Vous voyez du mal partout ! Vous ne m'empêcherez pas de dire le fond de ma pensée : les tenants de l'Église manipulent les femmes honteusement. L'autre jour, j'ai donné l'extrême-onction à une mère en péril, lors d'un accouchement compliqué. Selon la règle, j'aurais dû recommander au médecin de sauver l'enfant plutôt que la mère. Risquer l'hémorragie mortelle de la femme pour sauver un fœtus… Quelle absurdité quand on y pense ! Eh bien, je ne l'ai pas fait ! Au contraire, j'ai donné la consigne au médecin de sauver la femme à tout prix. Il s'agissait d'une mère de six enfants qui avaient besoin d'elle. Voir si ce règlement a du sens !

Le père Garin se leva d'un bond et vint se planter devant Antoine, hérissé comme un animal furieux.

— De quel droit décidez-vous de la vie et de la mort ? La volonté de Dieu doit s'accomplir par elle-même. Vous méritez l'enfer, mon fils, pour de tels agissements !

Antoine, emporté, ne se laissa pas impressionner par les arguments du curé et poursuivit sa diatribe sur un ton tout aussi belliqueux.

— Je ne suis pas votre fils et je ne crois plus à vos histoires de limbes et d'enfer. Je n'y ai jamais cru, d'ailleurs, et cela depuis mon plus jeune âge. Si Dieu est infiniment bon, comme vous le prêchez, pourquoi vouerait-il à la damnation éternelle un père de famille qui va récolter ses légumes le dimanche au lieu de les laisser pourrir après dix jours de pluie ? Ou un bûcheron qui mange de la viande un vendredi ? Où se trouve le mal, voulez-vous me le dire ? Et pourquoi Dieu priverait-il de la vie éternelle un bébé mort-né, l'être le plus innocent parmi les innocents ? Pour la bonne raison qu'on n'a pas eu le temps de tracer une croix sur son front avec de l'eau bénite ? Allons donc ! Qui a dit ça ? Le Christ ? Jésus baptisait-il les adultes dans le Jourdain pour les sauver des limbes ? Je n'ai lu ça nulle part dans les Écritures, moi !

— Vous êtes devenu complètement fou ! Que le bon Dieu ait pitié de vous.

— Le bon Dieu, hein ? Infiniment bon, ce Dieu obsédé par le péché des hommes, qui tient des comptes et guette sans cesse, gourdin à la main, prêt à frapper à la moindre vétille, à la moindre erreur, au moindre écart de conduite ? Ah non ! Je n'y crois pas, père Garin. Pas à ce Dieu-là, en tout cas. Votre Dieu n'est pas le mien. Ne l'a jamais été…

Découragé, le curé semblait avoir perdu l'usage de la parole. À la colère du début avait succédé une infinie tristesse. Le père venait de perdre un fils… Comment son grand Antoine, cet homme si pur, si pieux, pouvait-il avoir entretenu une aussi piètre opinion de l'Église pour laquelle il exerçait son ministère depuis près de dix ans ? Quelle aberration ! Le père Lagier, quant à lui, s'il tentait de demeurer de glace, ne pouvait réprimer un tremblement trahissant sa déception.

Antoine ne resta pas insensible à l'ombre qui balaya le visage de ceux qu'il avait considérés comme un père et comme un ami. Il refréna aussitôt ses emportements. De se vider le cœur le soulageait, certes, mais il réalisait que son discours blessait ces deux hommes profondément engagés, à la fois dévoués et respectables. Jamais il ne changerait leurs convictions en dépit de ses arguments qu'il croyait pourtant convaincants. Un silence de plomb envahit le dortoir.

Antoine se mit à marcher de long en large dans la chambre, pieds nus, cherchant une manière de mettre un terme à cette rencontre insupportable. S'il songeait depuis belle lurette à quitter l'Église, il avait l'intention de le faire en douceur. Mais il avait manqué de courage pour concrétiser cette résolution et prendre une décision d'ordre exclusivement religieux. La venue de Marguerite dans sa vie avait brouillé les cartes et ajouté une nouvelle dimension plus pragmatique à ses interrogations. Jusqu'à maintenant, la confusion l'avait maintenu en place.

Qu'attendait Dieu de lui? S'il défroquait, saurait-il rendre Marguerite heureuse? De quoi vivraient-ils? L'exemple du docteur Lewis ne lui avait guère plu. Il n'allait tout de même pas retourner aux études! D'ailleurs, voudrait-elle encore de lui? «Une lettre de rupture», avait dit le père Garin…

En maintenant le statu quo durant plus d'un an, il avait pris lâchement le meilleur des deux mondes: il demeurait prêtre tout en continuant d'aimer sa chère Margot. Quelle position égoïste et malsaine, à bien y songer! Prêtre, il désirait cesser de l'être, et Marguerite… Avait-il seulement pensé à elle? Son départ pour le Canada et sa décision de le quitter le laissaient pantois, mais il méritait bien cet abandon. Aujourd'hui, le temps était définitivement venu de la prendre, cette fameuse décision. Une décision strictement d'ordre religieux.

Le cri d'une corneille déchira le silence et le ramena à la réalité. Dans la chambre, nul ne bronchait. Il fallait en finir au plus vite. Restait un dernier point qu'il ne pouvait résister à commenter.

— Le pire, pour moi, est de voir l'Église se mêler de choses qui ne la regardent pas en s'infiltrant jusque dans les couchettes, dans l'intimité des chambres. Comme si les relations sexuelles, forcément obligatoires pour la «perpétuation de la race», comme vous l'avez si bien dit tantôt, représentaient quelque chose d'obligé mais de laid et de sale. De péché. À exécuter par devoir exclusivement. À la noirceur et les yeux fermés. Et sans plaisir. Et je m'adresse particulièrement à vous, père Lagier, dont l'enseignement à cet effet a une réputation de grande sévérité, selon les dires de certaines paroissiennes.

— C'en est assez !

Outré, le vicaire se leva et sortit en faisant claquer la porte. Le père Garin, maîtrisant mal sa colère, s'adressa alors à Antoine d'une voix perfide.

— Père Lacroix, allez-vous-en !

— Je ne m'appelle plus père Lacroix à partir de maintenant. Mais laissez-moi tout de même finir. J'étais entré chez les religieux pour cultiver l'espérance et apporter Dieu à l'humanité. Je voulais aider les hommes à traverser les épreuves. Malheureusement, depuis le début de mon ministère, la religion m'a surtout amené à imposer des entraves et des interdits un peu partout. Sans parler de l'étiquetage ridicule des péchés selon différentes catégories : capital, originel, mortel, véniel… Pire, j'ai dû me constituer juge et proférer des menaces de damnation bien plus souvent que j'ai ouvert le cœur des hommes à la confiance en un Dieu juste et bon. Ils appellent ça «la crainte de Dieu» !

— Si vous ne partez pas tout de suite, c'est moi qui vais vous jeter dehors, Antoine. Et pas de la manière la plus douce.

— Encore une minute, je partirai ensuite. Et vous ne me reverrez plus, n'ayez crainte !

Antoine avait cessé de marcher et affrontait de plein fouet le père Garin, comme si de décliner ses convictions jusqu'au bout allait justifier sa décision.

— Pour terminer, je voudrais affirmer que, quoi que vous pensiez, la présence de Marguerite Laurin dans ma vie aura été une bénédiction et n'aura en rien entravé mon envie obsédante de servir et de transmettre ma foi à l'humanité. Et la rupture annoncée dans la lettre d'hier me donne enfin le coup d'envoi, sachez-le !

Antoine s'arrêta pour reprendre son souffle. Il s'empara alors de sa soutane jetée sur le dossier d'une chaise et la lança sur le lit, devant le curé qui semblait ne plus écouter.

— Je vous remets ma soutane et mon collet romain, père Garin. Je n'en veux plus. Je songe à ce geste depuis le premier jour où je l'ai reçue. Sans doute me suis-je trompé de vocation. Je ne veux plus rester un homme dénaturé en robe noire qu'on appelle « mon révérend père » et qui n'a droit ni à l'amour humain ni à la paternité. Sachez que je vais continuer à prêcher l'Évangile, mais ce ne sera pas le vôtre.

Le père Garin, tourné vers la fenêtre, resta sans réaction, à part se signer. Antoine se chaussa à la hâte et, après avoir enfilé un chandail, il s'achemina en silence vers la porte. Mais avant de sortir, il se retourna d'un bloc vers le curé.

— Père Garin, j'aimerais vous dire que, malgré nos dissensions et nos différences, vous avez toute mon admiration pour votre générosité et votre zèle auprès des Canadiens français. Votre œuvre m'apparaît magnifique et méritoire, et j'ai aimé y participer. J'ai mis tout mon cœur à l'ouvrage malgré mes erreurs de parcours. Je m'engage peut-être sur un autre chemin, mais je sais que vous et moi, guidés par nos instincts de bergers, nous nous retrouverons un jour quelque part, sinon dans ce bas monde, à tout le moins dans l'autre. Sachez que Dieu m'habite toujours et qu'il guidera mes pas vers un ailleurs que je ne connais pas encore afin de continuer l'œuvre pour laquelle je suis fait. Adieu, mon père, j'ai aimé travailler avec vous malgré tout. Que Dieu nous vienne en aide à tous les deux.

Surpris par la conclusion de ce discours, le curé accepta de serrer d'une main tremblante celle, moite, que lui tendait Antoine. Il ne vit pas les larmes qui mouillaient le visage du jeune homme quand il franchit la porte, la tête haute et sans s'arrêter.

25

Anne, occupée à servir une cliente exigeante, remarqua à peine l'homme qui venait de s'introduire dans la boutique. Mais le fait qu'il se soit affalé sur un siège sans jeter le moindre coup d'œil sur les échantillons de chaussures en démonstration sur le comptoir l'intrigua tout de même un peu. Sans doute avait-il rendez-vous là avec sa femme afin de se procurer des chaussures et préférait-il l'attendre à l'intérieur à cause de la pluie glaciale. Les changements de saison amenaient toujours un surcroît de travail au magasin. Et comme cet automne-là s'annonçait frisquet, on songeait déjà aux bottes et aux couvre-chaussures chauds et confortables.

Quelques minutes plus tard, quand elle s'approcha de lui, Anne sursauta en reconnaissant le père Lacroix, simplement vêtu d'un pantalon et d'un épais lainage. Elle le gratifia de son plus beau sourire en lui tendant la main.

— Père Lacroix! Je ne vous avais pas reconnu. Tu parles d'une surprise! Quel bon vent vous amène? Vous avez besoin de chaussures?

— Non, non, je suis seulement venu prendre des nouvelles des sœurs Laurin.

— Ça me fait tout drôle de vous voir sans soutane. Je vous dis que ça change un homme!

Si elle avait osé, elle lui aurait avoué qu'elle le trouvait encore plus beau dans ce chandail bleu qui mettait en valeur la transparence de ses yeux et les rendait encore plus lumineux. Mais elle préféra se taire. Les prêtres, représentants de Dieu et détenteurs de la vérité, devaient constituer, aux yeux du monde, des êtres sans âge et sans sexe, uniquement chargés du salut des âmes. Ne prêchaient-ils pas que «hors de l'Église, point de salut»? Leur fonction n'avait rien à voir avec la séduction. Ni leur stature, ni leurs beaux yeux, ni leurs traits fins ou leur chevelure attrayante ne devaient distraire les fidèles de la dimension rigoureusement spirituelle de leur mission. La soutane qui les couvrait de la tête aux pieds faisait d'ailleurs office de repoussoir à toute attirance physique.

Anne se retint de poser des questions au sujet de l'absence de vêtement sacerdotal et supposa que la soutane devait se trouver au nettoyage ou chez la couturière.

— Alors, comment allez-vous, ma petite Anne?

Cette voix chevrotante, cette main posée nerveusement sur son épaule, ce regard effaré trahissant une grande détresse n'échappèrent pas à la vendeuse. De toute évidence, le père Lacroix filait un mauvais coton.

— Oh! moi, je vais bien, mon père. Mais vous, vous ne semblez pas dans votre assiette. Quelque chose ne va pas?

— Non, non… Ou plutôt, oui! Je quitte la communauté des Oblats de Marie-Immaculée ce matin pour des raisons de… de…

— Pour des raisons de santé? Ça se voit! Vous avez les yeux tellement cernés. Rien de grave, j'espère?

— Et vous, ma chère Anne, qu'avez-vous à me raconter? Est-ce que je rêve ou il y aura bientôt un baptême chez le couple Forêt? Quelle belle nouvelle! Félicitations! Et pour quand est prévu l'heureux événement?

Anne porta les mains à son ventre et sourit, les yeux pleins de rêve. Elle attendait son premier enfant avec tant de bonheur. Pierre et elle avaient déjà aménagé une chambre au milieu de laquelle trônait un berceau recouvert d'une courtepointe rose et bleue. Elle meublait ses soirées à préparer la layette du bébé, tricotant des vestes de laine et cousant des couvertures et des robes de nuit. Déjà le trousseau de baptême était taillé dans un coupon de soie blanche qui avait coûté les yeux de la tête. Mais qu'importe, il n'y aurait rien de trop beau pour le premier petit Forêt.

— Dans moins de cinq mois. En février, plus précisément.

— Ah bon. Et… et votre sœur, comment va-t-elle ?

— Camille ? Elle va bien. Toujours chez Rose-Marie et Paul. Elle s'occupe des enfants et ça semble lui plaire. Mais Camille est plutôt renfermée, vous savez. Elle ne s'exprime pas beaucoup et on ne sait pas toujours ce qu'elle pense. Je ne la vois pas souvent, à vrai dire. Pas assez souvent !

— Et… Marguerite ?

Antoine se garda bien de manifester l'inquiétude qui lui donnait mal au ventre. Il n'avait pas le droit d'exprimer le désarroi qui l'étouffait depuis la fin de juin, quand Marguerite avait déposé pour lui un trop court message sur le perron du presbytère pour l'avertir de son mystérieux départ. Comment avait-elle pu le laisser tomber aussi platement sans plus d'explications ? Il s'était senti tellement dérouté. Frustré, même ! Anne ne lui en avait guère dit davantage, le dimanche suivant, sur cette échappée vers le Canada qu'il avait interprétée comme un abandon pur et simple. Et depuis ce temps, il se morfondait. Aucun signe, aucune nouvelle, rien n'était venu l'éclairer à part cette fameuse lettre de rupture jetée méchamment au feu, la veille, par un père Garin en colère. Maudit soit cet homme qui l'avait empêché de comprendre le pourquoi de cette désertion !

La lettre comportait plusieurs feuillets, il avait eu le temps de le remarquer au milieu du brasier. Sans doute lui expliquait-elle les raisons de son départ et de sa décision de ne plus revenir. Les raisons, surtout, de son renoncement à leur bel amour. Après tout, on ne termine pas une relation aussi profonde, si interdite soit-elle, en s'enfuyant sans vraiment fournir d'explications. Qu'est-ce donc qui avait pu déclencher ce brusque revirement ? L'aurait-il blessée sans s'en rendre compte ? Avait-il fait un geste maladroit ou inconvenant ? Qui sait si devant la découverte du pot aux roses par quelqu'un, elle ne s'était pas enfuie au loin, écrasée de honte…

Il n'en pouvait plus de s'interroger et d'attendre. Après tout, il avait bien le droit de savoir. Au moins ça! Ces explications, Marguerite les lui devait, même si au bout du compte il admettait qu'elle avait pris une sage décision. Pour elle et pour lui. Hélas! il ne savait même pas où la retrouver. Quelle raison inventer pour obtenir son adresse sans qu'Anne se doute de quelque chose?

Anne ne vit pas la lèvre de l'homme trembler et son pied s'agiter avec frénésie, et elle répondit avec une certaine indifférence.

— Ma sœur? Oh… elle va bien, je pense.

— On ne l'a pas vue depuis un bon bout de temps à l'église. Et les religieuses m'ont dit hier qu'elle ne reviendrait plus à l'école. Je trouve ça plutôt surprenant.

— C'est normal, elle est actuellement au Canada.

— Elle a donc renoncé à son poste d'enseignante? Elle adorait ça, pourtant!

— Ah! ça…

— Où se trouve-t-elle, au Canada? Habite-t-elle maintenant là-bas en permanence?

Devant tant d'insistance, Anne résistait difficilement à ne pas livrer son secret, ce secret qui l'étouffait et empoisonnait ses pensées depuis bientôt trois mois. Sa sœur se trouvait seule, au loin et à l'abri des regards avec, elle aussi, un bébé qui grandissait dans son ventre. Mais Marguerite, elle, n'avait pas le droit de se réjouir, couverte de honte et morte de peur. Et elle était partie sans laisser d'adresse, sans même lui révéler le nom du père de son bébé. Et elle n'avait pas donné signe de vie de tout l'été. Anne s'était rongé les sangs et avait vu sa joie d'attendre un enfant ternie par ces préoccupations au sujet de sa sœur.

Et voilà qu'hier, enfin, enfin, une lettre était arrivée. Et, à la fin de la trop courte missive, une adresse. Celle d'un certain Rémi Beaulieu qui acceptait de s'occuper du courrier de Marguerite. Briè-vement et sans se plaindre, l'aînée racontait son quotidien à l'hôpital de la Miséricorde, toujours sans signaler le nom du géniteur. Avec épouvante, Anne avait décelé, entre les lignes, la misère de sa sœur.

Si, au bout de l'exil, elle-même avait réussi à se sortir de toutes ces années d'horreur, Marguerite, elle, vivait encore l'abomination.

Elle s'effondra devant un Antoine complètement dérouté.

— Puis-je vous révéler un secret, mon père ? Je sais que les prêtres sont liés par le secret de confidentialité.

— Bien sûr, mon enfant.

Sans s'en rendre compte, Antoine avait repris sa voix paternelle de vicaire.

— Pour être franche, Marguerite ne va pas très bien. J'ai enfin reçu une lettre d'elle, hier, la première depuis son départ. Je ne savais même pas où elle se trouvait.

Antoine la dévorait des yeux. Si elle avait porté plus d'attention, elle aurait pu entendre le cœur du jeune homme lui marteler la poitrine à un rythme effréné. Mais elle enchaîna, emportée par son propre chagrin.

— Ma sœur se trouve dans un refuge pour filles-mères. Elle est enceinte de quatre mois, exactement comme moi.

Bien malgré lui, Antoine tressaillit, et Anne mit cette réaction sur le compte de la répugnance qu'inspirait un tel péché à un religieux. L'homme se tourna vers la vitrine et porta une main à son front. Quel imbécile il faisait ! On n'accomplit pas des gestes de procréation sans qu'ils aboutissent, tôt ou tard, à… la procréation ! En dépit de toutes les précautions qu'il croyait naïvement avoir prises. Pourtant, durant les derniers mois, il avait largement ralenti la fréquence de leurs rapports sexuels, convaincu que tôt ou tard, il devrait y mettre un terme définitif. Bien sûr, il suffisait d'une seule petite fois… Après quelques instants, il réussit à se ressaisir.

— Marguerite enceinte, voilà qui est surprenant ! Je comprends mieux, maintenant, sa fuite précipitée.

— Eh oui… Le père du bébé pourrait au moins prendre ses responsabilités. Mais on ne l'a pas vu dans le décor depuis des mois. Sans doute s'est-il sauvé en apprenant la nouvelle. À vrai dire, je n'en ai pas la moindre idée. Marguerite est partie si vite qu'elle ne m'a rien dit.

— Qui ça, le père ?

— Mais Hugo Duduque, voyons !

— Hugo Dubuque ! C'est Marguerite qui vous a dit ça ?

— Elle n'a pas eu besoin de le dire ! C'était facile à deviner : le bel avocat lui contait fleurette depuis des mois. Il l'avait même demandée en mariage !

— Quoi ? Il l'avait demandée en mariage ?

— Eh oui ! Il avait promis de l'attendre aussi longtemps qu'il le faudrait. Au début, je croyais qu'elle était allée se marier secrètement avec lui au Québec. Ces deux-là filaient peut-être le parfait amour quelque part à notre insu, allez donc savoir ! Et je me sentais frustrée de ne pas avoir été mise au courant. Mais je devais me tromper puisque, selon sa lettre d'hier, elle fait partie du groupe de pénitentes d'un hôpital pour filles-mères. Quant à ce monsieur Dubuque, ce cher ami de mon mari, personne ne l'a revu depuis des mois.

Ahuri, Antoine se dirigea vers la sortie. C'était plus qu'il ne pouvait en supporter. Un peu plus et il allait vomir. Hier, l'annonce brutale de la rupture et, ce matin, la fécondation par un autre homme ! Tout à coup, Marguerite lui apparaissait comme une fille facile, une dévergondée qui l'avait trompé honteusement avec un autre pendant qu'elle lui faisait croire à sa fidélité. Une tricheuse ! Elle n'avait qu'à en prendre son parti, la diablesse ! Qu'elle s'arrange ! Elle avait tout ce qu'elle méritait ! Et tant pis pour elle !

Et pourtant non. Malgré la révolte qui grondait, tout son être avait envie d'appeler Marguerite et de la prendre dans ses bras. « Mon amour, mon amour, pourquoi m'as-tu fait ça ? Je croyais en toi, moi ! Ne savais-tu pas que je t'aime pour l'éternité ? » Hélas, non seulement Marguerite l'avait trompé, mais, hier, dans une lettre qu'il ne lirait jamais, elle l'avait laissé tomber platement comme une vieille croûte. Mademoiselle préférait vivre son drame en paix, toute seule là-bas, loin de ses deux amants. Ou de l'un d'eux. En tout cas, loin de lui, Antoine Lacroix.

Il ne demanda pas à Anne l'adresse de sa sœur. Dire que quelques minutes plus tôt, il se sentait prêt à mentir pour l'obtenir… Tant pis pour Marguerite Laurin, il mettait maintenant une croix sur elle.

Et, au fond, mieux valait ainsi. Il pourrait alors vraiment recommencer sa vie à zéro, sans amour et sans attaches. Sans attaches?

En se retournant, il aperçut le visage tourmenté d'Anne. Il n'était pas le seul à souffrir à cause des silences de Marguerite. Ah! ces petites Laurin… Comment arriverait-il à s'en détacher? Il revint sur ses pas et déposa un baiser sur le front de la jeune femme, fort surprise de voir un prêtre agir de la sorte.

— Bon courage, ma chouette. Et bonne chance avec le bébé. Je repasserai peut-être, un de ces jours.

Il se dirigea vivement vers la porte. Il avait besoin d'air frais.

26

Quand Marguerite demanda à ses élèves les plus avancées, dans le cadre de ses cours de français, d'écrire une courte histoire inventée de toutes pièces, l'une d'elle se rebiffa et se mit à geindre devant sa plage blanche.

— Je n'y arrive pas, mademoiselle. Une seule histoire m'intéresse pour le moment et elle est vraie. Je voudrais m'en aller, s'il vous plaît.

— Dans ce cas, Béatrice, délivre-toi de cette histoire obsédante sur le papier, ça va te faire du bien. On va faire comme s'il s'agissait d'une fiction. L'important est d'apprendre à raconter une anecdote par écrit. Tu vas voir, une fois commencé, ça va tout seul.

— Je vous en prie, laissez-moi partir.

— Pour aller où ? Tu n'as pas le droit de quitter l'hôpital, tu le sais bien. Combien de temps te reste-t-il à travailler ici pour rembourser les sœurs ? À moins de décider de rester chez les Madeleines…

— Trois mois encore. Trois longs mois.

— Tu travailles à la buanderie, je crois ?

— Non, je suis nourrice à la crèche. Mais je ne veux plus faire ce travail, je n'en suis plus capable. J'ai fait une demande de mutation et on m'a obligée à venir suivre vos cours en attendant de prendre une décision à mon sujet. Mais, aujourd'hui, je voudrais me reposer. Je me sens malade, vous comprenez ? J'ai mal aux seins et…

— D'accord. Tu peux sortir mais n'oublie pas d'aviser la directrice avant de monter au dortoir.

Prise par son travail, Marguerite oublia l'incident du matin. Deux heures plus tard, une rumeur terrifiante se répandit au réfectoire. Une jeune fille venait de faire une tentative de suicide dans la deuxième salle des dortoirs. À l'aide de draps attachés les uns aux autres, elle avait réussi à former un nœud coulant et à les suspendre à un crochet du plafond. Après avoir passé le nœud autour de son cou, elle s'était lancée dans le vide en renversant la chaise sur laquelle elle avait grimpé. Mais, dans sa malchance, ou était-ce une chance ? le crochet n'avait pas tenu et elle en avait été quitte pour une peur bleue et quelques contusions.

Attirée par le bruit, la sœur de garde, aidée d'une compagne, n'avait trouvé rien d'autre à faire que de bâillonner la jeune fille en état de crise. Elles l'avaient attachée sur un lit et lui avaient enfoncé une serviette dans la bouche pour l'empêcher de hurler.

En entendant raconter cette atrocité, Marguerite ne mit pas de temps à établir un lien entre la suicidaire et la jeune fille qui le matin même pleurait sur son pupitre. Sans hésiter, elle prit ses jambes à son cou et grimpa à toute vitesse les escaliers jusqu'à l'étage des dortoirs. De loin, la mince silhouette de la patiente agitée sur son lit et surtout son abondante chevelure noire éparpillée sur l'oreiller confirmèrent ses doutes. Béatrice !

Légèrement essoufflée, Marguerite s'approcha du lit en faisant fi du regard désapprobateur des deux religieuses.

— Béatrice ? C'est moi, ton institutrice. Calme-toi, ma douce amie, calme-toi. Tout ça est de ma faute. Je n'aurais pas dû m'entêter à te demander d'écrire ton histoire. Et encore moins te laisser partir toute seule durant les heures de classe en dépit du règlement. Je ne me doutais pas que… que tu allais si mal !

Mais l'adolescente semblait ne rien entendre, livrée à une agitation démente. Elle secouait la tête de tous les côtés en émettant des grognements alarmants. Marguerite posa une main douce et chaude sur le front de la jeune fille qui sembla y trouver un peu d'apaisement.

— Écoute-moi, Béatrice. Si tu arrives à te détendre, je vais t'enlever cette serviette qu'on t'a mise dans la bouche. Et on va se parler, toi et moi, comme de bonnes vieilles amies, tu veux bien ? Tu vas tout me raconter, tout me dire. À moi toute seule. Tu vas me confier ce que tu as sur le cœur, pourquoi tu ne veux plus travailler comme nourrice et pourquoi tu veux mourir. Et ça restera entre nous deux car je vais demander aux deux gardiennes de s'éloigner, d'accord ? Comprends-tu bien ce que je te dis, ma chérie ?

La pauvresse poussa un soupir, les yeux braqués sur Marguerite, et battit lentement des paupières pour marquer son assentiment. Prises au dépourvu, les deux religieuses chargées de la garde ne savaient comment réagir. Mais sous le regard insistant de Marguerite, elles prirent le parti de se relever, non sans avoir retiré la masse de tissu de la bouche de la malheureuse afin de vérifier son état. Elles insistèrent cependant pour la maintenir immobilisée sur son lit. Béatrice ne broncha pas et garda le silence. Mais au moment où elles s'éloignaient dans un froissement de jupes, elle cracha dans leur direction. Marguerite feignit de n'avoir rien vu et se mit à jouer doucement, du bout des doigts, dans la chevelure emmêlée de la jeune fille.

— Tu es si belle et si jeune, Béatrice, et tu as toute la vie devant toi. Tu n'as pas le droit de gaspiller ça. Pour l'instant, c'est la tempête, mais les orages ne durent pas éternellement, tu sais. Le beau temps finit toujours par revenir. Il faut croire en ta bonne étoile, je t'assure.

En prononçant ces paroles de sagesse de sa voix la plus douce, Marguerite avait l'impression de les prononcer autant pour elle-même que pour son interlocutrice.

— Je veux mon bébé. Je veux ma petite fille.

— Ton bébé ? Mais… ne l'as-tu pas donné à l'adoption ?

— Oui. Ma fille se trouve à la crèche et il arrive que, sans se rendre compte que c'est la mienne, on me l'apporte pour l'allaiter. Je veux la ravoir, je la veux, je la veux ! Elle est à moi, et je l'aime…

L'adolescente recommença à se débattre, et Marguerite lança un regard inquiet du côté des deux religieuses faisant sentinelle à l'autre extrémité du dortoir, l'œil écarquillé et l'oreille aux aguets.

— Chut! Garde ton calme sinon les deux espionnes vont s'approcher. Je ne comprends pas. Tu allaites parfois ton bébé? Comment ça? Explique-moi…

Béatrice raconta que pour s'acquitter de sa dette envers la communauté religieuse, elle avait accepté, après son accouchement, de servir de nourrice pour les bébés de la crèche pendant une durée de cinq mois au lieu de fournir les six mois habituels de travaux domestiques. Toutes les trois ou quatre heures, on lui apportait donc un bébé pris au hasard. Or, la jeune nourrice avait, à quelques reprises, reconnu sa fille pour laquelle elle s'était prise d'affection au point de vouloir maintenant la reprendre.

— Je l'aime tant, Marguerite. Je ne veux plus la donner. Je veux la garder avec moi pour toujours.

— Es-tu certaine que c'est bien elle?

— Oh oui! Je l'aurais reconnue entre toutes même si je ne l'ai aperçue qu'une seconde lors de la naissance. Sa tête ronde, ses yeux en amande, ses grosses bajoues comme celles de son père, ce menton avec un petit creux au milieu, ce sont des traits de famille indéniables, ça! Ma fille ressemble à l'homme que j'aime, Marguerite, et que j'aimerai pour le restant de ma vie. Elle m'appartient, cette enfant-là. On m'a conseillé l'adoption avec tellement d'insistance que je n'ai pas eu le choix de m'y résoudre.

— As-tu les moyens pour l'élever au moins?

La jeune fille se contenta de remuer négativement la tête en poussant un soupir. Marguerite, saisie de compassion, réprima un élan du cœur pour laisser plutôt parler sa raison, bien consciente de jouer un rôle de mère bien plus que d'amie auprès de Béatrice.

— Je pense que malgré tout, les religieuses n'avaient pas tort. Tu dois penser à ta fille, Béatrice, et à son bonheur. Pas à toi. Elle n'a pas demandé à vivre, cette petite-là, et elle a droit au bonheur comme tous les autres bébés du monde. Un jour, un homme et une femme qui n'arrivent pas à avoir d'enfant la choisiront sans doute et l'aimeront comme de vrais parents. Ils l'élèveront normalement dans une vraie famille. Peut-être même adopteront-ils d'autres enfants pour lui donner des frères et des sœurs. Quel âge as-tu, Béatrice?

— Quatorze ans, bientôt quinze.

— Tes parents sont-ils au courant de ce qui t'arrive présentement ?

— Oui, ils m'ont mise à la porte. Ils ne veulent plus me voir.

— Et le père du bébé ? Tu dis l'aimer encore ?

— C'est le voisin. Il a déjà trois enfants et sa femme ignore tout. Mais je l'aime tant, Marguerite, je l'aime tant ! Il m'avait promis de les quitter pour venir vivre avec moi, dans une vraie maison pour fonder une vraie famille dans un autre village. Mais quand je lui ai annoncé attendre un bébé, il a changé d'idée. Il ne veut plus de moi, je pense.

— Il ne t'a même pas laissé un peu d'argent, je gagerais !

— Non, rien. Ni lui ni mes parents. Je ne possède rien, absolument rien. Je n'ai rien ni personne. Seulement ma petite fille…

Béatrice se remit à sangloter doucement, tout bas. Du fond du dénuement le plus total, elle n'arrivait plus à hurler tout haut la démesure de son désespoir. Marguerite regardait couler ces larmes silencieuses comme si c'étaient les siennes. À part six ans d'écart, il n'y avait pas beaucoup de différence entre elle et l'adolescente. Même amour impossible, même pauvreté, même noirceur à l'horizon. Même solitude aussi. Chère petite Béatrice ! Personne pour lui ouvrir les bras à part une parfaite inconnue aussi tourmentée qu'elle !

Marguerite non plus ne savait pas où elle s'en allait, en vérité. Six ans de plus et un peu plus d'expérience de la vie, un diplôme d'enseignante en poche, deux sœurs à Lowell et un père en prison suffisaient-ils à établir une véritable différence ? Non ! Marguerite Laurin se trouvait dans le même pétrin que cette jeune fille.

Elle prit la main de l'adolescente toujours ligotée et la caressa affectueusement.

— Il faut te montrer courageuse, Béatrice, et regarder en avant. La vie ne s'arrête pas aujourd'hui. On doit continuer bravement, toi et moi. Un jour, tu auras un mari qui t'aime, d'autres enfants, un foyer. Un jour, tu seras sereine et fière de penser à ton aînée, heureuse quelque part dans le monde grâce à ton admirable sacrifice d'aujourd'hui. Dieu te le rendra au centuple, Béatrice, sois-en assurée. Du moins les curés le prétendent-ils…

Marguerite songea un instant à l'aumônier de l'hôpital, un vieux prêtre pourtant sympathique avec lequel elle gardait ses distances. Pas question de lui révéler la vérité à son sujet. C'était risquer de semer des soupçons au sujet du père Lacroix. Son secret, elle devait le garder pour elle seule. Ce cher Antoine qui s'obstinait à ne pas répondre à ses lettres pour une raison inexplicable… À plusieurs reprises, depuis le début de septembre, elle lui avait écrit sans recevoir de réponse. Le docteur Beaulieu avait pourtant juré ne pas avoir oublié de mettre les enveloppes à la poste.

Béatrice buvait les paroles de Marguerite comme de l'eau de source et commença à s'apaiser, totalement épuisée par les heures pénibles qu'elle venait de vivre.

— Réfléchis bien. Pour le moment, tu n'as pas le choix d'abandonner ta petite fille. Mais, pour l'amour du ciel, cesse de tourner le fer dans la plaie en voulant l'allaiter chaque jour ! Mieux vaut écouler tes journées à la buanderie un mois de plus que de te morfondre devant la porte de la pouponnière en espérant la revoir chaque fois qu'on t'apporte un bébé, tu ne penses pas ? Regarde où ça t'a menée… Viens, je vais te détacher et allons trouver ensemble les deux gardiennes pour leur dire que tu vas mieux.

Béatrice acquiesça tristement et Marguerite s'empressa de défaire les liens qui la retenaient au lit. Un fois debout, un vertige ébranla la jeune fille et elle tomba dans les bras de sa nouvelle amie qui eut l'impression de recevoir toute la souffrance du monde.

Ce soir-là, Marguerite s'attarda plus longtemps qu'à l'accoutumée à la chapelle, après la prière. Les yeux clos et les mains croisées sur sa poitrine, elle se jura, une fois de plus, de ne jamais abandonner son enfant, dût-elle quêter sa pitance au coin des rues, dût-elle demander la charité dans quelque hospice ou refuge pour marginales, dût-elle dormir à la belle étoile ou se faire voleuse ou prostituée. Elle quitta la chapelle la tête haute, habitée par le sentiment d'avoir conclu un pacte avec Dieu. Si elle avait le courage et la grandeur de tenir sa décision, il ne l'abandonnerait pas. Parce que lui, il savait pardonner.

Et peut-être lui ramènerait-il son Antoine très bientôt ?

27

Lowell, 21 octobre 1887

Ma chère Marguerite,
Quel bonheur de recevoir plus régulièrement de tes nou-
velles! Après un été complet de silence, tu me vois ravie de te
lire, même si tes quelques lettres ne m'ont pas donné beaucoup
de précisions sur ton existence là-bas. Qui est donc ce Rémi
Beaulieu chez qui je dois adresser mes réponses? Un ami? Un
protecteur? Un nouvel amoureux? Quand, ma grande sœur,
vas-tu enfin me parler des «vraies affaires» au lieu de
m'entretenir de la température qu'il fait à Montréal et des
cours de français que tu donnes à tes Madeleines?
Tu me manques énormément et je pense souvent à toi,
d'autant plus que je te sais «en famille» comme moi. Ta taille
doit sûrement s'arrondir un peu plus chaque jour comme la
mienne. J'ose à peine te dire à quel point cela me rend heu-
reuse. Ça grouille là-dedans et cela me fait tout drôle. J'ai
maintenant cessé de travailler à La-Par-botte. Pierre préfère
me voir au repos à la maison.
En revanche, je trouve les journées longues, mon homme
s'absente trop souvent à cause de son travail au journal.

L'actualité continue de s'alimenter de disputes entre Irlandais et Canadiens français. On a encore désigné un évêque irlandais au diocèse de Boston pour succéder à Mgr Hendriken, décédé l'an dernier. Tu imagines les cris de protestation des catholiques francophones de la Nouvelle-Angleterre! Encore une fois, les contestataires se sont rendus jusqu'à Rome. On a finalement gagné notre cause et un autre archevêque a été nommé. Même irlandais, celui-là se montre au moins sensible à notre cause. Il parle même le français. Autre nouvelle: la construction du nouveau presbytère Saint-Jean-Baptiste est enfin terminée, et nos prêtres s'apprêtent à déménager. Une annexe servira aux Petites Sœurs de la Sainte Famille. Bref, tout cela tient mon journaliste préféré fort occupé.

T'ai-je dit qu'un jeune couple nouvellement arrivé de Pologne a loué ton logement dès la première semaine après ton départ? Cela me rend nostalgique de passer devant le magasin et notre ancien appartement. Ces lieux sont déjà chose du passé. Malgré tout, nous y avons écoulé des jours heureux, n'est-ce pas?

À part ça, rien de neuf. J'ai écrit à papa mais il ne m'a pas répondu, comme d'habitude. Quant à Camille, je l'ai rencontrée à l'église, dimanche dernier. Elle te salue. Toujours égale à elle-même, la petite sœur : une princesse enfermée dans sa tour d'ivoire. Pas moyen de connaître le fond de sa pensée, celle-là! C'est fou, je sens notre famille tellement éparpillée par les temps qui courent que souvent il me vient des vagues de mélancolie difficiles à supporter.

Parlant d'église, j'ai oublié de te dire que notre cher père Lacroix a délaissé la paroisse le mois dernier pour des raisons de santé. Il est, semble-t-il, retourné au pays pour se faire soigner. Le père Garin l'a annoncé, à la fin de septembre, durant l'homélie du dimanche, sans donner plus de précisions. Le père Lacroix est d'ailleurs passé au magasin pour me saluer juste avant de quitter Lowell. Il m'a paru triste et désemparé. Étrangement, il ne portait pas de soutane. C'est la dernière

*fois que je l'ai vu. Reviendra-t-il jamais, cet homme extra-
ordinaire qui nous a tant aidées? Toi surtout, Marguerite...
En tout cas, j'espère qu'il ne souffre pas d'une maladie trop
grave.*

*Voilà, c'est tout pour les nouvelles du moment. Je te sou-
haite d'être heureuse, ma grande sœur chérie. J'ai déjà hâte
de te voir revenir.*

Anne

Les yeux embrouillés, Marguerite lut et relut avec effarement les
dernières lignes. Ainsi, Antoine était malade au point de recevoir
des soins au Québec. Quelle abomination! Était-ce donc si sérieux?
Une recrudescence de la tuberculose, peut-être? Voilà donc la raison
pour laquelle il n'avait répondu à aucune de ses lettres. S'il fallait
qu'il meure... Marguerite secoua la tête. Ah! mon Dieu, non, pas
ça! Pas Antoine, mon amour.

Pourtant, à bien y songer, même malade, même mourant, il
aurait pu trouver le moyen de lui envoyer un mot pour la rassurer.
À tout le moins l'avertir. S'il avait trouvé suffisamment d'énergie
pour rendre visite à Anne lors de son départ, il était certainement
en mesure de répondre aux lettres d'amour de sa maîtresse écrites
hebdomadairement. Au pire, il aurait pu demander à quelqu'un de
le faire pour lui. À Anne, par exemple. Évidemment, elle ne connaissait pas leur idylle et le désir du vicaire d'écrire à Marguerite Laurin
l'aurait certainement intriguée.

Soudain, un puissant vertige s'empara de Marguerite, comme si
le plancher se dérobait sous ses pieds. L'évidence était là et lui crevait
les yeux: Antoine Lacroix ne voulait plus d'elle. Voilà la véritable
raison de son mutisme et de son entêtement à ne pas répondre à ses
lettres! Des lettres que le père Garin devait assurément faire suivre
à l'hôpital où il se trouvait... Sa maladie, elle n'y croyait pas. Il
devait s'agir d'une pseudo-maladie. Après tout, il savait bien qu'elle
portait son enfant, elle le lui avait écrit à plusieurs reprises. Il aurait
dû répondre. Régulièrement, elle lui avait exprimé son amour en

des pages vibrantes, lui jurant d'élever leur enfant sans jamais dévoiler le secret de ses origines.

Pourquoi, alors, ce silence inexplicable ? Un silence qui ressemblait à une fuite. En apprenant la grossesse de Marguerite, Antoine Lacroix avait vraisemblablement décidé de décliner ses responsabilités vis-à-vis d'elle et de se sauver au loin. Facile de feindre la maladie… Et même en supposant que le père Garin ait découvert la vérité à leur sujet et décidé de renvoyer son vicaire, pourquoi Antoine n'aurait-il pas avisé son amoureuse de son transfert ? Dans ses lettres, elle lui avait chaque fois indiqué une adresse où la rejoindre. Qui sait si ce n'était pas Antoine lui-même qui avait demandé à être muté dans une paroisse lointaine ? Parti incognito, le beau vicaire ! Lavé de tout péché ! Dire qu'il avait prétendu l'aimer pour l'éternité… Quel menteur ! Quel profiteur ! Quel monstre ! S'il l'avait encore aimée, il lui aurait fourni des explications. On ne quitte pas la femme de sa vie de cette façon. Surtout enceinte.

Et pourtant, elle l'avait bien fait, elle, au début de l'été. Partie de Lowell en ne lui laissant qu'un court message laconique. Et elle avait attendu plus de deux mois avant de lui donner signe de vie. De quel droit se permettait-elle de lui reprocher d'agir de la sorte ? Elle avait fait exactement la même chose ! Elle méritait bien son attitude indifférente. Mais de là à la laisser en plan…

Où retrouver Antoine maintenant ? Écrire à la maison-mère des Oblats de Marie-Immaculée ? Ou au couvent de Lévis où il avait passé sa convalescence la première fois ? S'il était réellement malade, peut-être allait-il mourir ? Comment le saurait-elle jamais ? Même le père Garin n'avait pas répondu à sa lettre.

Ce dimanche-là, assise sur le bord de son lit, Marguerite croyait vivre un cauchemar. Fini son bel amour… Elle se retrouvait maintenant toute seule au monde avec un bébé dans le ventre. Que s'était-elle donc imaginé ? Vivre le conte de fées d'Angelina et de son beau docteur ? Que son cher petit prêtre en or sonnerait un jour à la porte de l'Hôpital de la Miséricorde sans soutane, un bouquet de fleurs à la main ? Balivernes ! Chimères de petite fille naïve ! Il lui avait répété tout aussi souvent « Je suis prêtre pour la vie » que

« Je t'aimerai toujours ». La paternité avait dû l'effrayer et il s'était sauvé, aussi simple que ça ! Son sens du devoir l'avait emporté sur ses sentiments pour elle. Sentiments secrets et dégradants, sacrilèges…

Il s'avérait inutile de le rechercher, elle ne le retrouverait jamais. Et pourtant, quelque chose lui échappait dans toute cette affaire. Quelque chose de gros, d'horrible… Quelque chose d'incompréhensible.

Elle s'étendit sur le dos, les yeux rivés au plafond sur le trou béant laissé par le crochet arraché par Béatrice en essayant de mettre un terme à sa souffrance insupportable. Elle-même en était-elle rendue là aussi ? Peut-être bien. Oui… en finir une fois pour toutes avec cette vie de misère qui ne lui accordait pas de répit depuis le jour maudit où sa mère avait abandonné ses enfants pour un monde meilleur. Ah ! aller la rejoindre et se laisser bercer entre ses bras… Elle se mit à pleurer. « Maman-an… »

Le bébé perçut-il la détresse de sa mère ? Il fit un léger mouvement, et cette sensation d'une douceur infinie au tréfonds d'elle-même lui procura une consolation inespérée. Au fond, elle n'était pas seule, ce petit être dépendait d'elle et elle l'aimait déjà profondément. À cause de lui, et pour lui seul, elle n'avait pas le droit de se laisser abattre. Marguerite Laurin s'était toujours tenue debout dans l'épreuve, elle se devait de continuer. Pour l'amour de cet enfant et pour le souvenir de son géniteur qu'elle n'arriverait jamais à haïr.

Elle resta longtemps dans le silence du dortoir désert, en ce dimanche de grisaille où elle avait décidé de ne pas profiter de son unique heure et demi de liberté, fidèlement allouée chaque semaine par la directrice. Rémi était de garde dans un autre hôpital, ce jour-là, et il n'aurait pu la rejoindre, de toute façon. Elle aimait bien cet homme sobre et généreux. Lui et sa femme se liaient de plus en plus d'amitié avec elle, mais Marguerite ne s'expliquait pas bien leur si grande sollicitude. Sans doute par pure générosité, ces gens avaient-ils décidé d'adopter une des pénitentes de l'hôpital… Rien ne les obligeait à venir la rencontrer ainsi, de temps à autre, lors de sa promenade du dimanche.

Chaque fois qu'elle se trouvait en leur compagnie, elle avait l'impression de voir enfin du «vrai monde». Elle appréciait ces courtes rencontres comme un bain de fraîcheur et une occasion précieuse de se ressourcer. D'ailleurs, les jumelles qui lui tendaient les bras la confirmaient dans sa décision de garder son bébé. Quelles adorables frimousses et quels sourires candides! Dire que dans quelques mois, un tel trésor viendrait éclairer ses jours…

Il arrivait aussi à Rémi, à de rares occasions, de rencontrer Marguerite dans le silence de la chapelle. C'est dans ces moments-là qu'elle lui confiait ses inquiétudes. Elle se promit de lui parler du mutisme inexpliqué d'Antoine. Qui sait si le médecin ne lui donnerait pas quelques bons conseils? En plus de précisions sur la tuberculose. Si tuberculose il y avait, évidemment! Plus Marguerite y songeait, plus elle avait la conviction que tout était fini entre elle et Antoine.

Elle allait s'endormir quand elle sentit une main froide lui caresser maladroitement le bras. Elle sursauta. Béatrice venait de s'asseoir auprès d'elle.

— Tiens! Voilà ma petite sœur spirituelle! Comment vas-tu, ma belle Béatrice? As-tu enfin cessé d'avoir des montées de lait?

— Oui, oui, ça m'arrive encore d'avoir des pincements dans les seins quand je pense trop fort à elle. Mais ça va mieux. J'ai cessé mon travail de nourrice et je ne vais plus à la crèche maintenant, comme tu me l'as conseillé. On m'a envoyée à l'atelier de couture et, ma foi, je ne déteste pas ça.

Marguerite regarda la jeune fille d'un air perplexe. Avait-elle eu raison de lui conseiller d'abandonner son bébé? Qui était-elle donc pour jouer à la femme forte et à la sage conseillère, elle qui n'avait aucune idée sur son propre avenir?

Béatrice posa sur elle un œil attendri.

— Ça ne va pas très fort pour toi non plus, n'est-ce pas, Marguerite?

— Bah… Moi, ça va. C'est le père de mon bébé qui m'inquiète. Je pense qu'il ne veut plus de moi et ça me déroute un peu, je t'avoue.

— Tu m'as dit, l'autre jour, que le temps finit toujours par arranger les choses et que, toi et moi, nous sommes riches de jeunesse et d'avenir.

— J'ai dit ça, moi ? Mais oui, c'est vrai, tu as parfaitement raison ! L'avenir nous appartient. Et c'est nous qui le bâtissons. Attends une minute, j'ai quelque chose pour toi.

— Quelque chose ?

— Oui. Un cadeau.

— Un cadeau ? Je n'ai jamais reçu de cadeau. Pas même une seule fois dans ma vie.

— Attends, tu vas voir. C'est un beau cadeau.

Marguerite souleva son oreiller à la recherche de son ange de porcelaine. Elle lui donna un rapide baiser du bout des lèvres, puis elle le tendit à l'adolescente d'un geste décidé.

— Tiens, Béatrice, je te le donne. Garde-le précieusement, il s'agit d'un ange miraculeux. Il va te protéger. Et il a le pouvoir d'arranger bien des choses.

— Tu ne veux plus le garder pour toi ?

— Non.

28

La fête de Noël, à l'hôpital de la Miséricorde, se passait tristement, autant pour Marguerite que pour le reste des pensionnaires. Plusieurs gémissaient silencieusement dans leur coin. D'autres, au contraire, fanfaronnaient et riaient plus fort qu'il n'aurait fallu. Certaines avaient la chance de recevoir une visite, qui une mère, qui une sœur ou une connaissance s'étant déplacée pour apporter un peu de réconfort dans une boîte de bonbons enrubannée.

Mais ni Marguerite ni Béatrice ne furent appelées au parloir. Aucune d'elles n'attendait quelqu'un, de toute manière. À Joseph, Marguerite n'avait même pas songé à envoyer un message de bons souhaits. De son côté, Anne, enceinte de sept mois, ne se trouvait pas en état de se déplacer pour visiter sa sœur. Quant à Camille, la benjamine ne s'était pas donné la peine de répondre au petit mot affectueux rédigé par son aînée. Seule Rose-Marie lui avait fait parvenir, par l'entremise du docteur Beaulieu, une longue lettre quelque peu morose où elle faisait abondamment état de ses problèmes matrimoniaux au lieu de lui envoyer des vœux à l'occasion de Noël et du Nouvel An.

La pauvre se plaignait des trop longues absences de son mari devenu un homme d'affaires riche et important. Était-ce vraiment nécessaire de passer cinq ou six jours à New York ou à Boston pour conclure des marchés et signer des contrats ? D'autant plus que la merveilleuse invention du téléphone servait de plus en plus à régler des affaires rapidement sans nécessiter de déplacements. « *Et moi, je reste enfermée dans ma prison dorée avec mes trois enfants* », écrivait-elle. « *À bien y songer, je devrais peut-être retomber enceinte, mais Paul ne veut rien entendre. Heureusement que notre chère Camille se trouve auprès de moi. Sans le savoir, elle me ragaillardit par sa présence et l'innocence de sa jeunesse. Les enfants l'adorent. Et moi, le soir, je l'écoute pendant des heures s'exercer au piano et je me sens moins seule. Tu devrais l'entendre, elle est en train de devenir une pianiste hors-pair. Quand elle joue une sonate de Beethoven ou un nocturne de Chopin, c'est bien simple, je passe par la gamme de toutes les émotions !* »

Marguerite soupira en lisant ces lignes. Camille… une sœur, évidemment, mais aussi une étrangère. Elle mettait ce manque de communication sur le compte de ses années passées chez le docteur Lewis. Joseph l'avait laissée trop longtemps là-bas, en vase clos, enfermée dans une bulle aseptisée et confortable, certes, mais complètement coupée de sa famille. Camille n'avait pas grandi avec ses sœurs et n'avait pas connu leurs embûches ni partagé leur désarroi. Tous ces mois à la ferme de Jesse, l'entassement chez Léontine en même temps que la galère des manufactures, les disparitions mystérieuses et répétées de Joseph, puis les mois passés à la résidence de la Boott's, et enfin un travail plus décent pour chacune et l'autonomie durement gagnée dans leur petit logement au-dessus du magasin… Ces tribulations avaient amené les deux aînées à se soutenir mutuellement et à forger des liens qui ne concernaient nullement la benjamine.

Dieu merci, Camille n'avait manqué ni d'attention ni de tendresse. Mais, mis à part son terrible accident, on lui avait rendu la vie facile. Avait-elle été heureuse ? Lui était-il arrivé, certains soirs, de pleurer sur son oreiller l'absence de son père et de ses sœurs ? Et, à l'inverse, les deux grandes avaient-elles souffert de cette séparation ?

Honnêtement, Marguerite devait admettre avec le recul que, trop occupée elle-même à survivre, cet éloignement l'avait laissée plutôt indifférente à part, au début, une certaine envie devant les beaux vêtements de la plus jeune et, en vieillissant, devant la vie douillette et sécurisante qu'elle menait à Colebrook. Une envie nuancée, tout de même, par le contentement sincère de la voir, au moins elle! à l'abri de la misère. Et ce mélange de sentiments avait érigé, à la longue, une sorte de barrière mal définie, une barrière de silence et de distance qui n'avait jamais existé entre elle et Anne avec laquelle elle se sentait profondément unie pour le reste de son existence.

Cette chère Anne… Tôt ou tard, elle devrait lui dévoiler la vérité au sujet du père de son enfant, et ce temps approchait, elle le sentait bien. Sa sœur n'en croirait pas ses oreilles mais elle saurait se taire, Marguerite n'en doutait pas un instant. Quant à la duplicité qu'il faudrait bâtir ensuite autour de la présence d'un enfant dans sa vie, elle n'avait même pas osé y songer. Mais elle avait la certitude qu'Anne endosserait les mensonges et accepterait de les propager sans porter de jugement.

Isolée dans sa bulle au fond de l'une des berceuses de la salle commune, Marguerite n'avait pas prononcé une parole de l'après-midi. Si seulement ce Noël pouvait finir! Après la messe de dix heures à la chapelle, elle s'était retirée dans la pièce où elle enseignait, sous prétexte d'un travail à terminer. Une religieuse n'avait pas tardé à frapper à sa porte.

— Noël est une fête d'obligation comme un dimanche, ma fille! Travailler aujourd'hui constitue un manquement grave au quatrième commandement de Dieu. Un péché mortel. Je vous prierais de sortir de la classe.

Marguerite s'était contentée de hausser les épaules et avait suivi la religieuse sans protester. Au fond, elle n'avait pas envie de travailler et cherchait seulement une distraction, un dérivatif pour cesser de broyer du noir. Pour ne plus penser. Pour ne plus côtoyer d'autres femmes aussi navrées qu'elle. Ce jour de Noël constituait la limite précise qu'elle s'était donnée pour renoncer à attendre le retour d'Antoine. S'il n'avait pas donné signe de vie avant Noël, c'en était bel et bien terminé de son aventure avec le père Lacroix.

Irrémédiablement. Elle ferait alors tout en son pouvoir pour l'oublier à jamais.

Dans un dernier et insensé sursaut d'espoir, malgré ses vaines tentatives pour se convaincre du contraire, elle avait persévéré à croire que Noël aurait pu servir de motif au prêtre pour la retrouver et renouer avec elle. Après tout, elle lui avait envoyé l'adresse du docteur Beaulieu tant et tant de fois. Au pire, de l'endroit mystérieux où il se trouvait, il n'aurait eu qu'à s'adresser à Anne pour savoir où la rejoindre, à tout le moins pour obtenir une adresse où lui écrire. Au pire, pour demander de lui faire suivre son courrier.

Marguerite elle-même avait pris quelques initiatives pour le moins osées en écrivant au père Garin en personne pour lui demander où adresser « certains documents oubliés » appartenant au père Lacroix. Pour une raison demeurée inexpliquée, là encore, le curé s'était abstenu de lui répondre. Quant à sœur Sainte-Vitaline, du couvent de Lévis, elle l'avait assurée, dans une courte lettre accompagnée de ses meilleurs vœux, qu'aucun convalescent du nom de Lacroix ne séjournait dans l'hospice à l'heure actuelle. Pas plus qu'il ne se trouvait de patient de ce nom à l'Hôtel-Dieu et à l'Hôpital Général de Montréal, vérification faite par le docteur Beaulieu. Même à l'Hôtel-Dieu de Québec on lui avait répondu qu'aucun malade de ce nom n'y était hospitalisé présentement.

Ainsi, Antoine Lacroix avait bel et bien disparu. Disparu de la vie de Marguerite Laurin, mais aussi disparu de la circulation. Et s'il était disparu de la vie tout court ? S'il était mort quelque part, sans laisser de traces ? Elle n'osait y croire. Elle refusait d'y croire !

D'un autre côté, l'échéance venait de tomber. Peu importait la raison, en ce 25 décembre 1887, l'heure venait de sonner pour Marguerite Laurin de lever le couperet au-dessus de la tête d'Antoine Lacroix. Mort à son amour, mort à sa tendresse, le beau prêtre aux yeux bleus ! Et mort à son souvenir ! Marguerite voulait plus que tout oublier ces rares et sublimes instants vécus auprès de lui. Mieux valait éteindre ce feu qui la consumait toujours. Elle n'en pouvait plus. Le temps était venu de rayer de sa vie cet homme qui lui avait fait découvrir l'amour. Elle avait compris la leçon : elle devait maintenant tourner la page. Les cloches de Noël avaient sonné le glas, il fallait terminer la plus belle histoire d'amour du monde.

Mais comment se dire « plus jamais » et s'en convaincre ? Comment se retourner vaillamment, seule au monde et la mort dans l'âme ? Et se tourner vers quoi ? Marguerite serrait les dents et cherchait désespérément les réponses. Elle aimait la vie, pourtant, et savait puiser son bonheur dans les petites choses. Un jour, elle redeviendrait heureuse, il fallait y croire de toutes ses forces. Elle y mettrait le temps et l'énergie nécessaires. Après tout, elle avait peut-être le cœur déchiré, mais elle éprouvait une certaine plénitude quand elle mettait ses bras autour de son ventre.

Tout n'était pas fini. Au contraire, tout recommençait. Si Noël représentait la fête de la nativité, alors une nouvelle Marguerite Laurin venait de naître en ce jour même ! Meurtrie mais libérée. Avec un cœur neuf, un cœur de mère. Un cœur sans amertume dans une femme transformée qui, si elle ne croyait plus aux anges de porcelaine, faisait encore confiance à sa bonne étoile.

L'après-midi lui parut le plus long de l'année malgré les efforts de certaines pénitentes pour alléger l'atmosphère. L'une d'elles, à la jolie voix, entreprit de chanter des cantiques de Noël pour lesquels elle reçut peu de collaboration de la part des autres filles. Mais quand sa compagne se mit à turluter des chansons à répondre, l'assemblée se dérida quelque peu. Même sœur Sainte-Clothilde, dans un suprême effort de festivité, apporta un plateau de biscuits tenu à bout de bras comme le plus précieux trésor du monde. On délaissa les tricots pour finalement sortir les jeux de cartes.

Renfrognée dans son coin, Marguerite ne se mêla pas aux activités et nulle ne fut surprise de la voir se lever promptement en annonçant qu'elle s'en allait prier à la chapelle. Personne n'avait remarqué, à travers la vitre de la porte, le passage du docteur Beaulieu et, encore moins, son furtif signe de tête adressé à Marguerite.

La jeune femme pénétra sur la pointe des pieds dans le lieu de prières où Rémi se trouvait déjà agenouillé à l'endroit habituel, devant la châsse de sainte Marguerite.

— Joyeux Noël, ma chère amie !

— Joyeux Noël, docteur. Vous travaillez aujourd'hui ? Pas bien, ça ! Vous irez en enfer. Demandez à sœur Sainte-Clothilde.

— Le bon Dieu me le pardonnera bien ! Depuis que j'ai passé mes examens d'obstétrique, on ne me lâche plus. Que voulez-vous, les bébés ne connaissent ni l'heure ni la date… Comment va votre moral ?

— Euh… ça va, ça va. C'est le jour de ma naissance, aujourd'hui.

— Pour vrai ? Vous êtes née un 25 décembre ?

— Non, pas vraiment. C'est-à-dire que… je viens de naître aujourd'hui ! Vous avez devant vous la toute dernière version de Marguerite Laurin, une Marguerite qui ne pleurera plus et n'attendra plus personne sauf son petit. N'est-ce pas merveilleux ?

— Si je comprends bien, il s'agit d'une excellente nouvelle. Vous savez, mourir d'amour me paraît la chose la plus triste du monde.

— Ne vous inquiétez pas, je ne vais pas mourir d'amour. C'est déjà fait ! Mais je viens de ressusciter, en ce jour même. Et je me sens d'attaque pour repartir à neuf. Vraiment à neuf !

— Eh bien, il faut fêter ça, ma chère ! Voilà, c'est pour vous, de ma part et de celle d'Éva.

Rémi Beaulieu prit un air mystérieux et tira d'un sac déposé à ses pieds une boîte enveloppée de papier bleu. Marguerite observa les traits fins et réguliers du médecin, ce regard doux, ce sourire toujours avenant, ces mains qu'elle n'avait jamais touchées. Des mains habiles qui réparaient les blessures et mettaient les bébés au monde… Quel homme extraordinaire !

Un cadeau ! Marguerite n'en revenait pas. Quelqu'un avait pensé à elle pour Noël. Elle qui se croyait toute seule au monde. Elle ne repartait pas à zéro, elle avait un ami. Un vrai !

— Comme c'est gentil ! Je me sens tout émue.

La boîte contenait du papier à lettre magnifique, une douzaine d'enveloppes et autant de timbres.

— Ainsi, vous n'aurez pas à attendre après moi pour poster vos lettres, les dimanches où ma femme et moi serons occupés ailleurs.

Était-ce l'émotion de recevoir une si jolie étrenne ou celle, plus vive, de palper l'amitié sincère de cet homme ? Ou était-ce plutôt la victoire de sa raison sur son cœur, durement acquise au cours de la journée, ou encore le grand chambardement dans ses pensées et ses objectifs de vie ? Elle se mit à pleurer comme une petite fille, d'abord faiblement puis à gros bouillons, incapable de s'arrêter. Le médecin n'osa la toucher, de peur que quelqu'un ne pénètre à l'improviste dans la chapelle, mais il trouva les mots apaisants. Sans s'en rendre compte, il se mit à la tutoyer.

— Pleure, Marguerite, vide-toi enfin de tout ce qui te fait mal. Tu sais, les nourrissons pleurent toujours à leur arrivée au monde. Puis, tout doucement, ils s'apaisent et s'endorment sur le sein de leur maman. Tu viens de naître, tu l'as dit tantôt, et cela ne se produit jamais sans douleur. Te voilà en ce moment à la fois bébé et maman. D'où ce grand bouleversement. Il te faudra grandir vite, ma bonne amie, car à partir de maintenant, il te reste seulement deux mois pour te métamorphoser en véritable mère et attendre ce petit-là avec une joie sincère, comme toutes les mamans du monde.

— Vous pouvez compter sur moi, je vais y mettre toutes mes énergies !

Ce soir-là, Marguerite monta au dortoir plus tôt que ses compagnes sous prétexte d'un mal de tête. Elle se jeta sur son lit, complètement épuisée. En palpant son oreiller, elle trouva dessous un paquet maladroitement emballé dans du papier brun. Il contenait un joli ensemble de laine pour nourrisson, tricoté à la main. Une note s'y trouvait épinglée.

Joyeux Noelle Margerite
Tu est pour moi non seulment une ami mais une vrai
mère Une merveilleuse maman.
Je t'aîme,

Beatrice

29

« Sur le pont d'Avignon, on y danse, on y danse… »
Personne, parmi les invités, ne savait où se trouvait le pont d'Avignon, pas plus que Saint-Malo, beau port de mer, mais les mots des chansons, tous les connaissaient par cœur. Rassemblés autour du piano, c'était à qui chanterait le plus haut et le plus fort. On se regardait dans les yeux, on ébauchait des sourires, on se rapprochait, on se tenait par le bras et on se dandinait au rythme de la *toune*. Par ces gestes et par ces chants, on exprimait le besoin inconscient de se sentir comme autrefois, chez soi, solidaires les uns des autres et unis par un même héritage folklorique.

Nostalgie des temps passés dont on n'a retenu, en ce matin du jour de l'An, que les éléments positifs… La bénédiction paternelle, les étrennes des enfants, les cretons et la tête fromagée, les visiteurs qui se suivent à la *queue leu leu*, les robes neuves des cousines, les commérages des *matantes*, les éclats de voix de *pépère*, les interminables discussions sur la politique autour d'un *p'tit blanc*, puis les chansons et les danses aux accents d'un *violoneux*, sans oublier l'incontournable partie de cartes… Comment auraient-ils pu oublier cela, tous ces descendants d'ancêtres français en train de se transformer en Américains ?

Ils avaient jadis eu le temps de se forger une personnalité bien à eux, dans ce vaste pays de neige où ils étaient demeurés profondément français en dépit de la domination britannique depuis près de cent vingt-cinq ans. Et maintenant, perdus dans une mer anglophone à des centaines de milles de distance, ils l'appelaient toujours « chez nous », cette grande étendue de terre sauvage trop souvent inhospitalière. Au fond, ceux qu'on surnommait méchamment « les Chinois de l'Est » demeuraient profondément canadiens.

Et si, sur les coins de rues de Lowell, on commençait à voir certains jeunes Québécois parler anglais entre eux, si on trouvait maintenant des journaux américains dans plusieurs logements du Petit Canada, si certains immigrés francophones envoyaient, par choix, leurs enfants à l'école publique anglaise dans le but avoué de leur faire apprendre la langue du pays d'adoption, si Magloire Ducharme, un Canadien français, avait été nommé, l'année précédente, juge de paix en Nouvelle-Angleterre, si les statistiques prétendaient que maintenant, une seule famille québécoise sur cinq était rapatriée, ceux que Paul et Rose-Marie avaient réunis, ce jour-là, pour le dîner du jour de l'An, en ce premier janvier 1888, avaient bien l'intention de conserver leurs coutumes et leurs valeurs. Bien sûr, Paul Boismenu, alias Smallwood, avait anglicisé son nom pour les besoins de sa *business*, mais qu'importe, lui et sa femme élevaient leurs enfants en français comme le reste de leurs amis. Ce cher Paul qui, aujourd'hui, tenait à peine sur ses pieds tant il avait bu…

Quand vint le temps de chanter le Gloria dans *Les anges dans nos campagnes*, son ami Pierre Forêt et lui sortirent leur plus belle voix de ténor, et la chorale improvisée se surpassa. Les applaudissements fusèrent et enterrèrent le martèlement répété sur la porte d'entrée. C'est le petit Patrick qui vint tirer sur la jupe de sa mère pour l'avertir que des visiteurs se pointaient. Ces derniers, un homme et une femme, ne se firent pas prier pour pénétrer dans la maison et secouer leurs pieds couverts de neige sur le tapis du vestibule.

— Salut la compagnie !

Cette voix… De loin, Anne reconnut immédiatement l'homme vêtu de son capot de chat, la moustache frétillante et l'œil brillant. Elle ne put retenir un cri.

— Hugo Dubuque!

Paul, ému par cette visite impromptue, se retourna d'un bloc et faillit perdre l'équilibre. Il s'agrippa au bras de son ami plutôt qu'il ne lui serra la main.

— Ah ben, ça parle au diable! Un revenant! Comment ça va, mon vieux?

— Ça va bien, ça va même très bien. Je vous présente ma fiancée, la plus gentille femme d'Amérique. Ma chérie, voici mes bons amis Rose-Marie et Paul Boismenu, Anne et Pierre Forêt, et la pianiste, euh… Camille, si je ne me trompe pas? Les autres sont, je crois, des amis de la famille Boismenu.

Anne fit un effort surhumain pour tendre la main de façon naturelle à l'intrus. Quoi! Cet hurluberlu avait le toupet de se présenter avec une autre femme, une Irlando-Américaine de surcroît, pendant que Marguerite croupissait seule et couverte de honte à Montréal en portant son enfant! Quel effronté! Quel sans-cœur! Il n'avait donc pas de conscience? Quant à la fiancée, Anne se contenta de lui tourner le dos après l'avoir saluée froidement d'un signe de tête qui en disait long sur son antipathie.

Puis elle alla se réfugier dans un coin du salon pour l'observer de loin de pied en cap. Pouah! Cette courtaude mal attifée n'arrivait pas à la cheville de sa sœur! Dire que c'est Marguerite qui aurait dû se trouver au bras d'Hugo, heureuse, épanouie, un anneau au doigt et le ventre fièrement proéminent. Au lieu de cela, le monsieur, libre et libéré de toute responsabilité, se promenait la tête haute avec sa donzelle comme les riches Américains promènent leur chien. Anne n'allait tout de même pas faire des guili-guili à cette pimbêche! Elle détestait les caniches…

À la vérité, aucune des personnes présentes, à part son propre mari, n'était au courant de la situation de Marguerite. Anne avait réussi à garder son secret depuis le début de l'été. Même Camille et Rose-Marie ne savaient rien. Anne leur avait raconté que, partie en vacances à Montréal, tel que prévu, Marguerite avait rencontré par hasard la directrice d'une importante institution pour jeunes filles, et qu'on lui avait offert un poste d'enseignante grassement rémunéré. Sachant ses jeunes sœurs bien casées, elle avait accepté l'aventure. Et qui sait s'il n'y avait pas, derrière cette histoire, une quelconque rencontre masculine intéressante… Tout le monde avait gobé la salade et cessé de demander des précisions.

Anne pinça les lèvres en voyant Hugo s'approcher d'elle après avoir terminé sa tournée de politesses. Elle aurait voulu se cacher derrière son fauteuil pour ne pas avoir à converser avec le grossier personnage.

— Dites donc, ma chère Anne, j'ignorais que vous attendiez un bébé. Quelle bonne nouvelle ! C'est pour bientôt ?

— Dans cinq semaines, j'aurai accouché.

— Et vous avez commandé une fille ou un garçon ? Je vous souhaite une fille… belle comme vous ! La grossesse vous va rudement bien, ma chère.

Anne faillit sortir de ses gonds. Quel chanteur de pomme, que ce type ! Et ça se prétendait l'ami de son mari ! Aurait-il séduit Marguerite de cette façon, l'an dernier, en l'étourdissant de compliments ? Le scénario paraissait facile à imaginer. Le chéri vient à Lowell quand bon lui semble et, à force de louanges, il fait la conquête de la belle Marguerite qui n'y voit que du feu. Il s'attire ainsi audacieusement ses faveurs pour partir ensuite sans demander son reste. Pour s'assurer de la revoir, il lui fait une demande en mariage, mais sans préciser quand. Et puis, bye ! bye ! il retourne chez lui à Fall River pour un temps indéfini. Que voulez-vous, les avocats-journalistes-conférenciers sont des hommes occupés ! Il reviendra quand ça lui conviendra, certain de la retrouver bras ouverts. Tant pis pour elle, pour ses sentiments, son ennui, sa solitude. Le profiteur n'en a rien à foutre. Et surtout, qu'elle ne tombe pas enceinte, la coquine ! Sinon, le prince charmant disparaîtra dans le décor et ne se montrera la face qu'au jour de l'An accompagné d'une autre fiancée. Pouah !

Chevalier de la conquête, le bel Hugo Dubuque ! Et chevalier de l'abandon. Chevalier du déshonneur et roi de la lâcheté. Anne se retenait pour ne pas éclater et révéler la vérité au grand jour. Seule sa promesse à Marguerite de ne rien dire sur sa grossesse, garantie maintes fois exigée et répétée dans chacune de leurs lettres, lui donna la force de se taire.

Avant de poursuivre la conversation, Hugo se retourna pour jeter un œil sur la fameuse fiancée en train de discuter avec Rose-Marie à l'entrée de la cuisine. Assuré qu'elle ne l'entendait pas, il revint à Anne et s'adressa à elle sur un ton confidentiel, chuchoté d'une voix feutrée.

— Dites donc, votre sœur Marguerite n'est pas ici? Ça me surprend. Elle va bien, j'espère?

C'est la dernière question à laquelle Anne se serait attendue. Se moquait-il d'elle? L'air sincère de l'homme la rendit confuse.

— Marguerite? Mais… elle se trouve à Montréal depuis la fin du mois de juin. Vous ne le saviez pas? Elle…

— Elle est restée à Montréal? Ah bon. Je l'ignorais. Puis-je vous confier, Anne, que j'ai beaucoup aimé votre sœur et patiemment attendu sa réponse à mes demandes en mariage répétées? Hélas, au début de septembre, à la suite de ses vacances, elle m'a fait parvenir une lettre de rupture de notre relation, nette et définitive. Cela m'a chaviré le cœur. Ce rejet, ce désespoir… J'ai vécu une véritable peine d'amour, je vous avoue. Voilà la raison de ma si longue absence à Lowell. Mais la vie continue, vous comprenez, n'est-ce pas?

Non, elle ne comprenait pas. Un bout du chaînon manquait à son entendement. Marguerite, malgré sa grossesse, aurait rompu avec Hugo, et dans une lettre? Anne n'en revenait pas! Et lui n'était pas au courant de son état? Allons donc! Quelle histoire incroyable! Sa sœur ne lui aurait jamais annoncé attendre un enfant de lui? Était-elle devenue folle ou quoi? Entre une vie normale avec un homme tout à fait charmant, il fallait bien l'admettre, et la vie misérable d'une fille-mère, elle avait choisi la misère. Entre le soleil et le fond du gouffre… Entre la honte et la fierté, entre la solitude et l'amour, entre les siens et l'exil, elle avait choisi le pire. Non, non, cela n'avait aucun sens! Dès ce soir, elle allait écrire à sa sœur pour lui demander des éclaircissements.

Désarçonné par le silence de la jeune femme, Hugo mit un certain temps avant de desserrer les dents, sans doute remué lui-même par des souvenirs pénibles encore frais à sa mémoire.

— Ainsi, Marguerite a établi définitivement ses pénates à Montréal? Ça me surprend. Elle semblait tellement aimer son travail à l'école paroissiale d'ici. Ah… je soupçonne un beau jeune Montréalais d'avoir une part de responsabilité dans ce coup de tête-là, moi!

— Peut-être avez-vous raison. Mais elle ne m'en a jamais parlé.

— Ça ne me surprend pas. Votre sœur est une saprée cachottière, vous savez!

— Vous n'avez jamais si bien dit, mon cher Hugo…

L'appel de Pierre et Paul, chancelants et bras dessus, bras dessous, vint mettre un terme à cette conversation pour le moins singulière.

— Hé! venez, tout le monde, venez chanter *Greensleeves*. Vas-y Camille, donne-nous la première note.

— *Greensleeves*, la vieille chanson d'Angleterre? Vous voulez chanter en anglais?

— Pourquoi pas?

30

— Ça fait mal en *jériboire*, je t'avertis! Mais on en sort vivante, t'en fais pas.

— Pas toutes! Ma mère en est morte, Béatrice, et ça, ça ne s'oublie pas. D'ailleurs, à entendre les cris en provenance du troisième étage à toute heure du jour et de la nuit, qui ne s'affolerait pas? Dieu que j'ai hâte de voir tout ça terminé!

Les rôles venaient soudain de s'inverser. Béatrice passa un bras qu'elle voulait maternel autour des épaules de son amie. Forte de son expérience de l'enfantement, la jeune fille s'appliquait à rassurer une Marguerite de plus en plus énorme et manifestement inquiète.

Les premières semaines de l'année 88 s'étaient toutefois écoulées paisiblement pour la future maman. La directrice lui avait bien offert d'interrompre ses cours de français aux Madeleines jusqu'au moment de l'accouchement, mais elle avait refusé. Assise au milieu de ses élèves ou penchée sur des textes à réviser, elle arrivait à oublier ses frayeurs et même son inconfort. Considérée comme une excellente institutrice, elle perdait, pendant quelques heures, la conscience de sa condition humiliante de pénitente.

Ces dernières années, depuis la conversion de la Maternité Sainte-Pélagie en hôpital, de plus en plus de femmes mariées venaient accoucher à la Miséricorde. La déférence et l'estime que les religieuses vouaient à ces épouses la révoltait. Comme si le simple nom d'un mari inscrit sur un formulaire d'admission constituait la condition *sine qua non* pour garantir le respect qu'on refusait aux filles-mères traitées comme de méprisables pécheresses. Marguerite enviait secrètement ces femmes qu'on appelait « madame ».

Son sac contenant ses rares affaires posé à ses pieds, Béatrice cherchait des mots qu'elle ne trouvait pas pour rassurer Marguerite atterrée par le souvenir de Rébecca morte lors de la naissance de son quatrième enfant. Comment dissiper les craintes de son amie qu'elle considérait comme une mère alors qu'elle-même se sentait morte de peur en ce jour fatidique, appréhendé entre tous, où elle devait quitter définitivement la Miséricorde ? À maintenant quinze ans, elle se préparait à affronter l'univers sans rien ni personne, pas même son bébé dont elle n'arrivait pas encore à faire le deuil.

Bien sûr, en lui remettant une maigre somme d'argent cueillie dans un fonds de charité, l'aumônier avait réussi à convaincre la grand-mère de Béatrice de la prendre en pension pour quelques semaines, le temps de se trouver un travail et un gîte. Mais la jeune mère n'était pas dupe. Après quelques jours, la vieille grincheuse la mettrait à la porte si elle n'arrivait pas à payer sa pension. Encore chanceuse si le grand-père, ce vieux vicieux, ne lui sautait pas dessus aux petites heures, un bon matin !

Les deux femmes se serrèrent l'une contre l'autre.

— On va rester amies pour toujours, hein, Marguerite ?

— Je t'en fais le serment solennel, ma belle Béatrice.

— J'aurais quelque chose à te demander avant de partir, mais ça me gêne un peu.

— Allons donc ! À moi, tu peux tout dire, tu le sais bien !

— Puisque je sors d'ici sans enfant, je… euh… J'aimerais être la marraine de ton bébé. Je pourrais l'aimer très fort, tu sais.

— La marraine de mon bébé ? Mais… pourquoi pas ?

Comment freiner ce pathétique élan du cœur et refuser une telle offre d'amour pour son enfant ? Bien sûr, Marguerite avait conclu un pacte avec Anne : chacune devait devenir la marraine du bébé de l'autre. La tournure des choses avait voulu qu'elles se transforment en des marraines lointaines et inaccessibles. Marraine, Marguerite l'était déjà depuis quelques jours à son insu puisque le matin même, le docteur Beaulieu lui avait remis une lettre de sa sœur lui annonçant la naissance d'Élisabeth, le 5 février dernier. «*Une belle grosse fille joufflue, roussette comme moi, qui fait notre bonheur et notre fierté. L'accouchement s'est avéré assez difficile, par contre, et j'ai mis du temps à m'en remettre. Mais tout est rentré dans l'ordre maintenant. J'espère que tout va bien se passer pour toi. Je pense à toi très fort.*»

Rien de rassurant pour Marguerite qui aurait aimé lire que la naissance de sa nièce s'était déroulée avec une facilité incroyable. Mais les femmes n'accouchent pas toutes à la manière des chattes et des lapines, les Madeleines le lui avaient maintes fois répété. Et les souvenirs de la mort de Rébecca en disaient long sur les risques encourus par les femmes, depuis les débuts de l'histoire de l'humanité, pour donner naissance à chacun des humains de la planète. Marguerite se secoua. Il était trop tard pour y échapper, de toute façon. La nature n'avait d'autre choix que de suivre son cours.

— Marguerite ? Tu es dans la lune !

— Non, non, je songeais à la chance inouïe de mon enfant de posséder deux marraines pour l'aimer.

— Deux marraines ? Comment cela ?

— J'avais conclu une entente avec ma sœur Anne, l'été dernier, en apprenant nos grossesses respectives. Nous nous étions mutuellement nommées marraine de nos enfants. Mais ça n'a pas d'importance, mon bébé en aura deux, voilà tout ! L'une éloignée, l'autre toute proche. Tu deviendras donc officiellement marraine au moment du baptême. Tu vas y assister, dis ?

— Évidemment ! Si les sœurs me le permettent… Mais comment vais-je savoir que ton bébé est né, une fois rendue chez ma grand-mère ? On baptise habituellement les nourrissons peu de temps après leur naissance, à cause de la menace des limbes, tu comprends…

— T'inquiète pas, je vais m'organiser avec ça. Donne-moi l'adresse de ta grand-mère, je vais te tenir au courant.

Après avoir griffonné une adresse sur un bout de papier, Béatrice déposa un dernier baiser mouillé sur la joue de Marguerite, ramassa son bagage et se dirigea lentement vers la porte,.

— Au revoir, ma vieille, et merci pour tout. Ça va bien aller pour l'accouchement, j'en suis certaine. Je vais prier pour toi.

— Moi aussi, je vais penser à toi, Béatrice. Ton retour dans la vraie vie va se passer plus facilement que tu ne le crois, tu vas voir. Le destin nous réserve parfois des surprises. De belles surprises ! Et n'oublie pas de me donner des nouvelles. Et…

— Et quoi ?

Marguerite fronça les sourcils mais sentit quand même son regard s'embrouiller.

— Et… de grâce, ne fais plus de folies, ma petite Béatrice. Reviens plutôt me voir si… si jamais tu regardes trop intensément les crochets du plafond !

— Margot, c'est juré. Et puis, j'ai mon ange de porcelaine pour me protéger, maintenant. T'en fais pas. Ça n'arrivera plus.

L'adolescente hocha la tête et referma la porte derrière elle sans faire de bruit. Marguerite garda longtemps les yeux rivés sur cette porte close. Avait-elle rêvé ou Béatrice l'avait-elle appelée « Margot » ?

Elle ressentit soudain un vide immense.

31

— Allez, ma belle, on pousse, on pousse… On pousse encore !
Puis on respire. Respirez avec moi. On prend une grande
inspiration, allez… C'est ça ! Puis on expire lentement. Marguerite ?
Regardez-moi : len-te-ment…

Marguerite se sentait entièrement soumise aux consignes du
médecin. Presque hypnotisée. Elle n'aurait pu souhaiter de meilleures
conditions pour accoucher en ce petit dimanche matin frisquet. Par
un extraordinaire concours de circonstances, le docteur Beaulieu se
trouvait de garde en remplacement d'un confrère grippé, et sœur
Sainte-Clothilde, la plus affable des religieuses, l'assistait.

La gêne de se montrer nue et d'ouvrir les jambes devant son ami
médecin et la religieuse avait tout de même effleuré son esprit. Mais
elle n'eut pas le temps d'y songer longtemps, le besoin de pousser
se faisant de plus en plus impérieux. Advienne que pourra ! Après
tout, dans sa profession, Rémi devait voir des sexes féminins à cœur
de semaine. Et sœur Sainte-Clothilde tout autant. Elle fut néanmoins
reconnaissante au médecin de s'être limité, jusque-là, à ne l'examiner
que sommairement et uniquement sur le ventre.

Les contractions avaient commencé au cours de la nuit. Elle
avait bien reconnu les crampes menstruelles, mais l'intensité lui
avait semblé multipliée à outrance. Une impression d'humidité l'avait

d'abord réveillée. Elle s'était levée d'un bond et avait allumé une bougie d'une main fébrile. Une seule et unique chose l'obsédait, à ce moment-là, et l'empêchait même de ressentir les douleurs de plus en plus fortes : la couleur du liquide qui lui coulait le long des jambes. Couleur de l'eau ou couleur du sang ? Elle avait poussé un soupir de soulagement devant la transparence du chaud fluide organique. Il ne s'agissait pas de sang, elle pouvait rester tranquille. Son accouchement ne risquait pas de prendre la tournure sinistre de celui qui avait entraîné sa mère dans la mort.

Les contractions n'avaient pas tardé à se rapprocher et à s'intensifier. La douleur était devenue intolérable. Elle s'était rappelé les conseils de Béatrice de ne pas tarder à réclamer de l'aide, et elle s'en était allée en vitesse chercher la sœur de garde endormie dans son fauteuil.

— Ça y est, ma sœur ! Mon bébé s'en vient, je pense. Et il va naître un jour bien spécial : le 29 février. Ah ! que j'ai mal au ventre !

La religieuse avait à peine ébauché un sourire et s'était empressée de conduire Marguerite à l'étage, dans la salle des naissances dont les armoires étaient remplies de piles de linges, de potions et de chaudrons déjà pleins d'eau à faire bouillir. Puis, en maintenant sa longue jupe d'une main, la sœur était partie à la course chercher le médecin.

— Allez, on pousse encore, Marguerite ! Je vois sa tête. Mais, ma foi, ce sera un petit blond ! Allez, ma grande… on pousse, on pousse encore !

La parturiente se mordait les lèvres pour se retenir de hurler. Non, elle n'allait pas se lamenter et crier comme les autres entendues depuis six mois. Elle voulait se montrer grande et forte mais Dieu qu'elle souffrait ! Elle avait l'impression que le bas de son corps allait éclater. Deux religieuses lui soutenaient la tête et les bras, et le médecin exerçait des pressions sur son ventre dans un ultime effort pour extirper le bébé du passage étroit qu'il devait franchir.

— Ça s'en vient, Marguerite. Encore une ou deux poussées et il va enfin se montrer le visage, ce petit-là.

Le docteur Beaulieu plongea ses yeux dans ceux de la jeune femme, et elle s'y accrocha comme une désespérée. Des yeux bruns et profonds d'où émanait une grande bonté. Pendant une fraction de seconde, d'autres yeux, bleus ceux-là, s'y superposèrent, mais ils étaient fixes et indifférents. Elle baissa les paupières et poussa de toutes ses forces, autant pour chasser cette vision que pour appeler la délivrance, enfin.

Un cri retentit soudain et, pendant un court moment, tous se turent pour écouter. Un cri unique. Moment d'infini où ce premier cri de l'humain ne manque jamais de rejoindre le cœur de ceux qui l'entendent. Cri déchirant de l'homme annonçant son arrivée sur terre. Ce même cri répété des milliards de fois depuis des milliers d'années. Cri d'amour ? Cri de frayeur ? Cri d'étonnement ? Cri primal de l'enfant arraché malgré lui à sa mère et cruellement mis en contact avec l'air froid ? Cri de l'âme ? Cri de la vie ? Cri d'angoisse ou de solitude soudaine, peut-être… Chose certaine, le premier cri de l'homme ressemblait davantage à un hurlement de douleur qu'à une explosion de joie. Marguerite se demanda pour quelles raisons les êtres humains venaient au monde en pleurant autant.

— Vous avez un fils, Marguerite, et il est magnifique ! Un beau bébé en santé. Mes félicitations !

Ne pouvant supporter les pleurs de son bébé, elle tendit instinctivement les bras. La religieuse s'empressa de le nettoyer sommairement puis, enveloppé dans un lange blanc, elle le déposa avec précautions sur la poitrine de la jeune mère, privilège de celles qui avaient décidé de ne pas donner leur enfant à l'adoption. Pour les autres qui ne garderaient pas leur bébé, c'en était fini à partir de ce moment précis. Elles ne conserveraient, de leur enfant, que le souvenir inoubliable d'un cri.

Au contact du sein chaud de sa mère, le bébé cessa immédiatement ses pleurs. Fière de ce nouveau pouvoir, Marguerite se sentit soudain dans un cocon, seule avec lui. Plus rien d'autre n'existait, ni le médecin en train de faire sortir le placenta attaché au cordon, ni sœur Sainte-Clothilde faisant office d'infirmière et la nettoyant, pas même l'autre sœur en train de préparer le moïse du bébé. Rien !

Marguerite ne percevait rien d'autre que son fils. « J'ai un fils à moi, à moi toute seule. Je suis la femme la plus riche du monde. »

— Tu avais froid, n'est-ce pas, mon tout-petit ? Tu n'auras plus jamais froid, je te le promets, mon amour. Mon doux amour…

Elle ne se rendit pas compte qu'elle avait prononcé ces paroles à voix haute. Avec tendresse, elle caressait la peau fine et légèrement fripée. Quand elle frôla la petite main potelée, celle-ci s'enroula autour de son doigt. Marguerite en subit un choc plus grand que tout ce qu'elle avait jamais éprouvé au cours de son existence.

— Mon trésor, je t'aimerai tellement que tu auras des réserves d'amour pour le reste de tes jours.

Cette fois, elle avait parlé intérieurement, mais ces mots retentirent en elle comme si elle les avait criés par-dessus les toits du monde entier. Des mots qui s'imprégneraient à jamais au fond de son âme.

Sœur Sainte-Clothilde annonça que le bébé serait baptisé l'après-midi même par l'aumônier, dans la chapelle de l'hôpital. Puis ce fut au tour du docteur Beaulieu de s'approcher de nouveau du lit de la patiente après s'être minutieusement lavé les mains.

— Je suis content, tout s'est bien passé, Marguerite. Et puis, vous avez un beau bébé. Je pense même qu'il vous ressemble un peu.

Le mensonge du médecin, prononcé sur un ton badin, fit sourire la jeune mère. Tentait-il d'éliminer toute présence d'Antoine dans les pensées de Marguerite ? Quelle délicatesse, tout de même ! Elle se mit à rire.

— Je regrette de vous contredire, mon cher docteur, mais vraiment, ces oreilles-là ne ressemblent guère aux miennes !

— En tout cas, vous avez parfaitement réussi votre fils.

Il s'apprêtait à partir quand elle lui fit signe de se pencher plus près au-dessus du lit. Elle se racla la gorge et prononça à voix basse la demande à laquelle elle songeait depuis des semaines et qu'elle n'avait pas osé formuler.

— Docteur, accepteriez-vous d'être le parrain de mon fils ?

— Mais bien sûr, avec plaisir ! Ce sera un honneur pour moi.

— J'ai aussi autre chose à vous demander. La marraine a quitté la Miséricorde dernièrement et elle habite actuellement chez sa grand-mère. Vous la connaissez, il s'agit de mon amie Béatrice. Elle a mis un bébé au monde ici, il y a quelques mois. Son adresse est dans le premier tiroir de la commode à côté de mon lit, au dortoir. Une religieuse pourrait aller la chercher et vous la remettre, puisque je n'ai pas le droit de me lever avant huit jours. J'apprécierais beaucoup qu'elle assiste au baptême, cet après-midi. Vous serait-il possible d'envoyer quelqu'un l'avertir, s'il vous plaît?

— Comptez sur moi! Nous y serons tous les deux, votre Béatrice et moi. Et si vous le permettez, je vais également amener Éva. Elle sera ravie. Et peut-être vais-je demander à ma mère de se joindre à nous. Qu'en pensez-vous? J'en profiterais pour faire visiter l'hôpital aux deux femmes de ma vie, ce fameux endroit où travaille leur cher petit Rémi.

— «Cher petit Rémi», vous êtes un amour!

Finalement, son enfant partait dans la vie déjà superbement entouré.

32

— Joseph-Antoine-Emmanuel, je te baptise au nom du Père, et du Fils, et du Saint-Esprit. Amen.

Le bébé n'apprécia pas l'eau bénite que le prêtre lui versa à profusion sur la tête et il se mit à crier à fendre l'âme pendant que le docteur Beaulieu renonçait solennellement, en son nom, à Satan et à ses pompes. On refusa cependant à Béatrice le droit de signer le registre des naissances en raison de son trop jeune âge.

Retenue au lit selon l'ordonnance médicale d'usage, Marguerite ne put assister à la cérémonie. Une heure plus tard, au moment de la tétée, la religieuse lui apporta un bébé affamé hurlant furieusement.

— Eh bien ! Notre petit ange possède tout un caractère ! Je vous dis qu'il a les poumons en santé, cet enfant-là ! Il a braillé comme ça durant tout le temps de son baptême. À croire qu'il avait son mot à dire dans cette affaire !

— Peut-être chantait-il un cantique à sa manière, ma sœur !

Marguerite éclata de rire. Il y avait si longtemps qu'elle n'avait pas ri. Elle se sentait épuisée, mais heureuse. Plus heureuse qu'elle ne l'aurait espéré. Délivrée de sa peur d'accoucher, délivrée aussi du poids qui alourdissait de plus en plus son corps fatigué. Et elle tenait maintenant dans ses bras le plus inestimable trésor du monde. Elle venait de tomber amoureuse.

Son fils… Marguerite Laurin avait un fils ! Elle n'arrivait pas à le croire. Et si cet enfant-là était le résultat des prouesses physiques de l'oblat de Marie-Immaculée, le révérend père Antoine Lacroix, il était surtout et avant tout son fils à elle. Bien à elle. C'est elle qui l'avait fabriqué jour après jour à même sa propre substance, il lui appartenait à elle, à elle seule, et elle saurait l'aimer pour deux, elle n'en doutait pas un instant. Et le diable pouvait emporter l'oblat, elle s'en contrefichait maintenant.

La religieuse l'aida à tenir le bébé de manière à ce que sa bouche minuscule et avide saisisse facilement le mamelon. Le petit se calma enfin, et Marguerite sentit brusquement une puissante succion dans son sein gauche.

— Ouille ! C'est qu'il tire fort, le coquin ! Comme s'il n'avait fait que ça toute sa vie ! Un vrai expert !

Elle se pencha tendrement au-dessus de l'enfant. Comme elle le trouvait beau ! À la fois si fragile et si plein de promesses. Ces doigts minuscules, ces petits pieds si mignons qui deviendraient des mains et des pieds d'homme… De son père, Emmanuel n'avait pas hérité que des oreilles. Ce nez droit et ce front haut, cette bouche en forme de cœur… Qu'importe ! D'elle, il posséderait la vivacité d'esprit, la curiosité et une farouche détermination dans tout ce qu'il entreprendrait. « Bois mon lait, mon fils. Prends de moi le meilleur. Je suis la source de tout ce que tu deviendras. Et je ferai de toi le plus merveilleux des hommes. »

La religieuse allait s'éloigner mais se ravisa.

— Oh ! j'oubliais, mademoiselle. Le docteur Beaulieu m'a prié de vous remettre cette enveloppe. Et il y en a une autre de la part de Béatrice. Je les dépose sur la table, vous pourrez en prendre connaissance une fois la tétée terminée.

« Ah ? du courrier ? Croirais-tu ça, mon fils, nous recevons du courrier dès le premier jour de ton existence… » Dès le départ du bébé pour la pouponnière, Marguerite, intriguée, saisit la première enveloppe, blanche et rectangulaire, et reconnut aussitôt l'écriture toujours aussi mal formée du médecin. Laborieusement, elle entreprit de déchiffrer les mots un à un. Des mots qui ne mirent pas longtemps à danser devant ses yeux. Elle avait beau les relire, elle n'arrivait pas à croire au message qu'ils portaient. Cher, cher docteur Beaulieu… À travers ses larmes, elle dévora ces phrases comme une affamée.

Ma chère Marguerite,

Pour être franc, je n'ai pas eu beaucoup de temps pour réfléchir à un cadeau de baptême pour mon filleul et sa mère, à peine quelques heures après votre amicale demande de servir de parrain à votre fils.

Mais l'idée d'un cadeau d'amitié avait fait son chemin depuis plusieurs semaines dans mon esprit, je l'avoue. Vous avez peut-être trouvé curieux de me voir amener ma mère à l'hôpital pour le baptême d'Emmanuel. À vrai dire, j'avais déjà derrière la tête le projet de lui faire visiter l'endroit où vous avez séjourné ces sept derniers mois et où votre fils est né.

Malheureusement, elle n'a pu vous rencontrer, cet après-midi, la religieuse ne nous a pas permis de monter au dortoir après le baptême. Que voulez-vous, les visiteurs n'ont pas le droit de se rendre là-haut, surtout pas les docteurs en congé accompagnés de leur femme et de leur mère ! Mais dès qu'il vous sera possible de vous lever, nous ménagerons une rencontre dans le parloir. Vous allez adorer ma mère.

Il y a de cela quelques temps déjà, je lui ai parlé de vous dans un but bien précis et je me suis permis de lui raconter les circonstances qui vous ont amenée dans cet hôpital. Elle connaît donc votre vécu et votre dénuement aussi, dans ce grand Montréal que vous aurez à affronter très bientôt. Elle sait que vous ne connaissez pas d'endroit où aller.

Eh bien ! Ma mère, sans même vous avoir rencontrée et se fiant à mes renseignements à votre sujet, accepte de vous prendre chez elle avec votre petit, quand vous sortirez de l'hôpital.

Vous n'aurez rien à débourser, je me chargerai moi-même de défrayer votre pension, le temps de réorganiser votre vie comme bon vous semblera.

Voilà donc le cadeau de baptême que j'offre à mon filleul et à sa mère : un gîte chaud et confortable chez ma maman pour au moins quelques mois. Veuve depuis des années, ma mère vit seule dans sa grande maison depuis que nous, ses enfants, avons quitté le nid familial. Votre présence et celle d'un bébé chasseront momentanément son ennui. Elle appréciera grandement votre compagnie, j'en suis convaincu. Elle se dit tout excitée par ce beau projet et meurt d'envie de vous connaître.

En attendant, ma chère Marguerite, je vous félicite encore. Votre courage et votre grand cœur m'impressionnent. Vous m'avez fait infiniment plaisir en m'attribuant le rôle de parrain de votre fils et je m'en montrerai digne, soyez-en certaine. Avec votre permission, je ne cesserai de veiller sur lui.

En toute amitié et respect,

Rémi Beaulieu

Marguerite n'arrivait pas à y croire. Elle n'avait plus à s'inquiéter de l'endroit où elle et son fils dormiraient dans une douzaine de jours, dès qu'elle serait sur pied. Le docteur Beaulieu et sa mère réalisaient-ils la portée de leur généreux cadeau ? Plus d'inquiétude, plus de nuits blanches pour Marguerite Laurin. Seulement se remettre tranquillement de ses couches et se laisser vivre un certain temps sans se tracasser, enfin ! enfin ! Oublier le reste de l'existence et s'occuper uniquement de son bébé et… d'elle-même !

Elle disposerait donc de tout son temps pour décider quelle orientation elle donnerait à sa vie : soit rentrer à Lowell avec le petit sous la bannière de fille-mère, soit demeurer au Canada, incognito, avec l'étiquette de veuve ayant perdu son « pôvre mari » aux États. Au fond, ce mensonge pesait très peu dans ce dernier attribut de veuve : n'avait-elle pas perdu le père de son enfant justement quelque part aux États-Unis, peut-être même au Québec ? À l'exception près qu'il ne s'agissait pas d'un « pôvre mari » mais d'un « infâme amant » qui l'avait laissée tomber. Après tout, rien ne l'obligerait à donner de telles précisions à qui que ce soit !

À bien y songer, les titres de veuve et de mère lui allaient comme un gant. Et l'idée de rester au Canada en permanence ne lui déplaisait pas non plus. Son pays… Ne souhaitait-elle pas y revenir depuis ce fameux septembre 1880, quand elle avait quitté le Saguenay avec son père ? Pourquoi ne pas réaliser ce beau rêve ? Ses sœurs n'avaient plus besoin d'elle, après tout. Bof… elle verrait en temps et lieu. Pour le moment, elle préférait dormir et se remettre de ses émotions.

Elle se retourna sur sa couche et allait s'endormir quand elle aperçut l'autre enveloppe, la brune, qui provenait de Béatrice. Ah ! cette chère Béatrice, comme elle s'était attachée à elle ! Et comme elle lui faisait pitié, cette adolescente encore si proche de l'enfance. Maintenant, elle comprenait mieux sa détresse folle de l'autre jour, après avoir reconnu sa fille dans le bébé sans nom qu'on lui demandait d'allaiter. Comme elle, Béatrice avait dû ressentir un amour instinctif et exalté pour cette petite que la vie lui arrachait cruellement. Comment aurait-elle pu s'en occuper ? Elle aussi se trouvait à la rue, sans gîte et sans argent. Sans métier. Et sa grand-mère n'avait pas l'air de ressembler à la grand-mère des enfants du docteur Beaulieu ! Combien de temps durerait son séjour chez elle avant que ne survienne la dispute fatale qui la flanquerait à la porte ? Marguerite appréhendait de la voir mal tourner. Elle se promit de ne pas l'abandonner et de lui apporter son soutien Mais elle se demandait bien de quelle manière.

Elle ouvrit la grande enveloppe et y trouva deux feuillets. Sur le premier, un dessin habilement tracé au fusain représentait le fameux ange de porcelaine. Mais l'ange serrait un poupon dans ses bras. Sur le second, un court poème occupait le centre d'une page blanche.

Pour Émanuel

Pour les enfant perdus
Ceux don ton ne veux plus,
Pour les abandoné,
Les délaissé,
Les mal-s-aimé,
Les oblié,
Moi, je vas t'aîmer,
Petit Émanuel
Envoyer du cièle,
Mon ange au courte zailes.

Ta mâraine Beatrice

33

— Coucou, ma femme! As-tu vu ce qu'a écrit Prosper Bender dans le *Magazine of American History*? Enfin un vrai plaidoyer en notre faveur! Écoute bien ça: «*Nombreux sont ceux qui doivent à leur énergie, à leur intelligence et à leur probité de s'élever à des emplois de confiance qui leur apportent richesses et honneur[10].*»

— Je ne sais pas si notre ami Hugo est au courant de cet article. Il va sûrement sauter de joie… Anne?

Pierre avait pénétré dans la cuisine au milieu de la soirée, la revue dans une main et sa valise dans l'autre. De retour du Connecticut après deux jours d'absence, il avait bien vu sa femme en train d'allaiter la petite Élisabeth dans la berceuse de la cuisine, à la lueur de la lampe. Mais, obnubilé par l'article qu'il avait lu dans le train, il avait mis un certain temps avant de remarquer la tête basse et l'accueil silencieux de sa femme.

— Anne? Que se passe-t-il? Tu as les yeux tout rouges…

Le fait de voir sa femme et son enfant indemnes, là devant lui, le rassura tout de même un peu. Anne haussa les épaules et tourna la tête vers la fenêtre sans dire un mot.

---

10. Cité par François Weil, *Les Franco-Américains, Crises et Croissances*, éd. Belen, 1989, p. 125.

— Réponds-moi, mon amour. Est-il arrivé un malheur à quelqu'un ? L'une de tes sœurs, peut-être ? Camille ? Ou Marguerite ? Ne me dis pas que tu as reçu une lettre de Marguerite t'annonçant qu'elle a perdu son bébé ! Ou bien qu'elle va débarquer ici en catastrophe avec son chérubin parce qu'elle se retrouve à la rue… Ou alors, il s'agit de ton père ? Trouvé malade, mourant dans sa cellule, incapable de supporter davantage l'isolement. Cher beau-père ! Anne, je t'en prie, réponds-moi. Ne me laisse pas tâtonner comme ça. Tu m'inquiètes !

— Chut, Pierre, ne parle pas si fort ! Camille dort en haut, dans notre chambre.

— Camille ? Ta sœur dort ici ? Elle est malade ?

— Écœurée, plutôt.

— Bon, si tu ne veux rien me dire, ça te regarde. Ne compte plus sur moi pour te poser davantage de questions.

Le silence, dans la cuisine, devint quasi insupportable. Pierre suspendit sa crémone et son bonnet de poil à l'un des crochets près de la porte de la cuisine et dénoua lentement les lacets de ses bottes de cuir avant d'aller déposer un baiser furtif sur la joue de sa femme et la tête duveteuse de son bébé. Il s'en allait porter sa valise à l'étage quand Anne éclata.

— Dis-moi que tu m'aimes, Pierre, dis-moi que tu m'aimes…

— Pour l'amour du ciel, veux-tu me dire ce qui se passe ?

— C'est Rose-Marie. Oh ! pauvre, pauvre Rose-Marie !

— Elle est malade ou quoi ? Ou alors, l'un des enfants a eu un accident ? Ah ! ne me dis pas qu'il est arrivé un malheur à Paul au cours d'un voyage d'affaires !

Anne bondit de sa chaise et posa le bébé presque brutalement sur la table.

— Parlons-en des voyages d'affaires de Paul Boismenu ! C'est lui, c'est ce maudit Paul qui a fait encore des siennes ! Figure-toi donc que le cher monsieur entretient une maîtresse. Une maîtresse, le réalises-tu ? Un époux et père de trois enfants, si ç'a du bon sens ! Il faut le faire, quand même, hein ? Quel front ! Quelle bassesse ! Tu en savais quelque chose, toi ?

— Moi ? Euh…

La jeune mère ne tenait plus en place devant l'air coupable de son mari qui se gardait bien d'ouvrir la bouche.

— Ne me dis pas, Pierre Forêt, que tu étais au courant et que tu n'as rien dit ! Ah ça, je ne le prends pas !

— Ça ne nous regarde pas, Anne. Ni toi ni moi. Je n'ai pas à juger ni à rapporter sur la place publique les bons ou les mauvais comportements des autres. Paul et Rose-Marie me paraissent assez matures pour régler leurs problèmes eux-mêmes, tu ne penses pas ?

— La place publique, la place publique… Je ne suis pas la place publique, moi ! Ah ! les hommes ! Tous des couailleux ! Dire que Rose-Marie reste sagement à la maison pour élever leurs enfants en attendant le retour des interminables tournées de son dépravé de mari. Une maîtresse… je n'en reviens pas ! Et ça, c'est sans compter les filles qu'il a dû débaucher depuis qu'il a l'âge de forniquer, l'écœurant !

— Exagère pas, tout de même !

— Ah, j'exagère ? T'ai-je déjà raconté que ce cher Paul, déjà marié à Rose-Marie, a tenté de m'embrasser, les premiers temps où je travaillais à La-Par-botte ?

— Ah oui ? Tu ne m'as jamais dit ça !

— À l'époque, j'ai pris ça pour un accident de parcours. Et puis je ne voulais pas détruire la réputation du mari de Rose-Marie, ma grande amie. Mais je te jure que, cette fois-là, le cher monsieur n'est pas tombé sur la bonne personne ! Je connaissais les règles du jeu, mon cousin Armand s'était chargé de me les enseigner bien avant Paul Boismenu. Un bonne baffe bien appliquée et le beau coq s'est excusé, crois-moi ! Et il n'a jamais récidivé. Le scélérat ne voulait pas, je suppose, perdre la bonne vendeuse qui faisait marcher son commerce. Mais tenter d'abuser de Camille, par contre… Elle si naïve, si innocente. Ça, non ! Faut-il être corrompu ! Je n'en reviens pas encore. Pauvre Camille, mais aussi pauvre Rose-Marie…

— Ne me dis pas qu'il s'est essayé sur Camille !

— Oui, mon cher ! La nuit dernière, il est rentré chez lui complètement soûl et il s'est affalé directement dans le lit de Camille qui dormait. Il a alors commencé à… à… Mais ma sœur a fait le saut et a commencé à crier, tu comprends bien. Et ç'a réveillé toute la maisonnée. La malheureuse Rose-Marie a alors découvert le drame. Paul lui a alors avoué sa vie de débauché tout d'un trait, devant ma sœur et les enfants.

— Ouais… pas brillant, ça !

— Tu vois la scène d'ici : Camille braillant toutes les larmes de son corps, Paul tenant à peine sur ses jambes et marmonnant ses bêtises sur un ton à peine coupable, et la mère complètement effondrée, entourée de ses petits qui pleuraient sans trop savoir pourquoi. Il a tout confessé en détail. Les partys à New York et à Boston, la putain, toujours la même, qu'il traîne avec lui là-bas, en plus des autres filles avec lesquelles monsieur s'amuse de temps en temps. Eh oui, il a bien dit « s'amuse », selon Camille qui m'a tout rapporté. Le fait d'utiliser ses deux noms, Boismenu et Smallwood, selon les circonstances, doit le servir royalement, le salaud !

Les deux coudes sur la table de la cuisine, Pierre ne desserrait plus les dents. Anne s'arrêta soudain. Et si son mari aussi ? Ne partait-il pas souvent en dehors de Lowell pour couvrir les événements de l'actualité ou rechercher des sujets intéressants pour ses articles de journal ? Ou pour aller rencontrer la direction du *National* à Plattsburg ? Qui sait si… Ah ! non, de grâce, pas ça, mon Dieu !

— Et toi, Pierre, et toi ? Me restes-tu fidèle quand tu pars ? Tu n'as pas répondu tantôt quand je t'ai demandé si tu m'aimais…

— Anne, je te le jure sur la tête de notre petite fille : jamais, au grand jamais, l'idée ne m'a seulement effleuré l'esprit de te tromper avec une autre femme. Toi et Élisabeth occupez toutes mes pensées, n'en doute pas un instant. Vous êtes mes deux amours et le resterez toujours. Mes seules amours ! Ce n'est pas parce que Paul…

— Pardonne-moi mes doutes, mon chéri. Tu sais, les hommes ont tout fait pour m'inspirer la méfiance depuis mon jeune âge. Il y a d'abord eu les comportements irresponsables de mon père dont nous avons toutes les trois tellement souffert, mes sœurs et moi. Tout de même rien de sexuel, rassure-toi ! Puis est survenu ce fumier d'Armand qui a abusé impunément de moi, la petite cousine candide et vulnérable. Et quand, au cours de cette année, j'ai vu ma sœur enceinte refuser la demande en mariage d'Hugo, le père de son enfant, j'en ai conclu que, derrière ce mystérieux refus se dissimulait sans doute un problème de relation homme-femme. Que lui reprochait-elle donc ? Abus ? Grossièretés ? Obscénités ? Domination ? Exploitation ? Va donc savoir ce qui se passait dans la couchette de ces deux-là ! Et voilà maintenant que Paul admet ses infidélités après avoir agressé ma jeune sœur ! Comment alors aborder les hommes avec confiance ?

— L'idylle entre Marguerite et Hugo Dubuque ne nous concerne pas, Anne, et nous n'avons pas à nous interroger sur les raisons profondes de leur séparation. Quant à nous deux, je ne suffis donc pas, avec tout mon amour, à te prouver qu'il existe des hommes aimants et fidèles, des hommes transparents ? *Clean*, comme disent les Américains. Et qu'auprès d'eux, un bonheur tout simple devient possible ? N'est-ce pas pour cette raison qu'on s'est mariés, toi et moi ? Allons, nous n'avons pas le droit de gaspiller notre joie de vivre à cause des folies des autres.

— Mais quand « ces autres » sont nos proches amis et que ma sœur en subit les conséquences…

Anne jeta un regard tendre à son mari. Elle adorait cet homme, et le perdre signifierait pour elle la fin du monde. Certes, il n'était pas le plus bel homme de la terre avec ses cheveux toujours en bataille, sa paire de lunettes épaisses, son long nez et sa barbe rare. Une vraie tête d'intellectuel ! Mais quelle personnalité ! Et quelle intelligence ! Elle admirait sa façon rationnelle de voir les choses. Pierre Forêt trouvait toujours une solution à tous les problèmes. Que dire de sa culture ! Cet homme-là connaissait tout, avait une opinion sur tout et écrivait merveilleusement bien. Et il faisait vivre sa famille honnêtement, décemment. En dépit de son physique plutôt chétif, il dégageait une force morale prodigieuse et une grande sagesse. Auprès de lui, après toutes ces années d'errance avec son père et ses sœurs, Anne se sentait enfin sereine et en sécurité. Elle regretta d'avoir douté de lui, ne serait-ce que momentanément.

— Tu es le plus merveilleux des maris, Pierre chéri, et l'idée d'être trompée par toi n'aurait jamais dû m'effleurer l'esprit. Excuse-moi, j'ai perdu la tête. Tu as toute ma confiance.

Comme si elle voulait participer au discours de ses parents, Élisabeth se mit à geindre. Sans doute voulait-elle rappeler à sa maman que la tétée n'était pas tout à fait terminée. Pierre prit sa fille et l'embrassa doucement avant de la remettre à sa mère comme s'il lui présentait le centre de l'univers, un trésor qui, depuis déjà plusieurs semaines, était devenu la raison de vivre de leur couple. Pour le moment, la tête du bébé tenait dans une seule de ses grandes mains, mais au rythme où elle progressait, Élisabeth ne mettrait pas de temps à grandir et à prendre plus de place. Déjà, en petite curieuse, elle tournait la tête à gauche et à droite à la recherche de tout ce qui bougeait. Et elle ne se faisait plus prier maintenant pour distribuer les sourires édentés les plus mignons du monde.

— Toi, ma cocotte, compte sur ton papa pour t'apprendre tout sur l'existence des bons maris et des bons pères. Des hommes respectueux et respectables... Et pour te mettre en garde contre les autres !

Il vint ensuite entourer sa femme de son bras. À se voir ainsi, tous les trois serrés les uns contre les autres, Anne éprouva un étrange sentiment de puissance. Sa famille formait un noyau solide et inattaquable. Une forteresse. Elle soupira en songeant à la pauvre Rose-Marie.

— Vous ne dormez pas ?

Ni Anne ni Pierre n'avaient entendu Camille, pieds nus et vêtue de sa robe de nuit, descendre lentement l'escalier.

— Viens, Camille, viens te joindre à nous. À partir de maintenant, tu feras partie de notre petite famille. Il faut oublier la nuit dernière et la journée terrible que tu viens de passer. Tout s'est bien terminé, au fond. Te voilà ici, saine et sauve, et bien au chaud. J'ai tout raconté à Pierre. Il va parler à Paul à la première occasion. Et si tu veux bien, demain, on va aller chercher tes affaires chez les Boismenu. Tu vas dorénavant habiter ici avec nous.

— Mais... Rose-Marie ?

— Il lui reste le pardon, ma belle Camille. Elle n'a pas vraiment le choix. Tendre l'autre joue peut encore sauver sa famille. Un jour, tu vas devoir comprendre la force et la grandeur du pardon… Mais, pour éviter de tenter le diable, il serait vraiment plus sage d'embaucher une dame d'un certain âge comme bonne d'enfants. Qu'en penses-tu ?

Personne ne remarqua le rayon de lune qui, à travers les carreaux, jouait sur les visages et rendait plus lumineuse la lueur d'espoir qui les enflammait de nouveau. Quatre visages purs, ouverts, prêts à regarder vers le haut, encore et encore, à la recherche d'un bonheur auquel chacun avait droit.

34

Une odeur trop insistante de parfum à la rose, quelques bouts de dentelle, un chignon blanc comme neige retenu par des peignes d'ivoire et une main fripée aux ongles bien soignés auraient suffi pour distinguer madame Géraldine Beaulieu. Une grande dame. Raffinée, cultivée, et d'une gentillesse exquise. La digne mère de son digne fils Rémi. Et de tous ses autres enfants, Marguerite n'allait pas tarder à le réaliser lors de la réunion de famille du dimanche suivant son arrivée.

En effet, aucun des frères et sœurs du docteur Beaulieu ne l'avait dévisagée comme la « malheureuse fille-mère » hébergée charitablement par leur mère. Rémi l'avait présentée comme une de ses amies, et on l'avait considérée comme telle. À croire que le père de l'enfant n'avait jamais existé. On s'était pâmé sur la beauté du bébé, on s'était informé de sa santé, on l'avait surtout abondamment questionnée sur la communauté francophone de la Nouvelle-Angleterre.

La vie là-bas lui paraissait-elle réellement plus agréable et facile qu'ici ? Et dans les usines, comment ça se passait ? Pourquoi de plus en plus de gens ne revenaient plus dans leur patrie ? On s'attristait du fait que de nombreuses familles québécoises se dispersaient ailleurs alors que les régions d'ici manquaient dramatiquement de colons. Afin de ne pas être opprimés sous la bannière britannique, il nous incombait à tous de nous tenir debout pour défendre nos droits et contrer l'influence dominatrice des Anglais. Pas de nous sauver ! Pour plusieurs, l'exode des Canadiens français ressemblait à une fuite indigne. L'un, scandalisé, raconta avoir reçu la visite de neveux émigrés qui ne comprenaient plus le français. Un autre affirma avec désolation avoir perdu tous ses amis, passés de l'autre côté de la frontière à la recherche d'on ne sait quoi de mieux.

Marguerite répondait poliment et au meilleur de sa connaissance. Comment traiter de l'industrialisation sans aborder les conditions de travail dans les manufactures de textile et les autres ? Sans évoquer les accidents dont elle avait été le témoin involontaire et sans parler des crises d'asthme de sa sœur ? Comment souligner le dévouement du clergé francophone sans mentionner les problèmes majeurs auxquels ils avaient à faire face, non seulement le manque d'argent, mais surtout leurs conflits avec les Irlandais catholiques, ces immigrés tout aussi étrangers qu'eux et qui les avaient précédés aux États-Unis et mettaient sans cesse des bâtons dans les roues à l'établissement d'institutions assurant la survivance des francophones ? Comment ne pas évoquer les termes d'« oiseaux de passage » et de « Chinois de l'est » dont les Yankees affublaient les Canadiens ? Comment se retenir de prononcer le nom d'Antoine Lacroix et même celui, en discutant politique, d'Hugo Dubuque, avocat et journaliste assez connu parmi certaines élites québécoises ? Comment répondre à toutes ces questions en préservant, par-dessus tout, sa vie privée à elle, Marguerite Laurin, au milieu de cette galère où son père l'avait entraînée, nourri de l'impérieux désir de connaître autre chose que la misère ?

Même si Rémi connaissait tout de son histoire intime, elle faisait confiance à sa discrétion. Elle appréciait aussi, chez madame Géraldine, sa retenue à ne pas l'interroger sur son passé. Marguerite ignorait si c'était par indulgence ou par manque d'intérêt, mais peu lui importait. La relation de la jeune femme et de sa logeuse s'était établie d'emblée à l'enseigne du respect mutuel.

Dans la grande maison située dans la côte de la rue Visitation, madame Beaulieu occupait tout le rez-de-chaussée. Marguerite avait installé ses pénates à l'étage dont les trois chambres étaient inoccupées depuis plusieurs années. La dame lui avait laissé le choix et la jeune mère avait opté pour celle dont la fenêtre donnait sur la rue. Pendant trop longtemps, à la Miséricorde, elle avait souffert de claustrophobie, enfermée malgré elle dans le dortoir placardé. Maintenant, elle dormait sans même tirer les rideaux, préférant assister au lever du soleil, toujours spectaculaire au-dessus des cheminées fumantes, tout en allaitant son cher Emmanuel qui prenait de plus en plus de poids et de vigueur.

Le petit coquin semblait posséder une horloge biologique immuable au creux de l'estomac, et il ne se gênait pas pour sonner rigoureusement l'alarme à toutes les trois heures, faisant fi du jour ou de la nuit. Les premiers temps, Marguerite accourait en toute hâte pour brancher le petit à son sein de crainte de déranger la vieille dame malgré l'étage qui les séparait. Mais cette dernière, un peu sourde, ne semblait pas s'en formaliser.

Aux heures de repas, la jeune mère descendait l'escalier en pressant son bébé contre elle et, après s'être assurée qu'il dormait profondément, emmailloté et couché dans un coin du divan, elle allait s'asseoir bien droite sur sa chaise en face d'une Géraldine qui mangeait en silence, du bout des lèvres. Affamée, Marguerite n'osait se servir une deuxième assiettée, jusqu'au jour où la faim fit valoir ses impératifs.

— Que diriez-vous, madame Géraldine, si je m'occupais du souper, ce soir ? Aimez-vous le chou braisé et la saucisse ? C'est très populaire aux États-Unis. Je pourrais aller en chercher quelques morceaux chez le boucher, rue Rachel, pendant qu'Emmanuel dort.

Cette initiative cassa la glace. Les deux femmes se mirent à cuisiner ensemble en bavardant et même en riant. Géraldine appréciait la fraîcheur et l'esprit d'initiative de sa locataire. Elle lui parlait longuement de son fils Rémi qu'elle avait failli perdre lors d'une épidémie de variole lorsqu'il était enfant.

— Le ciel a bien voulu me le laisser, et ce garçon-là fait ma fierté. Quand je pense qu'aujourd'hui, il sauve des vies. Rémi me fait tellement penser à son père parti trop vite. Même générosité sans limite, même cœur trop grand. Un homme qui ne savait pas dire non, qui ne cessait de penser aux autres.

— Sans votre fils, madame, je ne sais pas où j'en serais aujourd'hui. Je lui dois quasiment la vie. Pendant tout ce temps passé à la Miséricorde, il m'a écoutée avec patience, il m'a soutenue, il m'a aidée à garder contact avec les miens. Si les sœurs savaient toutes les lettres qu'il a mises à la poste pour moi ! Son amitié, et celle d'Éva, bien sûr, s'est avérée une véritable bouée de sauvetage pour moi. Je leur serai éternellement reconnaissante. Et maintenant…

Marguerite se leva spontanément et vint entourer de ses bras la vieille dame qu'elle sentit se raidir, sans doute peu habituée à de telles manifestations d'affection.

— Et maintenant, je vous ai ! Vous me prodiguez tant de bontés, madame, que je ne sais comment vous remercier.

— Vous vous sentez bien, mon enfant ? Voilà tout ce qui compte pour le moment.

— Il reste que l'avenir m'inquiète beaucoup, vous savez.

— Oubliez tout ça et prenez soin de votre petit. L'avenir, on en reparlera plus tard. J'ai ma petite idée là-dessus.

Marguerite retint son souffle. Madame Beaulieu avait une petite idée là-dessus ? Sur son avenir à elle ? Comment cela ? Voyait-elle un moyen pour sortir de l'impasse dans laquelle elle se trouvait ? Le docteur Beaulieu lui avait bien recommandé de ne pas prendre de décision précipitée, mais elle ne voulait tout de même pas abuser de l'hospitalité de cette vieille dame. À partir de la semaine prochaine, elle devrait commencer à se chercher du travail et un autre endroit où habiter. Et quoi encore ? Que faire d'Emmanuel ? Elle se tourna vers sa logeuse avec un air interrogateur, n'osant demander de précisions.

Madame Beaulieu saisit-elle la détresse de sa pensionnaire ? Elle s'empressa de formuler son projet sur un ton qu'elle voulait rassurant.

— Ne vous tourmentez donc pas, Marguerite, nous allons sûrement trouver une solution à long terme. Voilà mon idée : la plus jeune sœur de mon mari a épousé un riche homme d'affaires anglais, George Greenberg. Ils habitent ici à Montréal et ils ont cinq enfants qui vont tous à l'école anglaise. L'autre jour, j'entendais ma belle-sœur se plaindre parce que ses petits, s'ils comprennent bien le français, car elle s'adresse à eux dans cette langue à la maison, ne savent ni lire ni écrire en français. J'ai aussitôt pensé à vous, institutrice et parfaite bilingue. Je me demandais si des cours privés de grammaire ne feraient pas le bonheur de cette famille.

— Ah ! il s'agit d'une bonne idée, madame Beaulieu, mais je doute qu'elle puisse se réaliser. Que ferais-je de mon bébé ? Je n'aime pas voir les choses de cette manière, mais cet enfant constitue doré-navant un boulet dans mon existence, il me faut bien l'admettre.

— Laissez-moi d'abord tâter le terrain et… faites-moi confiance ! Mais avant de vous présenter à ma belle-sœur, il faudrait bien vous trouver quelques vêtements. Je ne peux plus voir cette tunique que les sœurs vous ont laissée, je la trouve affreuse et fort défraîchie. Que diriez-vous si nous allions visiter ma couturière demain matin ? Je demanderais à Éva de nous prêter son landau et nous pourrions nous y rendre avec le petit.

— J'aimerais bien, madame, mais je ne peux accepter, car je ne possède pas un sou.

— Teut ! Teut ! Je m'en charge. Mon fils m'a recommandé de vous gâter, alors je vais le faire !

⤜✦⤛

Quelques jours plus tard, Marguerite, vêtue d'une jolie robe en lainage moelleux, prenait possession d'une large chambre au grenier de la somptueuse maison de douze pièces de la famille Greenberg, rue McGill. Dans un recoin, une bassinette avait été aménagée pour Emmanuel. Elle n'en croyait pas ses yeux de la chance qui se présen-tait à elle.

Logée et nourrie, avec son bébé! On avait même offert de verser une modeste rémunération «à la malheureuse veuve ayant perdu son mari aux États-Unis». Premier mensonge que Marguerite avait difficilement proféré sur les conseils de madame Beaulieu. C'était le prix à payer pour se créer une place digne et respectable dans la bonne société montréalaise. En échange, elle devait d'abord aider les enfants de la famille à rédiger leurs devoirs et apprendre leurs leçons en anglais chaque jour après l'école. Ensuite, elle avait à compléter cet enseignement par quatre ou cinq séances de travaux en français par semaine afin de leur inculquer les règles de la syntaxe et les amener à maîtriser les difficultés de la langue. Le but était d'inciter ces jeunes à lire des livres écrits en français. Pour cela, on lui avait confié, à son étonnement, un budget dépassant largement la mesure.

Les enfants avaient d'abord accueilli l'étrangère avec curiosité, mais ils n'avaient pas mis longtemps à l'adopter. L'aînée de treize ans, Norma, avait immédiatement apprivoisé le petit Emmanuel et s'occupait spontanément de lui quand Marguerite faisait la lecture aux plus jeunes. Les parents, quant à eux, très occupés par leurs affaires et leurs activités sociales, s'intéressaient peu à Marguerite. Le fait qu'elle vive au grenier préservait l'intimité de la famille et, au fond, elle ne demandait pas mieux.

Assise au pied de son lit, les yeux fixés distraitement sur le grand érable qui montait la garde devant la fenêtre de sa chambre, elle songea un instant à Antoine Lacroix. Si l'oblat l'avait cruellement abandonnée, Dieu, lui, semblait l'avoir enfin prise sous sa garde. Il avait d'abord mis Rémi Beaulieu sur son chemin, puis Géraldine et, finalement, cette famille à laquelle elle était en train de s'attacher. Trois semaines seulement qu'elle habitait chez eux, et tout se déroulait à merveille, au-delà de ses espérances les plus folles.

Elle ne put s'empêcher de songer à Béatrice. La pauvre ne connaissait pas la même chance et semblait ne pas en mener très large. Chaque fois que ses pensées se tournaient vers elle, Marguerite se demandait de quelle manière elle pourrait l'aider. Après le baptême d'Emmanuel, l'adolescente s'était présentée à la Miséricorde pour offrir au bébé des chaussons tricotés durant ses heures creuses. Elle habitait chez sa grand-mère à ce moment-là, et sa relation ne semblait pas au mieux avec l'aïeule.

Puis Marguerite ne la revit guère sauf la semaine précédente où elle l'avait aperçue avec horreur déambuler sur un trottoir de la rue Saint-Laurent au bras d'un homme louche. Avait-elle renoué avec son ancien amant, homme marié et père de famille, ou se dirigeait-elle vers le quartier mal famé de Montréal où œuvraient les prostituées ? Cette vision avait confirmé à Marguerite la pire de ses craintes. Elle avait bien tenté de la suivre, mais l'homme avait entraîné la jeune fille dans une ruelle où ils avaient disparu en se tenant par le cou.

Marguerite s'était alors présentée chez la grand-mère pour en savoir plus long. La vieille femme, elle-même d'allure dévergondée, avait haussé indifféremment les épaules en disant qu'elle avait perdu Béatrice de vue. « Cette guidoune… » En vain, Marguerite avait laissé une adresse où la rejoindre.

À la vérité, bien peu d'alternatives se présentaient à la jeune fille. En dépit des conseils insistants de Marguerite pour chercher du travail dans une manufacture afin de subvenir à ses besoins et cultiver son autonomie, il semblait que Béatrice n'ait rien trouvé de mieux que de se prostituer pour gagner son pain. Scénario qui la ramènerait inévitablement, un jour ou l'autre, à endosser de nouveau l'uniforme des pénitentes à la Miséricorde.

Marguerite en avait braillé de dépit. Elle s'en voulait de n'avoir rien d'autre à offrir à la marraine de son fils qu'une vague prière et la promesse silencieuse de lui tendre la main, un jour, pour la prendre sous son aile. Mais quand ? Et comment ?

— *Marguerite ? The children are waiting for you downstairs ! Are you coming*[11] *?*

Dieu du ciel, c'était la gouvernante ! Comment avait-elle pu oublier l'heure ? Elle dévala l'escalier à toute vitesse, déposa son bébé endormi dans le ber installé dans un coin de la salle à dîner, et reprit le travail qu'elle adorait. Malgré le peu d'enthousiasme des

---

11. Marguerite ? Les enfants vous attendent, en bas ! Venez-vous ?

petits pour apprendre les règles ardues de la langue française, elle occupait sa fonction avec plaisir, sachant qu'avec sa détermination et son zèle, elle viendrait bien à bout de leur manque d'intérêt.

— Les enfants, aujourd'hui nous allons lire *Blanche-Neige et les sept nains.*

Le bonheur existait enfin.

35

Encombrée du bébé et d'un sac trop lourd, Marguerite tendit d'une main fébrile son billet au contrôleur qui l'aida à gravir les hautes marches du train. Dans une douzaine d'heures, elle se trouverait à Lowell et reverrait enfin ses sœurs. Cette seule pensée suffisait à lui faire monter les larmes aux yeux. Ah! retrouver sa chère Anne, la prendre dans ses bras et contempler sa fille… Et surtout, surtout, lui présenter son fils.

Revoir Camille, aussi, qui habitait maintenant en permanence chez Anne et Pierre. Cette cadette méconnue qui gardait encore, dans les souvenirs de son aînée, des allures de petite fille… Elle avait pourtant l'âge de Béatrice, la Camille! Même âge, même origine québécoise, même cheminement hors de la normale. Même cruauté du destin aussi… Mais quels horizons différents! L'une, surnommée « princesse » par son père, mais princesse boitillante, déracinée de trop nombreuses fois à des centaines de milles de son pays, l'autre, rivée à son quartier mais cavalièrement traitée de « guidoune » par sa grand-mère. L'une vierge, l'autre mère. Mais dans le regard des deux, ce même relent d'enfance, cette même persistance, ce même acharnement à croire, à vouloir au delà de tout que le bonheur existe encore quelque part. Une même petite lueur au fond de l'œil en train de s'éteindre insidieusement…

Enfoncée dans son siège contre la fenêtre, Marguerite regardait défiler le paysage sans vraiment le voir, l'esprit déjà tourné vers sa destination. La présence d'un bébé avait sans doute chassé les autres voyageurs de son compartiment. Elle avait pu installer Emmanuel sur la banquette vacante à ses côtés. Son bel enfant. Sa raison de vivre. Trois mois et demi déjà, son petit mousse! Et il commençait à comprendre qu'un simple cri attirait l'attention bienveillante de sa maman.

Marguerite n'avait pas prévu de faux-semblant pour expliquer sa condition lors de sa visite aux États-Unis avec un bébé dans les bras. Si, à Montréal, on lui accordait le respect dû à une «veuve ayant, en cours de grossesse, perdu son mari lors d'un grave accident aux États», son entourage à Lowell devrait se faire à l'idée que Marguerite Laurin s'était enfuie au Canada pour aller mettre au monde un enfant conçu hors mariage. Le père? Nul n'en saurait rien, évidemment. Puisqu'elle avait décidé de garder le bébé, le moment était venu de l'assumer. L'étiquette trompeuse qu'on lui attribuait à Montréal résultait de l'initiative du docteur Beaulieu et de sa mère. Là-bas, il s'agissait de survivre. Les bonnes gens, encouragés par l'Église, entretenaient de tels préjugés envers les filles ayant succombé au péché de la chair qu'à leurs yeux, leur faute paraissait presque aussi grave qu'un meurtre. Comme si les femmes commettaient seules ce péché mortel! Marguerite n'avait pas eu le choix de mentir pour sauver sa peau et marcher la tête haute.

Mais aux États-Unis, auprès de sa famille, non! Elle ne cultiverait pas la tromperie. Tant pis pour les commérages derrière les portes. De toute manière, elle avait l'intention de ne demeurer qu'une dizaine de jours à Lowell. Elle sortirait peu et rencontrerait peu de gens à part ses proches. D'ailleurs, pour quelles raisons devrait-elle justifier devant l'univers entier l'existence d'Emmanuel? Il était là, un point c'est tout. Et la vie privée de Marguerite Laurin ne regardait personne.

En revanche, elle se promettait de révéler à Anne l'identité du père du bébé. Sa sœur ignorait tout de ses amours avec Antoine. Elle avait dû s'imaginer toutes sortes d'explications plus farfelues les unes que les autres au sujet de cette grossesse. Bien sûr, divulguer sa relation secrète entacherait à jamais la réputation du père Lacroix, mais tant pis ! Anne, Camille et Rose-Marie avaient le droit de connaître la vérité. Au moins ces trois-là. Et elle la leur dirait.

Et si elle continuait de vivre et de travailler chez les Greenberg, Marguerite envisageait aussi de raconter un jour sa véritable histoire à ces gens de religion protestante, tellement attentionnés à son égard. Elle se sentait mal à l'aise de les tromper ainsi sur son passé. Depuis deux mois, elle s'était prise d'affection pour cette famille d'accueil, sa planche de salut. Auprès d'eux, elle avait retrouvé sa dignité et un goût de vivre formidable. On l'estimait pour ses qualités de femme, de mère et d'enseignante, on lui donnait une place à la table, on lui faisait totalement confiance. On considérait même son bébé avec tendresse.

Elle adorait ces cinq enfants plutôt bien élevés. Grâce à eux, elle redécouvrait les livres de son enfance, ceux que lui lisait Rébecca à Grande-Baie, au coin du feu, pendant les interminables hivers. Ces histoires qu'elle avait parfois racontées à ses élèves de l'école Saint-Joseph…

Elle ne regrettait pas sa décision de demeurer à Montréal. Pour le moment du moins. Son fils serait élevé en français et, autant que possible, elle tenterait de lui éviter la dangereuse séduction du capitalisme, cette grande utopie… Le prêtre n'avait-il pas mis haut et fort le peuple en garde, l'autre dimanche, lors du sermon de la grand-messe à l'église Notre-Dame, en faisant référence à tous ceux qui quittaient leur patrie pour aller perdre leur âme et leur santé dans les usines insalubres des États-Unis : « *Qu'on se contente de ce qu'on a. Il n'y a pas de mal à se procurer des toilettes extravagantes et des beaux chapeaux à la condition de se les fabriquer soi-même. Si on n'a pas assez de sous, que l'on sache souffrir. La souffrance a son mérite. Quand les fils commencent à rougir du vêtement de leur père, ils sont bien près de ne plus savoir respecter son nom*[12]. » Si seulement Joseph avait compris cela…

---

12. Discours emprunté à un sermon de Mgr Taschereau, archevêque de Québec, cité par Yves Roby, *Les Franco-américains de la Nouvelle-Angleterre*, Septentrion, 2000, Rêves et réalités, p. 50.

La cloche du train annonçant l'un des multiples arrêts près d'une agglomération fit sursauter Marguerite. Lowell! Elle y était! Secoué au rythme des oscillations du train, Emmanuel n'avait réclamé la tétée qu'à deux reprises et elle lui avait donné le sein dans la toilette au bout du wagon. Elle s'empressa de ramasser ses affaires et s'en fut rapidement attendre qu'un contrôleur vienne lui ouvrir la porte.

Lowell... Sa gare et son haut plafond, la foule anonyme, grouillante et indifférente. Tant de souvenirs se rattachaient à cette gare! Comment oublier le jour où elle s'y était retrouvée, perdue avec son père et ses sœurs, sans savoir où aller dormir. Cela remontait à combien d'années déjà? Bientôt huit ans! Et depuis huit ans, que de départs et de retours à partir de cette gare. Vers Colebrook et vers Concord aussi, où on avait enfermé Joseph. Au fait, comment allait-il, celui-là? Depuis le temps... Elle n'y pensait même plus!

— Marguerite, Marguerite!

Elles étaient là toutes les trois qui l'attendaient, belles et souriantes, entourées d'enfants. Tellement émues que les larmes ne mirent pas de temps à jaillir. Anne, sa chère Anne, un bébé contre sa poitrine... Et Camille, un brin de timidité figeant son joli visage... Et Rose-Marie, sa grande sœur d'adoption pressant contre elle ses trois marmots. Seule cette dernière dissimulait mal une certaine morosité.

Incapable de prononcer une parole tant l'émotion l'étranglait, Marguerite leur tendit spontanément Emmanuel qui se mit à hurler. Toutes pouffèrent de rire et se pâmèrent devant sa beauté et son «petit caractère». Elle s'exclama à son tour quand Anne lui remit sa fille entre les bras.

— Comme elle est mignonne! C'est toi tout craché!

Élisabeth se montra plus sociable que son cousin et gratifia sa marraine du plus beau sourire du siècle. On s'achemina allègrement, à travers les rires et les pleurs, vers la résidence des Forêt. Marguerite se rendit compte, à ce moment précis, que malgré les sentiments de solitude profonde qui l'avaient étouffée tout au long de son séjour au Canada, elle n'avait jamais été vraiment seule. Des êtres, au loin, n'avaient pas cessé de l'aimer.

36

C'est au cours de sa première nuit à Lowell que Marguerite, seule avec Anne devant le feu qui se consumait dans l'âtre, comprit l'ampleur de son propre drame. Les bébés dormaient côte à côte dans le berceau installé près du canapé, et les deux sœurs penchées au-dessus d'eux comparaient fièrement leurs progénitures.

— Ta fille est magnifique, Anne, et elle te ressemble comme deux gouttes d'eau. Le vrai portrait de sa mère en miniature !

— On ne peut pas en dire autant de ton fils. Je ne te retrouve pas vraiment dans ses traits.

— Non, Emmanuel ressemble à son père. On dirait même qu'il va hériter de ses yeux bleus.

— Ses yeux bleus ? Mais, voyons, Marguerite, son père a de grands yeux remarquablement bruns et pétillants, avec de longs cils !

— Ne me dis pas, ma sœur, que tu n'as jamais remarqué les yeux bleus d'Antoine Lacroix ? Des yeux extraordinaires pourtant…

— Comment ça, les yeux bleus d'Antoine Lacroix ? Ai-je bien compris ? Ton fils aurait hérité des yeux bleus du père Lacroix ? Quoi ? Il serait le père de ton bébé ? Ce n'est pas vrai, tu te moques de moi ! Ou bien je suis en train de délirer. Le père Lacroix ?

Anne porta les mains à sa bouche pour s'empêcher de hausser le ton et d'ameuter toute la maisonnée.

— Mais non, tu ne rêves pas, sœurette. Emmanuel est bel et bien le fils du père Antoine Lacroix. Tôt ou tard, il me fallait bien te l'apprendre. Mais à qui d'autre avais-tu pensé ? Je ne me débauchais pas sur la place publique, tout de même !

— J'étais convaincue qu'Hugo Dubuque t'avait mise enceinte, Marguerite, et que tu t'étais enfuie au Canada afin de ne pas lui révéler ta grossesse, pour je ne sais quelle obscure raison. Voilà ce que j'ai cru.

— Hugo Dubuque ? Jamais de la vie ! Nous étions de bons amis, j'appréciais sa compagnie mais… rien de plus !

— Ne t'avait-il pas demandé en mariage ? Et il semblait le seul homme que tu fréquentais. Qui d'autre aurait pu… te fabriquer un bébé ?

— Je n'ai jamais donné de faux espoirs à cet avocat. S'il persistait à m'attendre, ça le regardait. Je ne l'aimais pas d'amour et il le savait. Hugo Dubuque, père de mon bébé ! Non, vraiment ! Un homme aimable, certes, mais il n'était pas mon genre. Pas du tout !

— Mais, alors, quand je lui ai dit…

— Tu lui a dit quoi ? Tu n'as pas été raconter à Hugo Dubuque que j'attendais un enfant de lui, quand même ? Il a dû rire dans sa barbe, le bonhomme, car je n'ai jamais couché avec lui. Anne, je n'en reviens pas ! Tout ça est de ma faute, j'aurais dû t'avouer la vérité avant de partir pour Montréal. Je me suis comportée comme une imbécile. Mais j'étais paniquée, tu comprends ?

Marguerite s'était levée et marchait de long en large dans la salle de séjour, assommée par les révélations de sa sœur. Mais celle-ci la ramena aussitôt vers le fauteuil en insistant.

— Viens te rasseoir. Tu fais mieux d'être assise pour entendre ce que je vais te dire. Écoute-moi bien…

Anne posa une main crispée sur le bras de sa sœur et plongea ses yeux dans les siens. Jamais Marguerite ne leur avait vu une telle intensité. L'heure semblait grave. Anne toussota et se mit à prononcer posément et en articulant très lentement des mots que Marguerite eut du mal à absorber.

— Ce n'est pas à l'avocat que j'ai parlé de ton état, Marguerite. Hugo, je ne l'ai revu qu'une seule fois, à Noël dernier, et il m'a présenté sa fiancée, figure-toi. Il ignorait tout à ton sujet. Non, c'est à… c'est au père Lacroix lui-même que je l'ai appris.

— Quoi! Tu as annoncé à Antoine que j'étais enceinte d'Hugo Dubuque? Eh bien, lui aussi a dû rire dans sa barbe parce qu'il connaissait déjà mon état. Je lui avais déjà tout raconté dans une lettre.

Anne, percevant une certaine rancœur dans la voix de Marguerite, se leva d'un bond et se prit la tête entre les mains.

— Non, il ne savait rien, je t'assure! Le pauvre a failli perdre les pédales en apprenant la nouvelle de ta grossesse, surtout quand j'ai fait mention de la demande en mariage d'Hugo. Il n'était pas au courant, j'en suis certaine…

— Au courant de ma grossesse? Oui, il l'était. Je lui ai parlé de sa paternité dans toutes mes lettres, crois-moi! En ce qui concerne les demandes en mariage répétées d'Hugo, ça, c'est moins certain qu'il l'ait su. Bien sûr, j'ai attendu le début du mois de septembre avant de lui écrire mais, par la suite, je lui ai répété maintes fois mon intention de garder notre enfant en lui jurant de ne jamais divulguer la vérité sur sa paternité afin de ne pas nuire à sa vocation sacerdotale. Je l'ai même assuré de mon amour à travers notre enfant, jusqu'à la fin de mes jours.

— Début septembre, as-tu dit?

— Oui. Il est vrai que durant mes deux premiers mois passés au Canada, je l'ai laissé sans nouvelles, mais je me sentais tellement déroutée, Anne, tellement bouleversée, tu ne peux pas savoir! J'avais besoin de prendre du recul et de réfléchir à ma situation. Et puis les religieuses filtraient tout le courrier qui entrait et sortait de l'hôpital.

La voix de Marguerite se brisa. Elle se releva et se dirigea vers le berceau pour y soulever Emmanuel et le presser contre elle comme si ce geste maternel allait lui donner le courage de continuer.

— Et alors? Vite, dis-moi la suite, Marguerite. Comment a réagi le père Lacroix après avoir reçu tes lettres?

— Il ne m'a jamais répondu, le croirais-tu? Depuis mon départ de Lowell, la communication a totalement cessé entre lui et moi. Pas une fois je n'ai reçu de ses nouvelles. Durant les deux premiers mois, je pouvais comprendre : il n'avait pas mon adresse. Mais ensuite… Même après avoir appris ma grossesse, Antoine Lacroix m'a lâchement laissée tomber. Plaquée bêtement! Sauvagement, devrais-je dire… Comme un beau sans-cœur!

— Quand il est venu au magasin, il m'a dit quitter Lowell pour des raisons de santé.

— Raisons de santé, mon œil! L'as-tu trouvé si mourant que ça quand tu l'as vu? Tu ne penses pas qu'il aurait pu m'envoyer un petit mot d'encouragement? Une courte phrase sur un bout de papier, barbouillée de sa petite main tremblante et faiblarde sur le point de mourir…

Le ton était persifleur. De toute évidence, Marguerite ne croyait pas à la maladie du prêtre. Elle l'imaginait plutôt en train de se bercer, la tête haute, sur la galerie du presbytère d'une paroisse éloignée, quelque part dans la province de Québec, enseignant la morale et prodiguant de précieux conseils à ses ouailles pour les inciter à pratiquer la chasteté.

— En tout cas, il aurait pu avoir la décence de m'annoncer son départ de Lowell. Au moins ça! Départ qui ressemble à une échappatoire. La dérobade d'un beau profiteur… Du coureur de jupons qui se dégonfle. Je te le jure, Anne : chaque jour, je demande à Dieu de m'aider à lui pardonner. S'il est vrai que l'amour et la haine sont très proches, je commence à en faire le douloureux constat.

Cette fois, c'est Anne qui se releva et vint planter son regard mouillé dans celui de sa sœur. Marguerite y vit se refléter la flamme de la cheminée. Mais était-ce bien le feu de la cheminée? Anne insista :

— Je persiste à croire que le père Lacroix ne savait rien à ton sujet quand il a décidé de quitter Lowell. Lors de sa visite au magasin, le jour même de sa disparition, il m'a paru triste et déprimé et, comme tu dis, certainement pas assez malade pour s'empêcher de t'écrire. Il s'est tout de même informé sur toi. Si tu l'avais vu sursauter, muet de stupeur quand je lui ai annoncé que tu te trouvais à Montréal, enceinte d'Hugo Dubuque. Il est d'ailleurs immédiatement parti sans le moindre commentaire dès que j'ai prononcé les mots « demande en mariage », je m'en rappelle très bien. Sur le moment, j'ai trouvé ce comportement un peu étrange. Crois-moi, Marguerite, plus j'y songe, plus je mettrais ma main au feu qu'il ignorait tout. Ah ! je m'en veux tellement ! Je n'avais pas à lui faire part de mes conclusions hasardeuses sur votre relation à toi et à Hugo. Quelle affaire, mon Dieu, quelle affaire !

— Tu te trompes. Je te le répète : dans chacune de mes lettres depuis la fin de l'été, j'ai parlé à Antoine de notre enfant. Et il savait, depuis toujours, que rien de sérieux ne s'est jamais passé entre Hugo Dubuque et moi. Évidemment, comme tous les amants du monde, il s'énervait un peu lors de mes rencontres amicales avec l'avocat, mais rien de plus. Sincèrement, Antoine et moi étions follement amoureux, Anne. De vrais amoureux, tu comprends ?

Marguerite se mit à sangloter. Elle n'avait plus envie de ressasser ce sujet, de rouvrir cette blessure mal cicatrisée. Tout cela était chose du passé. Elle ne voulait plus en parler. Elle avait tant travaillé sur elle-même pour réussir à oublier son bel amant et à se tourner vers l'avenir. Seulement l'avenir.

— Et si le père Lacroix n'avait jamais reçu tes lettres ?

— Que dis-tu là, Anne ? Ce n'est pas possible, voyons ! « Paroisse Saint-Joseph de Lowell, Massachusetts, USA », ça ne constitue pas un mystère pour les postes américaines, ça. Je… je n'ai jamais envisagé ça, moi ! Mais, à bien y songer, même si Antoine n'avait pas lu mes lettres pour une raison que j'ignore, il a su, grâce à toi, que j'attendais un bébé. Il aurait dû normalement essayer de me retrouver, voyons ! Il aurait pu te demander mon adresse.

— Même en te croyant enceinte d'Hugo comme je le lui ai annoncé ?

— Ah, ça…

Troublée, Marguerite sembla réfléchir un moment mais continua sur la même lancée.

— Oui, il aurait dû me chercher. Facile de dénicher l'hôpital ou la communauté religieuse qui accueille les filles-mères à Montréal, surtout pour un oblat. Il n'aurait eu qu'à sonner à la porte de l'Hôpital de la Miséricorde. En voyant un prêtre se présenter pour me rencontrer, les sœurs, à cent lieues de se douter de la vérité, l'auraient laissé entrer sans hésiter. Le salut de l'âme d'une pénitente, penses-y !

— Le père Lacroix a dû te croire partie au Canada pour épouser secrètement le bel Hugo. Voilà ce que je pense !

— Si Antoine m'avait réellement aimée, Anne, il ne m'aurait pas laissée partir sans protester, sans m'en demander la raison, sans exiger des explications. Il n'aurait pas gardé le silence et ne serait pas disparu dans le décor sans me donner signe de vie. Si seulement il avait tenu à moi un peu… Un tout petit peu.

— Mets-toi à sa place. La femme qu'il aime part sans lui laisser d'adresse, et voilà que deux mois plus tard, il apprend par sa sœur qu'elle est enceinte d'un autre homme qui veut l'épouser !

— Ouais, tu as peut-être raison…

— Et… s'il était réellement malade ? Et même mort ?

Marguerite recommença à gémir de plus belle. Antoine, mort ? Elle avait toujours écarté cette éventualité. Non, non, ça ne se pouvait pas ! Antoine ne devait pas mourir, son amant, si robuste, n'avait pas le droit de mourir. Elle s'effondra. Tout à coup, l'espace d'une seconde, cette pensée fit remonter à la surface tout l'amour qu'elle avait tenté si fort, pendant des mois, de refouler et de réduire à néant. Tout cet amour, plus palpable que jamais, plus grand et plus fort qu'elle-même. Comme une explosion. Elle se sentit anéantie et eut l'impression de devoir repartir à la case zéro.

Elle ne vit pas sa sœur serrer les poings de rage.

— Je ne me doutais de rien de tout ça, moi ! Quelle naïve je fais ! Si seulement j'avais su que le père Lacroix et toi, depuis si long-temps… Pourquoi m'avoir dissimulé votre liaison ? Tu aurais dû m'en parler, Marguerite. N'avais-tu pas assez confiance en moi ?

— Anne, tu avais déjà ta vie, ton amoureux, ton projet de mariage. J'avoue qu'après ton départ de notre logement au-dessus du magasin, les choses se sont avérées plus faciles pour Antoine et moi. Nous n'avions plus à manigancer pour dissimuler nos rencontres. J'ai surtout gardé le silence pour ne pas entacher sa réputation de prêtre, crois-moi. Je ne me doutais pas du bourbier dans lequel le destin me mènerait. Jamais je n'aurais cru que ça se terminerait de cette façon. J'aimais tellement cet homme, tu n'as pas idée…

Anne s'approcha du petit Emmanuel et le regarda de plus près.

— Tu as raison, cet enfant-là ressemble à son paternel. Marguerite, il faut retrouver le père Lacroix à tout prix.

— Non. Tout est bel et bien fini, je le sens. Je le sais. Antoine Lacroix ne reviendra plus dans ma vie. Tu sais, Anne, l'existence souterraine de maîtresse d'un prêtre n'est pas une sinécure. Pendant des mois, j'ai fréquenté cet homme-là dans le silence et la clandestinité. Dans le mensonge et l'attente aussi. Tellement d'attente! Et la solitude inhérente… Et cela m'horripilait. Sans oublier la perspective du célibat pour le reste de mes jours. Ce n'est pas une vie, ça! Au bout du compte, Dieu a dû remporter la victoire sur Marguerite Laurin dans la tête et le cœur consacrés de son cher vicaire. Et c'est mieux ainsi, hélas!

— Je suis parfaitement d'accord avec toi.

— Anne, n'avons-nous pas, toi et moi, connu assez de misère dans le passé pour avoir le droit d'être enfin heureuses au grand jour? En pleine lumière? D'ailleurs, la pensée qu'Antoine ne m'aimait plus m'a aidée à renoncer à lui. Je m'en suis maintenant sortie. Bien sûr, il y a cinq minutes, l'idée de sa mort a réveillé des sentiments que je croyais éteints. Mais mon émotion n'est que passagère, ne t'en fais pas. Je refuse de revenir en arrière. Non de non, je ne vais pas recommencer à brailler pour Antoine Lacroix!

— Marguerite, quelle femme forte tu fais!

— Pas aussi forte que tu crois! Mais ne te fais pas de souci pour moi, sœurette. Dans toute cette histoire, il me reste mon adorable petit garçon. Je ne suis plus seule. Et je vous ai aussi, toi et Camille, et Rose-Marie. Et, à Montréal, une merveilleuse famille m'a accueillie sous son toit. Chez eux, je peux tranquillement élever mon fils et gagner ma vie tout en exerçant un travail que j'aime. Et un couple d'amis s'est occupé de moi avec tant d'empressement. Que désirer de plus ?

— Le bonheur, Marguerite. Le vrai bonheur…

Marguerite ne sut jamais que, dès la première heure, le lendemain matin, Anne se présenta au presbytère pour s'informer de l'adresse du père Lacroix « afin de lui envoyer une carte de bons vœux ». Le curé Garin répondit sur un ton glacial qu'il ignorait absolument l'endroit où rejoindre son ex-vicaire et que, de toute manière, même s'il l'avait su, il ne pourrait pas le révéler, tenu par le secret professionnel.

— Dites-moi au moins s'il est encore vivant.

— Ça, mon enfant, Dieu seul le sait. Il y a la mort du corps, mais il existe aussi la mort de l'âme.

37

La route vers Concord parut interminable aux trois sœurs malgré le calme attendrissant des poupons. Aucune d'elles n'avait franchi la distance entre Lowell et cette ville depuis une éternité. Même Camille, au cours de la dernière année, n'avait pas réclamé d'aller visiter son père. Il faut dire qu'en dépit de sa persistance et de celle d'Anne à lui écrire, Joseph n'avait jamais répondu à leurs lettres. Était-ce par indifférence et désintéressement, ou encore pour des raisons de santé, nulle n'aurait su dire la véritable raison de ce mutisme. Une chose était certaine : s'il avait lu leurs écrits, il était au courant de sa nouvelle condition de grand-père. Marguerite avait décidé de mettre à profit son séjour aux États-Unis pour aller voir sur place ce qui se passait réellement.

Le gardien, à la barrière, émit quelques réticences à laisser passer les deux bébés. Les filles protestèrent qu'il s'agissait des petits-enfants de Joseph Laurin. De les connaître contribuerait sûrement à un meilleur moral et, par ce biais, au bon comportement du prisonnier. Après s'être assuré, avec ses grosses mains sales, qu'aucune arme ne se trouvait dissimulée parmi les langes et les couvertures, l'homme opina d'un signe de tête, davantage convaincu par le charme des mères que par leur argumentation.

Assises toutes les trois dans la salle des visites, les sœurs Laurin durent attendre une bonne vingtaine de minutes, les yeux rivés sur les guichets, avant que n'apparaisse, dans la pièce derrière les minus-cules ouvertures, le vieillard qu'était devenu leur père. Le dos voûté, la barbe longue et grise, le regard fuyant, l'homme aux abords de la cinquantaine faisait vingt ans de plus. Marguerite se demanda si c'était l'alcool ou la prison qui l'avait à ce point amoché.

— Papa !

Camille se leva la première pour aller coller sa main ouverte sur les barreaux du guichet. L'homme réagit à peine.

— Papa, c'est moi, votre princesse ! Vous ne me reconnaissez pas ?

Joseph plissa les yeux dans un effort de concentration.

— Camille ? Oh !… c'est Camille, ma princesse !

— Comment allez-vous, mon beau petit papa ?

— Euh… ça va, ça va. Et toi ?

La voix était caverneuse, à peine audible. L'homme s'approcha du grillage et posa à son tour une main tremblante vis-à-vis de celle de sa fille.

— Je ne te reconnais pas. Tu es donc bien belle !

— J'habite maintenant à Lowell, chez Anne et son mari.

— À Colebrook ?

— À Lowell, papa. Chez Anne. Elle a eu un bébé. Regardez, vous voilà grand-père !

Manifestement, Joseph n'avait pas encore remarqué la présence de ses deux autres filles, chacune portant instinctivement son paquet emmitouflé dans une couverture de laine comme pour le protéger, ce paquet, gage de bonheur sur lequel, Dieu merci, leur père ne possédait pas de pouvoir.

Marguerite sentait son cœur battre à tout rompre. Ainsi, Joseph était devenu cette loque confuse, replié sur lui-même et à demi conscient de ce qui se passait autour de lui. Victime de son délire et de ses rêves fous, comme il avait été victime, autrefois, des affres de l'alcool et des hallucinations qu'il déclenchait. Victime surtout de sa grande illusion… Elle remercia le ciel de les avoir sauvegardées, elle et ses sœurs. Car, au bout du compte, malgré les guêpiers dans lesquels Joseph les avait entraînées, chacune avait réussi à conserver sa lucidité et même à se forger une place au soleil. Anne avait son Pierre et leur adorable petite Élisabeth… Elle-même, Marguerite, malgré ses trébuchements, pouvait envisager l'avenir avec sérénité avec un fils à aimer et, en poche, un diplôme pour gagner sa vie. Quant à Camille, en dépit de sa légère claudication, elle avait été sans doute la moins perturbée des trois, grâce à ses années passées chez les Lewis.

Anne vint rejoindre sa sœur devant le guichet et leva fièrement son bébé à la hauteur du prisonnier.

— Regardez, papa, je vous présente Élisabeth.

Joseph fit un signe affirmatif de la tête mais demeura muet. Il regarda distraitement le bébé puis reporta son regard vers Anne.

— Anne ? C'est toi, Anne ?

— Mais oui, c'est moi, papa ! Vous ne m'aviez pas reconnue ? Tenez, regardez, voilà mon bébé, votre petite-fille…

L'homme ne porta pas attention à l'enfant mais persista à scruter le visage d'Anne comme si, dans sa confusion, il cherchait un éclaircissement. Soudain, son visage s'illumina.

— Ne me dis pas que c'est l'enfant d'Armand !

— L'enfant d'Armand ! Qui ça, Armand ?

— Mais le fils de ma sœur Léontine, voyons ! Hier soir, au pied de l'escalier… Ah ! il l'a eu, mon coup de pied dans les gosses, le vicieux !

Abasourdie, Anne se releva d'un bond sans répondre et préféra retourner s'asseoir près de Marguerite tout aussi décontenancée.

— Papa est devenu fou. Il croit que mon cousin Armand est le père d'Élisabeth. Je n'en reviens pas !

Après avoir posé sa main sur Anne pour tenter de la calmer, Marguerite prit son courage à deux mains pour s'approcher du guichet à son tour et donner des explications à son père. Elle prit garde, au préalable, de déposer Emmanuel sur une chaise en priant sa sœur de le surveiller.

— Papa, votre sœur Léontine et son fils Armand ont quitté les États-Unis il y a presque sept ans. Nous sommes aujourd'hui en juin 1888. Dix-huit cent quatre-vingt-huit, papa… Depuis ce temps, Anne s'est mariée et elle a eu un bébé l'hiver dernier. Quant à moi…

Marguerite n'acheva pas sa phrase. Joseph restait figé, les yeux vitreux et les lèvres pincées. Mais soudain, comme dans un éclair, il se mit à la dévisager comme s'il la voyait pour la première fois.

— Tu es venue ! Je le savais que tu reviendrais. Je t'ai attendue depuis des années.

Impressionnée, Marguerite n'osait bouger. De toute son âme, elle espérait que son père retrouvât ses esprits. À tout le moins qu'il se souvienne d'elle, sa grande, et qu'il lance enfin le cri de joie qu'elle attendait. Celui de les retrouver là, toutes ensemble et portant dans leurs bras sa descendance.

Il le lança finalement, son cri de joie, sur un ton sans équivoque, et ce cri, s'il retentit dans toute l'aile du pénitencier, brisa le cœur des trois sœurs.

— Rébecca !

38

Camille, plus que les autres, se remettait mal de l'émotion causée par sa visite à la prison de Concord. Elle n'acceptait pas de voir son père aussi cinglé. Jusqu'à son arrestation, Joseph avait représenté pour elle un lien de continuité entre le passé et le présent, comme une sorte de pilier sécurisant malgré l'éclatement de la famille. Son paternel vivait quelque part, pas très loin dans la région de Colebrook, et il viendrait la protéger et la défendre en cas de danger. Certains dimanches, il se retrouvait à la même table qu'elle, chez Angelina et son mari, et il l'appelait affectueusement sa princesse.

Dans le train, au retour de Concord, la princesse n'en menait pas large. Mais, fidèle à sa nature, elle tenta de ne pas laisser paraître son état d'âme. Marguerite ne fut pas dupe, cependant. Derrière le mutisme buté, les reniflements difficilement contenus et cette jambe qui ne cessait de s'agiter avec nervosité, elle devina un grand désarroi chez la benjamine.

Pauvre Camille, « barouettée » depuis si longtemps sans jamais avoir son mot à dire ! Elle déposa spontanément un baiser sur sa joue.

— Console-toi, Camille, papa ne s'aperçoit plus de rien. Il ne faut plus y penser, car la vie continue pour nous.

À la vérité, la petite sœur ne se sentait pas très confortable chez Anne et Pierre, non seulement à cause de la présence d'un nourrisson mais surtout à cause de l'exiguïté du logement. Elle n'appréciait pas trop de dormir au milieu de la place, dans le salon, s'imaginant être un parasite supporté par obligation. Chez Rose-Marie, au moins, elle occupait la fonction officielle de bonne d'enfant avec la responsabilité et le travail que cela impliquait. On la rémunérait et, de son salaire, elle extrayait ses frais de pension pour les remettre à ses employeurs en toute dignité. Elle possédait une chambre, un coin bien à elle où se retirer dans l'intimité et où ranger ses affaires. Bref, elle existait à part entière et de façon autonome.

À présent, chez les Forêt, elle trouvait les journées interminables, errant comme une âme en peine, sans tâche domestique et sans but. Animée de sentiments maternels débordants, Anne préférait s'occuper elle-même de son bébé, à la grande déception de Camille. La jeune sœur ne disposait même plus de son piano, ce fidèle et unique ami à qui elle confiait ses joies et ses peines depuis des années. Jamais, de toute son existence, elle ne s'était sentie aussi seule et démunie que maintenant. Anne s'en était rendue compte et, avec son mari, ils avaient multiplié leurs efforts pour la mettre à l'aise et lui ménager une place malgré tout douillette au sein de leur étroit nid d'amour. En dépit de leur accueil sympathique, Camille persistait à se croire de trop. Mais elle ne voyait pas de quel autre côté diriger ses pas.

Rose-Marie lui avait bien offert de réintégrer sa chambre. Même les enfants l'avaient suppliée de revenir. Mais, méfiante, l'adolescente avait refusé poliment, tout comme l'emploi de vendeuse dans l'un des magasins de Paul qui, penaud, le lui avait proposé sur un plateau d'argent, histoire de se racheter de sa bêtise. Il n'était pas question pour Camille Laurin de recommencer à dépendre de cet homme. Les autres pouvaient bien lui avoir pardonné, elle, elle ne lui donnerait plus jamais sa confiance. Quant à son attachement aux enfants du couple, la petite Élisabeth avait vite créé une diversion auprès de sa jeune tante, malgré l'instinct possessif de la mère. Mais cela ne suffisait pas à redonner à Camille sa sérénité d'autrefois, même si la famille Boismenu, dans un élan généreux, continuait de lui verser son salaire « tant et aussi longtemps qu'elle ne trouverait pas un autre travail à son goût », selon les dires d'une Rose-Marie bouleversée.

Et voilà que Joseph, enfermé pour des années, l'avait à peine reconnue et semblait tout ignorer de sa situation en dépit des lettres qu'elle n'avait cessé de lui envoyer régulièrement. Cette matinée en prison l'enfonçait encore davantage dans le désarroi.

— Ça ne va pas mieux, hein, ma Camille ?

Il n'en fallut pas plus pour que n'éclate la jeune fille, là, au beau milieu du train, à mi-chemin entre Concord et Lowell. Marguerite passa autour d'elle un bras qu'elle voulait protecteur.

— Pleure, ma chouette. Il ne faut pas garder tout ça en dedans, sinon ça risquerait de pourrir. J'en sais quelque chose ! Pleure, vide-toi de ce qui te fait mal.

— C'est papa…

— Papa ne se rend plus compte de rien. Il ne sait même plus qu'il se trouve enfermé dans ce lieu infernal pour encore des années. N'est-ce pas préférable ainsi, plutôt que de le voir malheureux et révolté, prêt à tout casser parce qu'il n'en peut plus ?

— Moi aussi, Marguerite, moi aussi, je suis en prison. Moi aussi, je n'en peux plus…

— Je sais.

Camille avait prononcé ces derniers mots à voix basse et Anne avait détourné la tête, refusant de se mêler à la conversation. Bien consciente du problème de Camille, elle faisait tout, pourtant, pour lui faciliter les choses. Mais elle n'entrevoyait pas de solution à court terme. Comme sa cadette, Anne se sentait dépassée par les événements de ces derniers temps. En moins de cinq mois, un bébé et une jeune sœur passablement traumatisée avaient déboulé dans son logement exigu et perturbé son roman d'amour avec Pierre. Le bébé, passe encore, même s'il tétait la nuit. Mais Camille, avec son indiscipline, ses traîneries répandues un peu partout dans la maison, son manque de vaillance pour donner un coup de main, ses petits caprices qu'Angelina avait laissé passer et qu'un trop court séjour chez les Boismenu n'avait pas réussi à éliminer…

Anne rêvait d'une chose : retrouver son intimité avec son mari. Le chéri se montrait pourtant compréhensif et patient, gentil même, envers sa « belle belle-sœur » ainsi qu'il la surnommait affectueusement. Il restait que, tôt ou tard, une décision s'imposerait : ou Camille devrait partir, ou ils se verraient dans l'obligation de déménager dans un logement plus vaste où chacun disposerait de son espace vital.

Marguerite avait bien élaboré un vague projet depuis qu'elle avait mis le pied à Lowell, mais elle hésitait à en parler. Pourquoi ne pas amener la benjamine avec elle à Montréal ? Hélas, elle ne savait où la nicher. Les Greenberg l'avait embauchée comme institutrice, il n'était pas question de leur imposer sa sœur. D'un autre côté, l'expérience de Camille auprès des enfants devrait suffire à lui trouver un travail de bonne d'enfant bien rémunéré auprès d'une famille de Montréal riche et nombreuse. D'autant plus qu'elle aussi maîtrisait parfaitement l'anglais et le français. Oui, il s'agissait certainement d'une bonne idée. Elle décida de plonger.

— Dis donc, Camille, que dirais-tu de venir travailler à Montréal ? Je pense qu'on pourrait facilement te trouver du travail là-bas.

La jeune fille tourna vers elle un regard si pitoyable qu'elle-même, Marguerite, en eut le cœur chaviré. Pauvre sœurette… Voilà qu'on lui proposait encore une fois de la déraciner. Encore une fois ramasser ses affaires et faire ses bagages, encore une fois apprivoiser un lieu inconnu, un nouveau décor, un contexte étranger… Marguerite tenta de la rassurer.

— Tu sais, je suis presque certaine de pouvoir garder mon emploi chez les Greenberg tout en y amenant mon bébé, même si je décide de vivre à l'extérieur de chez eux. Ces gens-là me paraissent tellement ouverts ! Avec nos deux salaires, nous pourrions dénicher un petit logement pour nous deux. Ou plutôt pour nous trois. Et on pourrait y mener une petite vie tranquille et paisible. Qu'en penses-tu ?

L'idée fit lentement son chemin et bientôt, non seulement les yeux de Camille se mirent à briller, mais également ceux d'Anne. Un phare venait de s'allumer.

— Écoute, Camille, dès mon retour à Montréal, j'en parle à mes patrons et aussi à mon ami Rémi Beaulieu. Ces gens-là connaissent beaucoup de monde. Ils vont m'aider à trouver une solution, j'en suis convaincue.

Quand le train entra en gare, les trois sœurs Laurin éprouvaient le sentiment d'avoir laissé leur morosité derrière elles de la même manière que le convoi avait dépassé indifféremment les villages, les forêts et les champs. Elles descendirent du train le cœur plus léger, assurées que l'avenir leur appartenait enfin.

Quant à Joseph, il devrait continuer de se contenter de leurs prières et de leurs visites occasionnelles.

39

Le 24 juin, fête nationale de la Saint-Jean, occupait toujours la première place dans le cœur des francophones de Lowell, surtout quand y participait la Garde de Salaberry formée des héros de 1812. Leur costume noir, avec la plume au chapeau, leurs guêtres, leurs gants, tout leur accoutrement de cavalier avait du panache et rehaussait l'éclat de la fête.

Dix jours plus tard, par contre, lors de la célébration officielle de l'Indépendance des États-Unis, même si les usines fermaient obligatoirement leurs portes, la plupart des immigrés canadiens-français ne voyaient là qu'une simple occasion de s'amuser en famille. Des clubs de naturalisation en profitaient, ce jour-là, pour diffuser leur propagande. En réaction contre cette tendance, des associations sociales et culturelles francophones, telles que la Ligue du Sacré-Cœur, les Dames de Sainte-Anne, la Société Saint-Vincent-de-Paul, les Dames de Charité, l'Association Saint-Dominique pour les ouvriers se faisaient un devoir de parader afin d'affirmer fièrement leur origine ethnique.

Puisque la Saint-Jean s'était écoulée loin des célébrations pour les sœurs Laurin, à cause de l'arrivée de Marguerite, Anne se promettait de se rattraper le 4 juillet. Elle proposa donc un pique-nique dans le parc, aux abords de la Merrimack, puis un souper amical chez Rose-Marie et Paul Boismenu en fin de journée

Marguerite avait quelque peu hésité à accepter cette proposition de paraître en public à Lowell avec un bébé dans les bras. Les parents d'élèves de l'école Saint-Joseph ne manqueraient sûrement pas de la reconnaître et de venir la saluer. Elle finit néanmoins par se convaincre elle-même. « Assume tes choix, ma vieille ! Tu en as pour des années à te faire regarder de travers avec ton fils orphelin de père. Ça commence aujourd'hui ! »

Étonnamment, c'est l'annonce du consentement de Paul à se joindre au groupe et son aimable invitation à souper qui la firent basculer. Si, après ses erreurs avouées et son agression envers Camille pour laquelle il s'était repenti, le mari de Rose-Marie avait encore le courage de se présenter à ses amis, elle se devait, elle aussi, d'accepter les conséquences de ses actes et d'aller de l'avant en faisant fi des qu'en-dira-t-on.

Et si c'était l'arrogance et non pas le courage qui maintenait Paul dans le décor ? Non, non, depuis un mois, il s'était inscrit au Cercle de Tempérance et assistait à chacune des réunions. Il avait juré à Rose-Marie de ne plus jamais toucher à la bouteille. Et cela devait l'empêcher, en principe et selon ses dires, de succomber aux tentations en jupon. Il aimait encore sa femme et elle lui avait pardonné. Camille et Anne avaient accepté l'invitation non sans une certaine réticence difficilement dissimulée.

Quant à Marguerite, elle se demandait si c'était par amour ou à cause des trois petits collés à ses jupes que Rosemarie, sa malheureuse amie, avait accepté de passer l'éponge sur cette pénible affaire. À la vérité, Marguerite ne faisait plus confiance à la gent masculine. Si des êtres purs et intègres comme Antoine Lacroix réussissaient à tricher et à mentir, que penser des autres hommes ? Les Paul Boismenu, Pierre Forêt, Hugo Dubuque et compagnie ? Antoine ne lui avait-il pas juré de « l'aimer pour l'éternité » ? La belle affaire ! Elle aurait dû comprendre « Je profite de toi, puis je t'ignorerai pour l'éternité ». C'eût été plus juste !

En ce matin ensoleillé, elle se sentait libre et légère, prête à envoyer au diable tous les hommes de la terre, y compris le bel Antoine. Sa conversation de l'autre nuit avec Anne l'avait ébranlée, évidemment, mais elle allait s'en remettre. Si elle avait réussi à refouler ses sentiments pendant plusieurs saisons, elle allait réussir encore. Marguerite Laurin n'avait pas dit son dernier mot.

Aujourd'hui, le temps était venu de s'amuser. Et elle s'amuserait, elle se le promettait. Célibataire et seule avec son petit, certes, mais indépendante et en paix. Aujourd'hui, elle voulait se distraire et prendre du bon temps. Et même danser si l'occasion se présentait.

— On devrait apporter un couteau pour tailler les légumes de la salade sur place et à la dernière minute. Ce serait meilleur !

Pierre Forêt s'était mêlé de la préparation du pique-nique. Marguerite aimait bien son beau-frère. Intelligent et cultivé, il ne se gênait pas, faisant fi de son orgueil de mâle, pour retrousser ses manches autant dans la cuisine que pour les soins du bébé. Elle le trouvait bien assorti à sa sœur, ce lettré qui gagnait honnêtement sa vie et celle de sa famille.

— On se dépêche, les « p'tites Laurin » si on ne veut pas manquer le début de la conférence. Marguerite, déposerais-tu les pains sur le dessus du sac, s'il te plaît ?

C'était le branle-bas de combat dans le minuscule logement des Forêt : deux bébés, trois sœurs et un mari ! Tout juste si on ne se marchait pas sur les pieds. Mais quel plaisir de se trouver ensemble ! Marguerite regimba en entendant le mot conférence.

— Une conférence ! Quelle conférence ? C'est fête, aujourd'hui, et il reste deux jours avant mon retour à Montréal. Quelqu'un, ici, a-t-il envie de perdre son temps à écouter un ennuyeux discours qui risque de durer une bonne partie de l'après-midi ?

Elle aurait voulu mettre les bouchées doubles et ne rien laisser la distraire de ces dernières heures auprès des siens. De penser qu'elle devrait les quitter bientôt lui fendait le cœur. Aux larmes des premiers jours avaient succédé les fous rires et la bonne humeur. Après avoir tiré les choses au clair au sujet de la maternité de Marguerite, après avoir admis les problèmes de débilité de Joseph, après avoir élaboré des projets précis pour l'avenir de Camille, on avait réussi à tourner la page et à laisser les contrariétés de côté. On avait préféré profiter tous ensemble des beaux jours de l'été. Et les deux bébés de quatre et cinq mois n'avaient pas donné leur place pour charmer la galerie.

— Il s'agit d'une conférence importante, Marguerite, et je tiens à y assister comme journaliste. Ce conférencier-là brasse trop de choses dans les villes de la Nouvelle-Angleterre pour ne pas produire son effet ici. Ça devrait tous nous intéresser. Et ça se passe justement au parc où nous projetons d'aller. Nos amis Boismenu vont d'ailleurs nous y rejoindre, juste en face du sixième piquet de la clôture, côté rivière.

— Ah bon. Sur quel sujet, cette belle causerie ?

— La religion. C'est le sujet à la mode, actuellement. Tu n'es pas sans savoir que la lutte continue de s'amplifier entre les curés francophones et les catholiques irlandais. Ces derniers détestent les Canadiens français.

— Je sais, je sais ! On nous a rebattu les oreilles avec ces problèmes-là depuis qu'on a mis les pieds aux États-Unis. Tu as vraiment envie d'entendre encore parler de ça aujourd'hui, toi ?

— Laisse-moi au moins finir ! Il s'agit de bien autre chose. Le conférencier est rarement invité par les clubs sociaux, mais il n'en déplace pas moins les foules. Il s'agit d'un ministre protestant qui promène son baluchon d'une ville à l'autre, de son propre chef. Il s'amène, un bon dimanche, dans un parc ou un endroit public, il monte sur un banc ou une petite estrade improvisée, et il commence simplement à s'entretenir avec les gens. Parfois, il amène un étudiant avec lui, sorte d'« apprenti-pasteur » en formation. En quelques minutes à peine, un attroupement monstre se forme autour d'eux. Un véritable phénomène social, je te dis ! Tout le monde en parle !

— Et d'où vient-il, ce surhomme ?

— De Manchester. L'Église catholique de la Nouvelle-Angleterre est sur les dents, tu penses bien ! Même les Irlandais veulent se joindre à nous pour combattre l'effet de ses prédications. C'est du sérieux ! Il convertit du monde à chacune de ses conférences.

— Comment ça ?

— Depuis quelque temps, un certain nombre de catholiques abandonnent la pratique religieuse, paraît-il. Plusieurs ne font plus leurs Pâques, certains bancs d'église restent vides le jour du Seigneur, on va même jaser sur le perron au lieu d'écouter le sermon. Alors, quand quelqu'un essaye d'entraîner les gens vers une autre religion, nos prêtres s'énervent. Il paraît qu'un curé, dans une autre ville de la Nouvelle-Angleterre, a interdit à ses paroissiens d'aller écouter le discours de cet homme qu'il a qualifié de traître. Certains catholiques y sont allés quand même, par curiosité sans doute, et, suite à la conférence, le même curé les a menacés d'excommunication s'ils refusaient de s'identifier sur la place publique. Il a aussi défendu à ses paroissiens de fréquenter ces gens-là. L'affaire est actuellement en cour, crois-le ou non, car un marchand poursuit le curé pour diffamation. Tu parles ! Même un journal américain a fait déborder le vase en publiant, à ce sujet, la caricature d'un prêtre catholique tenant un fouet. Il faut aller entendre ça sans faute cet après-midi. Marguerite, tu ne peux manquer ça ! Les autres sont d'ailleurs tous d'accord. Moi, je vais apporter ma tablette et prendre des notes, c'est certain.

— Et ton prédicateur, il s'adresse aux foules en français ?

— Il semblerait bien que oui.

— D'accord, le beau-frère, tu as gagné ! Je vais aller à la conférence de ton orateur. Tant pis si Emmanuel ou Élisabeth lui font compétition avec leurs pleurs !

⇥⇤

Encore plus que les journaux, les annonces placardées sur le coin des rues dans le quartier du Petit Canada avaient produit leur effet : quelques centaines de personnes se bousculaient déjà autour de la plate-forme aménagée pour la conférence, en attendant l'arrivée du fameux John Anderson et de son disciple. Puisqu'à Lowell, le père Garin n'avait émis aucun interdit d'y assister, les curieux avaient décidé de venir constater de visu de quoi il retournait.

Plutôt éloigné de l'estrade, le groupe des trois sœurs et de leurs proches regarda les conférenciers arriver d'un œil distrait. À la vérité, personne n'avait de véritable intérêt pour la religion protestante des Américains, hormis le mari d'Anne, et ce, pour des raisons purement professionnelles. Le journaliste avait d'ailleurs délaissé le groupe pour se faufiler dans la foule, tout à fait à l'avant, afin de mieux entendre la conférence. Demain, son journal publierait un magnifique compte rendu de l'événement signé Pierre Forêt.

Marguerite réprima un bâillement d'ennui. Un si beau jour, et être obligée d'écouter un sermon sur la religion… Elle souhaita que le discours ne s'éternise pas trop en voyant ses sœurs y porter soudain une certaine attention. Elles n'allaient pas écouter ça tout l'après-midi, tout de même ! La voix du conférencier lui parvenait de très loin et elle n'avait pas envie de se casser la tête pour comprendre le sens des mots prononcés. Elle se tourna vers la rivière et laissa son esprit vagabonder. Tant et tant de souvenirs remontaient à la surface devant ces eaux bouillonnantes…

Tout à coup, elle sentit une main ferme l'empoigner.

— Marguerite, viens avec moi, vite !

— Quoi ? Qu'est-ce qui se passe ?

— Viens, je te dis !

Pierre, le visage défait, entraîna sa belle-sœur vers la tête du rassemblement, en ne se gênant pas pour jouer des coudes.

— Regarde, Marguerite…

La jeune femme étouffa un cri et manqua défaillir quand elle se rendit compte, une fois près de l'estrade, que le jeune en formation qu'on avait présenté comme Antony Cross était nul autre qu'Antoine Lacroix. Sa première impulsion fut de prendre ses jambes à son cou pour fuir cette vision ahurissante. Antoine Lacroix, défroqué, devenu protestant et prêcheur de rue ! Elle n'arrivait pas à y croire, elle devait rêver. Il se trouvait bien là, pourtant, monté sur la tribune, vêtu d'un simple chandail de coton et chaussé de sandales. À cause de sa barbe et de ses cheveux très longs, de loin, elle ne l'avait pas reconnu. Mais les yeux… Ils n'avaient pas changé, ces yeux qu'elle avait mis tant de mois à oublier. Ah ! mon Dieu ! Pas encore ces yeux-là ! Ils allaient la rendre folle !

Vite s'enfuir, ne plus revoir cette image dont elle venait à peine de se libérer. Et poursuivre son chemin, aller de l'avant comme si elle ne venait pas de comprendre que le nom d'Antoine Lacroix se traduisait bel et bien par Antony Cross. Comment n'y avait-elle pas pensé ?

Ainsi, Antoine avait bien continué d'exister sans elle. Converti au protestantisme, l'amant chéri ! Elle n'en revenait pas. Eh bien ! il pouvait aller au diable s'il le voulait, ce cher monsieur Cross, elle s'en contrefichait. Il s'était bien passé d'elle depuis un an, il aurait à le faire encore pendant cent ans ! Elle ne le connaissait pas, elle ne le connaissait plus. Il pouvait aller au diable !

À ses côtés, Pierre, au courant du drame de Marguerite, ne disait mot, tout aussi sidéré qu'elle. Il ne put réprimer l'envie de signaler, d'un geste de la main, à l'aspirant en train d'écouter religieusement le discours de son maître, de regarder du côté de Marguerite. Mais quand il se retourna, elle avait déjà disparu. Sans prononcer une parole, elle était revenue rapidement vers ses sœurs pour prendre, d'une main leste, son bébé endormi au fond du landau. De loin, il la vit gagner la sortie du parc à toute allure.

Étonnée du départ précipité et inexplicable de sa sœur, Anne avait vainement tenté de la retenir.

— Marguerite ? Où vas-tu ? Qu'est-ce qui se passe, grands dieux ?

— Je rentre à la maison. Je… je me sens fatiguée, tout à coup. Je vais essayer de dormir. Je vous rejoindrai plus tard chez Rose-Marie pour le souper.

Pierre rejoignit Anne à grands pas et la retint de partir à la poursuite de la fugitive. Quelques mots d'explication suffirent à consterner tous les visages de la famille. Ainsi, le père Lacroix avait défroqué. Et il avait le front de revenir prêcher à Lowell la tête haute après avoir mis une fille enceinte et l'avoir abandonnée. Quel goujat ! Et apostat en plus ! Paul Boismenu esquissa une grimace.

— Il mériterait que je lui mette mon poing dans la face, l'écœurant !

Anne lui lança un regard noir. Qui était-il, celui-là, pour juger les autres ? Qui sait si lui-même, par les années passées, n'avait pas semé quelque descendant non déclaré… Mais elle chassa vite ces jugements téméraires. Elle avait bien d'autres chats à fouetter.

Une fois le discours du pasteur Anderson terminé, elle fit signe aux autres de partir sans l'attendre. Elle poussa un soupir et s'avança alors d'un pas déterminé vers l'estrade. Quelques paroissiens entouraient Antoine, tout contents de retrouver leur ancien vicaire malgré son changement d'appartenance religieuse. On n'en finissait plus de lui raconter les derniers événements et de lui donner des nouvelles du petit dernier ou de la grand-mère malade. Le père Lacroix avait été un prêtre apprécié des fidèles. On regrettait son départ, on s'informait de ses nouvelles croyances, de cette religion protestante pratiquée par la majorité des Américains, et qui en attirait plus d'un. On osa même demander les raisons de son changement d'obédience. Antoine répondait à chacun avec patience et gentillesse sans remarquer la présence d'Anne parmi l'attroupement.

Elle se mit à trépigner d'impatience derrière les derniers badauds jusqu'à ce qu'enfin Antoine lui-même l'aperçoive. Il s'approcha lentement d'elle, d'un pas hésitant, comme s'il voulait retarder jusqu'à la limite cette rencontre qu'il savait maintenant inévitable.

— Anne ! Comment allez-vous ? Je me disais bien que je rencontrerais l'une d'entre vous !

Après s'être assuré de n'être entendu que par la jeune femme, il la saisit par les épaules et plongea dans les yeux d'Anne son regard d'océan de toute évidence agité par une tempête déchaînée.

— Anne, je vous en prie, parlez-moi de Marguerite. Parlez-moi de Margot.

40

Les coups répétés à la porte tirèrent Marguerite du lit. Après avoir nourri l'enfant, elle s'était allongée à côté de lui et, tenant sa frêle menotte entre ses mains, elle s'était tournée de son côté.

Ce petit, son unique raison de vivre, ce souvenir vivant, tangible et palpable de l'homme de sa vie, ne lui suffisait-il pas ? Elle n'avait pas besoin de voir réapparaître sous ses yeux, plein de vitalité et plus beau que jamais, l'objet de sa peine, de ce chagrin qui n'en finissait plus de finir. Antoine... Comme si le hasard s'acharnait à aiguiser cruellement sa souffrance ! Pour quelle raison le destin s'acharnait-il ainsi à briser le château de verre de sa résistance ? Ce destin, elle le maudissait de toute la profondeur de son âme. Cette fois, il ne gagnerait pas la partie, le destin ! Cette fois, elle ne mordrait pas à l'hameçon. Antoine Lacroix pouvait bien prêcher là où il voulait, elle s'en moquait éperdument ! Du moins, essayait-elle...

Dans deux jours, elle serait en route pour Montréal. La distance la protégerait. Là-bas, au loin, elle retrouverait la sérénité de l'existence simple et confortable qu'elle avait entrepris de se bâtir tranquillement. D'ici là, elle resterait tapie dans cette maison et ne laisserait personne venir encore la troubler. Il n'y avait plus de place pour Antoine Lacroix dans sa vie, et ce n'était pas maintenant que les choses allaient changer.

Elle s'était mise à parler à l'enfant à voix haute, haletante d'émotion.

— Un papa représente quelqu'un d'important pour un enfant, je le sais bien, mon petit Emmanuel. Je ne le sais que trop! Mais quand ce quelqu'un contribue à nous rendre malheureux, aussi bien nous passer de lui et poursuivre le chemin sur lequel nous nous sommes déjà engagés, toi et moi… Pardonne-moi, mon fils, de ne pas te présenter ton père en ce moment. Je m'en sens incapable. Et je prends cette grave décision en espérant qu'un jour, tu comprendras.

Marguerite savait bien qu'un bébé de quatre mois ne pouvait comprendre quoi que ce soit à son discours, mais de prononcer ces mots à voix haute l'avait soulagée et aidée à approfondir sa décision. Le visage baigné de larmes, elle avait fini par sombrer dans un sommeil agité, peuplé d'orateurs déguisés en démons.

Le martèlement acharné sur la porte d'entrée finit par la réveiller.

— C'est bon, c'est bon, j'arrive! Pas nécessaire de défoncer la porte!

Sans doute Anne et Pierre revenaient-ils la chercher pour le souper chez les Boismenu et ils avaient oublié leur clé. Elle ouvrit prestement et faillit perdre pied. Il était là, devant elle, pour elle, et il lui tendait un bouquet de marguerites.

Toute la rancœur envers Antoine qui minait Marguerite, toutes ses belles décisions, son choix d'indépendance, sa farouche détermination, son aplomb, sa ténacité à toute épreuve furent réduits à néant en une seconde. Même le souvenir des souffrances, au cours de l'année qui venait de s'écouler, explosa littéralement. Soudain, il n'existait plus rien d'autre au monde que la présence de cet homme adoré, là, devant elle, qui la regardait intensément de ses yeux brillants de larmes.

— Antoine!

— Mon amour…

Spontanément, ils tombèrent dans les bras l'un de l'autre. Tous les malentendus, toutes les rancunes, toutes les résolutions, le monde entier venait de s'effondrer autour d'eux.

— Tu as dit « mon amour », Antoine ?

— Marguerite, je n'ai pas cessé un instant de t'aimer ! Je sais tout, maintenant.

— …

— Margot, je t'aimerai pour l'éternité… L'avais-tu oublié ?

Ils avaient mille mots à échanger, des heures d'explications à partager, peut-être même des reproches à formuler, mais ils ne firent rien d'autre que de se réfugier dans cette étreinte muette en sanglotant. Ils restèrent là un temps infini, debout dans l'entrée, enlacés, soudés l'un à l'autre par un même trop-plein d'amour, incapables de se séparer ni de prononcer une parole. Moment de grâce où les gestes en disent davantage que les mots. Moment de silence béni où le sentiment d'étreindre à la fois la vie, la mort, l'univers entier, mène sur les rives de l'absolu. Ce sont les pleurs du bébé qui les ramenèrent à la réalité.

— Emmanuel, mon fils, je n'en reviens pas ! Savais-tu que ce nom signifie « envoyé de Dieu » ? Anne m'a tout raconté tantôt, au parc. Tes lettres que je n'ai jamais reçues, sa méprise en m'annonçant que tu attendais l'enfant d'Hugo, et tout le reste. Marguerite, je…

— Chut ! Ne dis rien ! Suis-moi plutôt.

Elle caressa le bébé pour le calmer puis le souleva devant un Antoine désemparé et paralysé d'émotion. Au contact de son petit, Marguerite retrouva ses esprits et afficha le sourire le plus radieux de la terre.

— Mon révérend père, voici votre fils envoyé de Dieu… Ou plutôt non, pas comme ça ! Je recommence : mon cher papa d'amour, voici ton petit Emmanuel chéri…

L'enfant comprit-il que l'homme devant lui était son père ? Il lui tendit les bras en souriant. Toujours figé, Antoine se mit à sangloter au lieu de se saisir du bébé. Marguerite dut lui tirer une chaise, croyant qu'il allait s'effondrer tant il paraissait ébranlé. Mais, à son grand étonnement, elle le vit se mettre à genoux en s'appuyant sur la chaise et joindre les mains en levant les yeux au ciel.

— Seigneur, aide-moi à supporter autant de bonheur…

Jamais Marguerite n'aurait cru qu'un homme puisse pleurer autant. Antoine paraissait inconsolable. Elle comprit alors que le destin, dans ses méandres tortueux, n'avait pas usé de cruauté qu'envers elle. Marguerite Laurin n'avait pas été la seule à souffrir de ces silences, de ces méprises et de ces erreurs. De l'autre côté de la frontière, Antoine aussi avait gravi son calvaire. Chavirée, incapable de se ressaisir, elle vint se blottir à genoux contre lui. Tous les deux pleurèrent un long moment, incapables de supporter autant d'émotions. Bien campé dans un coin du canapé, le bébé, dans son innocence, les gratifiait de ses plus beaux sourires.

— Regarde, Emmanuel veut se faire prendre !

Cette fois, Antoine accepta de serrer tendrement son enfant contre lui en se recueillant profondément, paupières baissées. Et ce visage absorbé rappela à Marguerite celui du prêtre qu'elle regardait lever l'hostie, autrefois, à la messe du matin dans l'église Saint-Joseph. « Antoine, je t'aime. » Oui, Emmanuel était vraiment l'enfant de Dieu...

— Mon fils... Comme il est beau ! Et comme je l'aime déjà ! C'est fou, il y a à peine une heure, j'ignorais son existence. Quand j'ai compris le malentendu qui nous avait séparés, je n'en croyais pas mes oreilles !

— Je t'avais pourtant écrit tout ça dans mes lettres, Antoine. Et même dans plusieurs lettres, au début de l'automne dernier.

— Une seule de tes lettres s'est rendue au presbytère avant mon départ : ta lettre de rupture.

— Comment ça, ma lettre de rupture ? Je ne t'ai jamais écrit de lettre de rupture ! Tu crois vraiment que j'aurais pu songer un seul instant à te quitter ? Allons donc ! Au contraire, toutes mes lettres te parlaient d'amour !

— Là, Marguerite, je commence à comprendre. Le père Garin ne m'a pas laissé lire cette lettre, je m'en souviens parfaitement tant j'étais frustré. Il l'a lancée devant moi dans la cheminée en affirmant haut et fort que tu me quittais définitivement et que notre histoire d'amour était bel et bien terminée. Je me rappelle l'avoir regardée se consumer dans les flammes avec un tel désarroi. Il y a de ces moments…

— Le père Garin a fait ça ? Je n'en reviens pas !

— Oui… Un bel écœurant ! Quand j'y songe, j'aurais le goût d'aller le battre !

— Antoine, Antoine… Qui donc prêchait le pardon, au parc, cet après-midi ? Parle-moi plutôt des autres lettres que je t'ai envoyées.

— Je n'en ai reçu aucune puisque j'ai quitté la paroisse dès le lendemain matin. Le père Garin, suite à son mensonge, a dû les mettre à la poubelle au fur et à mesure qu'elles arrivaient. Cependant, ton rejet aura eu au moins cela de bon : j'ai pris concrètement la décision qui me hantait. Depuis des années, je songeais à quitter l'Église catholique. Je n'y étais pas à ma place, ça ne l'avait jamais été.

— Mon rejet, mon rejet… Je t'en prie, Antoine, ne pense plus jamais ça ! Je n'ai jamais eu la moindre intention de te rejeter.

Emmanuel, sans doute contrarié parce qu'on ne s'occupait plus de lui, se mit à pousser de hauts cris. Antoine commença à l'embrasser fougueusement et à le chatouiller sous le regard attendri de la mère. Elle n'avait jamais imaginé le père Lacroix sous ce jour, et de le voir aussi paternel lui chavira le cœur. Il ferait le meilleur des papas. Le petit se mit à rigoler, et les éclats de rire du père et du fils coulèrent en elle comme le plus apaisant des remèdes, le calmant de toutes les douleurs, surtout celles de l'âme.

On prépara ensemble la purée et Antoine accomplit sa première véritable tâche de père : nourrir son enfant à la petite cuillère. Bien sûr, on retrouva des éclaboussures de carottes un peu partout autour, mais qu'importe, ce premier moment d'activité familiale resterait longtemps gravé dans la mémoire des parents enfin réunis.

Une fois le bébé rassasié et bien appuyé contre des oreillers, un hochet à la main, Antoine et Marguerite purent reprendre leur conversation interrompue.

— Je me sens responsable de notre malheur, Antoine. J'aurais dû t'informer de ma grossesse dès mon départ pour Montréal. Mais j'hésitais entre garder l'enfant ou le donner à l'adoption, tu comprends. Et je voulais aussi protéger ta réputation, toi, prêtre et vicaire.

— Moi aussi, je me sens coupable. Quand, en septembre, Anne m'a appris que tu attendais un bébé d'Hugo Dubuque, je l'ai crue. J'ai douté de toi, Marguerite, et je n'en suis pas fier. J'aurais dû chercher à te rejoindre pour entendre la vérité de ta bouche au lieu de me sauver loin de Lowell. Comment ai-je pu perdre confiance en toi à ce point ? Il faut dire que la veille, le père Garin m'avait montré de loin ta soi-disant lettre de rupture. Les demandes en mariage répétées d'Hugo dont Anne m'a parlé ont tout fait basculer. Je n'ai eu qu'une idée : m'enfuir pour changer de vie. Et j'ai saisi l'occasion pour quitter l'Église catholique, comme tu vois.

— Et moi, je croyais que tu ne m'aimais plus. Moi, seule au monde avec mon secret, à Montréal, dans un hôpital pour filles-mères…

— J'ai erré de village en village pendant des semaines, Marguerite, complètement désabusé. Seule ma foi m'a sauvé, sinon je ne serais plus de ce monde. Dieu ne m'a pas abandonné. Un soir, à Manchester, le pasteur Anderson m'a ramassé ivre mort sur un banc de parc. Je ne me rappelais même plus mon nom. L'homme m'a hébergé, soigné, nourri, remis dans le droit chemin. Tranquillement, grâce à lui, j'ai repris goût à la vie. Ma confiance en Dieu a grandi et mon besoin inné de dévouement s'est régénéré petit à petit. Je suis un mystique et jamais je ne pourrai changer cela. J'ai longuement fouillé dans les livres de théologie de mon sauveur et minutieusement étudié la doctrine de sa religion, puis j'ai décidé d'y adhérer et de me convertir au protestantisme pour devenir pasteur. Les croyances et les pratiques de l'Église baptiste évangélique me conviennent bien davantage que celles de l'Église catholique. De plus, les pasteurs protestants peuvent mener une vie plus normale en ayant le droit de se marier et d'avoir des enfants.

— Tu dois bien avoir un pied-à-terre quelque part ?

— Pour le moment, j'habite encore chez mon ami de Manchester au New Hampshire. Je viens de terminer ma formation et me sens prêt à voler de mes propres ailes pour porter la bonne parole aux hommes. Je t'avoue avoir hésité longtemps avant de suivre monsieur Anderson à Lowell. À la dernière minute, je n'ai pas trouvé le courage de prendre la parole, dans ce parc où je connaissais trop de monde. Je me sentais comme un traître…

En écoutant parler son bien-aimé, Marguerite pensa qu'il ne s'interromprait jamais et elle buvait ses paroles comme une assoiffée. Le bébé, pourtant, réclama plus d'attention, sans doute fatigué de sa position peu confortable. La mère décida de lui enfiler sa robe de nuit et de le mettre au lit sous l'œil émerveillé du père qui reprit la parole aussitôt la porte de la chambre refermée.

— Mais toi, Marguerite, je n'ai jamais cessé de t'aimer un seul instant, en dépit de tout. Quand j'ai vu Anne me faire signe, au parc, une seule pensée a surgi dans mon esprit : comment va ma petite Margot ? Est-elle au moins heureuse avec son Hugo et leur bébé ? Je ne me doutais pas que peu de temps après, je me retrouverais ici, dans tes bras. Nous devons mille mercis à ta sœur, crois-moi, car sans elle, nous serions repartis chacun de notre côté, le cœur toujours en charpie.

Dans son élan de générosité, Anne avait eu la délicatesse de spécifier à Antoine, en lui remettant l'adresse où se trouvait Marguerite, qu'elle ne s'inquiéterait pas si celle-ci ne se présentait pas au souper de Paul et de Rose-Marie. Elle ajouta que personne ne reviendrait au logement. Les Forêt dormiraient chez les Boismenu cette nuit. Manigance fraternelle pour laisser sa sœur régler ses problèmes de cœur. En apprenant cela, Marguerite se dit que jamais Anne n'aurait pu lui offrir de plus beau cadeau.

— Nous avons toute la nuit à nous, mon amour, pour reconstruire notre bonheur.

— Pas si vrai que ça, Antoine ! Entends-tu Emmanuel pleurer ? Je me demande bien pourquoi… Mais, j'y pense, tout à coup : je l'ai mis au lit sans lui donner le sein. Je n'aurais jamais cru que ça m'arriverait un jour. Disons que ce soir, les distractions ne manquent pas. Tout de même… Tiens, justement, je sens ma montée de lait.

Marguerite s'en fut chercher le petit gourmand et s'installa confortablement dans la berceuse. Sans faire de manières, elle dégrafa sa blouse et son corset et présenta le sein au bébé qui se tut immédiatement.

Antoine s'approcha et caressa le sein de la mère du bout des doigts.

— Marguerite, j'ai une proposition à te faire.

— C'est oui à l'avance, mon amour.

— Attends, attends, tu verras! Ça va te demander réflexion. Après la tétée, nous allons sortir avec notre fils.

— Malgré l'obscurité?

— Oui. Il faudra apporter quelques bougies, sans oublier le bouquet de marguerites, tu veux bien?

41

L'immense excavation derrière le trottoir de la rue Merrimack sentait encore le ciment frais. Antoine, le bébé endormi sur son épaule, tendit la main à Marguerite, pour l'aider à y descendre.

— Pour l'amour du ciel, Antoine, que vient-on faire ici dans ce gigantesque trou noir, à une heure aussi avancée de la soirée ?

— Ici se trouvent les fondations de la future église Saint-Jean-Baptiste commandée par notre cher père André-Marie Garin. Tu sais sûrement que la vieille église Saint-Joseph tombe en ruines et ne suffit plus aux besoins du culte, les Canadiens venant de plus en plus nombreux s'installer à Lowell. Comme tu peux l'imaginer, cette église aura les dimensions d'une cathédrale.

Marguerite se demandait bien où Antoine voulait en venir. Le ton sur lequel il avait commencé son exposé lui faisait penser à un discours. L'ancien vicaire avait beau aimer disserter, elle ne pouvait croire qu'il l'avait amenée jusqu'ici pour préparer une prochaine allocution qu'il avait peut-être l'intention de prononcer dans ce lieu, ces jours prochains, à défaut d'aller dans un parc. Elle n'osa l'interrompre.

Ne se rendant pas compte qu'elle venait de pousser un léger soupir d'exaspération, Antoine continua sur sa lancée.

— Dans cet espace particulier où nous nous trouvons actuellement, des prières s'élèveront à toute heure du jour et de la nuit d'ici quelques années. On viendra y consacrer le pain et le vin, on y distribuera la communion, on y absoudra les péchés, on y célébrera des baptêmes, des mariages et des funérailles. Ce lieu mérite notre respect, Marguerite, car des hommes, des femmes et des enfants pénétreront dans cet espace avec l'intention de mettre leur âme à nu devant leur Créateur. Il n'existe pas de place pour le mensonge et l'hypocrisie dans un tel endroit. On vient dans la maison de Dieu tel quel, ou on n'y vient pas. Si les humains se permettent de tricher à l'extérieur de l'église, ici, ils n'ont pas le choix de se présenter humblement, tels qu'ils sont. Plus vrais que vrais. Comme les enfants de Dieu qu'ils sont. Ce temple du Seigneur qu'on érigera, comme toutes les églises du monde, sera celui de l'authenticité. Et de la vérité. Celui de l'espérance aussi. As-tu jamais songé à cela, Marguerite ?

Non, elle n'y avait pas songé. Elle se laissait davantage bercer par l'écho assourdi de la voix d'Antoine que par la signification réelle de ses paroles. Sous la voûte du ciel étoilé, au beau milieu de cette place déserte, la présence de son fils et de l'homme de sa vie réunis suffisait à la rendre doucement euphorique. Ce qu'elle pouvait les aimer, ces deux-là !

Comme Antoine n'avait pas reçu de réponse à sa question, il s'arrêta net de parler et chercha les bougies à tâtons. Il s'appliqua ensuite à les installer sur l'unique tréteau déniché sur les lieux en prenant soin de déposer au milieu, avec mille précautions, le bouquet de fleurs.

Intriguée, Marguerite le regardait faire sans broncher, en retenant son souffle. Elle qui avait cru passer la nuit au lit, bien au chaud dans les bras de son amant, voilà qu'il l'avait entraînée dans cet endroit bizarre pour venir y allumer des chandelles sur un vieux support servant à la menuiserie ! Elle ne put retenir une question.

— Veux-tu bien m'expliquer ce que tu fais là, mon chéri ?

— Attends, tu vas voir, il s'agit d'une surprise. Bon, j'y suis ! Alors, écoute-moi bien. Tu n'es pas sans savoir qu'un prêtre catholique demeure prêtre durant sa vie entière même s'il défroque ou s'engage dans une autre religion. En dépit de ma nouvelle allégeance de pasteur de l'Église baptiste, je me trouve donc en droit, en tant que prêtre catholique, d'administrer un sacrement dans ce lieu qui deviendra une église catholique. Tu es bien d'accord?

Une fois de plus, Marguerite ne répondit pas, trop impressionnée. À travers la lueur des bougies, elle voyait briller les yeux d'Antoine. Jamais elle ne leur avait trouvé autant d'éclat.

— Tu sais, Marguerite, l'histoire ne retiendra pas cette courte cérémonie que nous allons célébrer maintenant, toi et moi. Dans quelques années, les gens vont venir s'agenouiller ici sans savoir que par une chaude nuit de juillet 1888, un homme et une femme s'y sont épousés, bénis par la main d'un prêtre, avec comme seul témoin un ange appelé Emmanuel. Viens, mon amour…

Toujours serrant son fils endormi contre son épaule, Antoine pria une Marguerite complètement abasourdie de s'approcher de lui. Avait-elle bien deviné ce qui allait se passer? Elle lança un faible cri, comme pour retenir un sanglot. Elle devait rêver, cela ne se pouvait pas. C'était trop beau pour y croire, plus qu'elle pouvait en supporter. Elle allait bientôt se réveiller et débouler dans la réalité, sa dure réalité.

Antoine ne lui laissa pas le temps d'éclater et lui tendit une main fébrile, puis il approcha son visage du sien.

— Marguerite Laurin, fille de Rébecca et de Joseph Laurin, consentez-vous, devant Dieu et devant les hommes, à me prendre, moi, Antoine Lacroix, pour légitime époux?

— Oui, je le veux.

— Et moi, Antoine Lacroix, alias Antony Cross, fils d'Isaïe et de Marie-Louise Lacroix, est-ce que je consens, devant Dieu et devant les hommes, à te prendre, toi, Marguerite Laurin, pour légitime épouse? Oui, je le veux. Nous sommes donc mari et femme. Que le Dieu tout-puissant bénisse notre union. Au nom du Père, du Fils et du Saint-Esprit. Amen.

Comme le moment était venu de passer les alliances, Antoine prit l'une des marguerites et en enroula la tige autour de l'annulaire de son épouse. Puis il tendit son propre doigt et la pria de faire de même. Il leva ensuite sa main droite pour bénir les étranges anneaux.

— Bénissez, Seigneur, nos humbles alliances, gages de notre amour éternel. Nous savons que, dans votre merveilleuse œuvre de création, la nature veillera fidèlement à renouveler ces tiges de vie à chaque année de notre existence, tout le temps de notre passage sur cette terre. Donnez-nous la grâce de renouveler de même cet amour que vous avez semé dans nos cœurs. Puissions-nous toujours nous en montrer dignes.

— Antoine, je t'aime.

— Et moi, Marguerite, je t'aimerai pour l'éternité.

Une légère brise s'amusa à souffler sur les bougies et les éteignit une à une. Silencieux, soudés l'un à l'autre, les époux s'embrassèrent longuement sous le regard bienveillant de la lune. Enveloppé dans sa couverture, le petit Emmanuel dormait comme un ange.

42

Deux jours plus tard, sur le quai de la gare de Lowell, les adieux entre Marguerite et les siens s'effectuèrent sur un ton presque joyeux. Évidemment, Anne ne put s'empêcher d'essuyer une larme, tout comme Camille qui mettait dorénavant ses plus grands espoirs dans les promesses de sa sœur aînée. Ne s'était-elle pas engagée à la faire venir bientôt à Montréal auprès d'elle ?

— Donne-moi quelques semaines, sœurette. Le temps de me retourner et je te fais signe dès qu'une solution se présente. On ne va pas t'oublier, promis, main sur le cœur, n'est-ce pas, mon chéri ?

Aux côtés de Marguerite, le chéri, rayonnant, s'occupait des billets, des bagages et même du bébé. Quand, la veille, elle avait appris la nouvelle du mariage secret de sa sœur, Anne avait sauté de joie et organisé un grand souper de fête, et en même temps d'adieu, pour les nouveaux mariés. Elle n'aurait pu souhaiter meilleur dénouement au drame vécu par son aînée.

Antoine avait pris la décision d'accompagner sa femme à Montréal, histoire de tâter le terrain. Depuis des mois, il avait son pied-à-terre à Manchester, mais l'idée l'emballait d'aller exercer son ministère dans son pays d'origine. Qui sait si l'Église baptiste n'apprécierait pas ses services dans la région montréalaise ? Une chose était certaine et coulée dans le béton : lui et Marguerite ne se sépareraient plus jamais même s'ils ignoraient encore à quel endroit ils fonderaient leur foyer. Ils allaient vivre au grand jour comme mari et femme, convaincus de la validité du sacrement qu'Antoine avait administré, l'avant-veille, dans l'espace qui deviendrait l'église Saint-Jean-Baptiste de Lowell.

Quelques minutes avant le départ du train, Marguerite jeta un œil furtif sur la voie ferrée dessinant ses détours à travers les bosquets pour finalement disparaître dans un tournant. Elle se rappelait un autre jour tout aussi ensoleillé, il y avait déjà quelques années, où elle avait regardé partir un autre train, avec à son bord un Simon Lacasse rempli de promesses de retour. La vie en avait décidé autrement, et elle ne regrettait rien. Aujourd'hui, c'était elle qui partait vers l'aventure, le cœur bercé d'espoir en un bonheur qu'elle méritait bien, enfin.

Le couple allait s'engager sur le marche-pied quand Anne s'écria à brûle-pourpoint :

— Hé ! j'ai une surprise pour vous ! J'ai attendu à la dernière minute pour vous l'apprendre en guise de cadeau de départ : j'attends un autre bébé !

Fin

À suivre dans *L'Insoutenable Vérité*

Note de l'auteure

Les oblats de Marie-Immaculée, André-Marie Garin et Lucien Lagier ont réellement travaillé dans la paroisse francophone de Lowell. Les sœurs Grises Saint-Lucien et Sainte-Léontine dirigées par sœur Plante ont également enseigné à l'école Saint-Joseph, de même que l'avocat Hugo Adélard Dubuque s'est avéré être un important défenseur des droits des francophones. Par contre, dans ce roman, les interventions de ces personnages auprès de la famille Laurin sont purement fictives et fruit de l'imagination de l'auteure.

À noter que le pamphlétaire Calvin Almaron, l'écrivain Prosper Bender, le syndicaliste Foster, le révérend Joseph Strong, Mgr Hendriken, de même que l'architecte Félis Albert, le juge de paix Magloire Ducharme et les abbés McGee et Joseph Laflamme ont également fait partie de l'histoire des francophones de la Nouvelle-Angleterre.

Marquis imprimeur inc.

Québec, Canada
2009

GARANT DES FORÊTS
INTACTES

L'impression de cet ouvrage sur papier recyclé a permis
de sauvegarder l'équivalent de 65 arbres de 15 à 20 cm
de diamètre et de 12 m de hauteur.